Le Barbier de Séville

BEAUMARCHAIS

Ouvrage publié sous la direction de
PIERRE SERVET

Édition présentée par
ANNE-MARIE GREMINGER
Agrégée de Lettres classiques

www.universdeslettres.com

Voir « LE TEXTE ET SES IMAGES » p. 186
pour l'exploitation de l'iconographie de ce dossier.

1. Jean-Pierre Michaël (ALMAVIVA) et Thierry Hancisse (FIGARO) dans la mise en scène de Jean-Luc Boutté, Comédie-Française, 1990.

ALMAVIVA, SON VALET ET SA DUPE

2. Roland Bertin (BARTHOLO), Jean-Pierre Michaël (ALMAVIVA) et Anne Kessler (ROSINE) dans la mise en scène de Jean-Luc Boutté, Comédie-Française, 1990.

3. Suzanne Mentzer (ROSINE) et Gabriel Bacquier (BARTHOLO) dans la mise en scène de l'opéra de Rossini par Jean-Marie Simon, Opéra-Comique de Paris, 1985.

INTÉRIEUR/EXTÉRIEUR

4. Gaston Vacchia (BARTHOLO) et Sabine Paturel (ROSINE) dans la mise en scène de Gaston Vacchia, Grand Trianon de Versailles, 1991.

5. Roland Bertin (BARTHOLO) et Anne Kessler (ROSINE) dans la mise en scène de Jean-Luc Boutté, Comédie-Française, 1990.

ROSINE
DANS TOUS SES ÉTATS

6. Mlle Contat (1760-1813), actrice au Théâtre-Français, dans le rôle de ROSINE, gouache anonyme (musée Carnavalet, Paris).

7. Le personnage d'ALMAVIVA dans l'opéra de Rossini. Décors et costumes d'après la maquette de Charles Martin, exécutés par M. Mouveau, Opéra de Paris, 1816.

8. Le chanteur Lucien Fugère dans le rôle de BARTHOLO dans l'opéra de Rossini, Opéra-Comique de Paris, 1884.

9. Laure Thierry (ROSINE), Didier Mahieu (BARTHOLO) et Jean Fantys (ALMAVIVA) dans la mise en scène d'Alain Bezu, théâtre des Deux-Rives, Rouen, 1991.

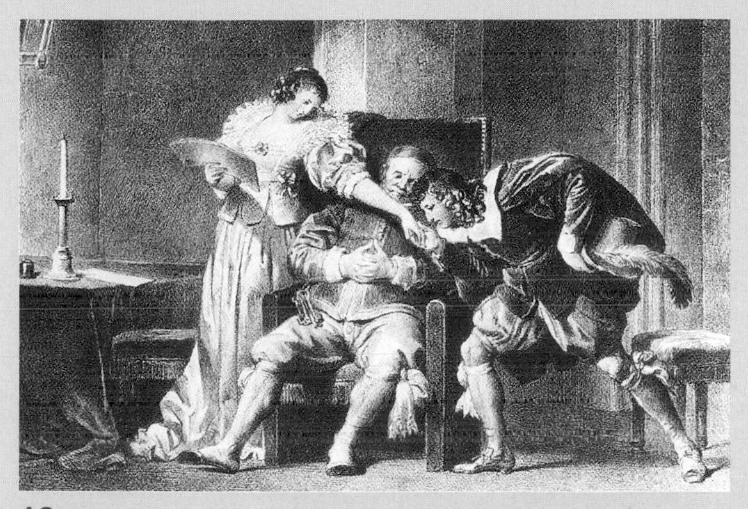

10. *La Leçon de musique*, gravure de Lemercier, d'après Fragonard, XIXe siècle (Bibliothèque nationale de France, Paris).

11. Gravure coloriée anonyme pour *Le Barbier de Séville*, XIXe siècle (Bibliothèque de l'Opéra, Paris).

12. Michel Trempont (BARTHOLO) et Ruggero Raimondi (BAZILE) dans la mise en scène de l'opéra de Rossini par Ruggero Raimondi, Opéra de Nancy, 1992.

13. Roland Bertin (BARTHOLO) et Marcel Bozonnet (BAZILE) dans la mise en scène de Jean-Luc Boutté, Comédie Française, 1990.

LE FINALE ?

14. Jennifer Larmore (ROSINE), Jean Luc Viala (ALMAVIVA), Gino Quilino (FIGARO), Luigi Roni (BASILE) et LE NOTAIRE dans la mise en scène de l'opéra de Rossini par Dario Fo, Opéra Garnier, 1992.

15. Thierry Hancisse (FIGARO) dans la mise en scène de Jean-Luc Boutté, Comédie-Française, 1990.

REGARDS
SUR L'ŒUVRE

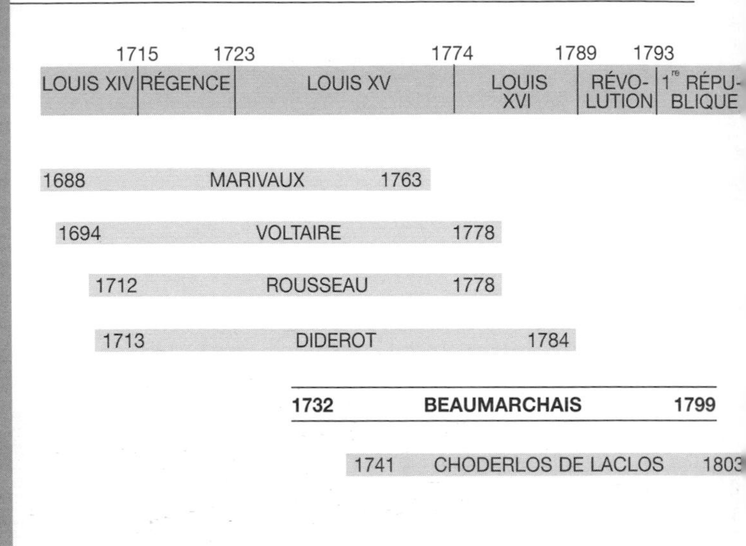

ŒUVRES DE BEAUMARCHAIS

1760 Parades dont *Jean-Bête à la foire*, pour le théâtre du château d'Étioles

1767 *Eugénie*
Essai sur le genre dramatique sérieux

1770 *Deux Amis ou le Négociant de Lyon*

1773 Trois *Mémoires* contre Goëzman

1774 Quatrième *Mémoire*

1775 ***Le Barbier de Séville •***

Lettre modérée sur la chute et la critique du Barbier de Séville

1784 *Le Mariage de Figaro* •

1787 *Tarare*, opéra sur une musique de Salieri

1792 *La Mère coupable* •

• Ces trois pièces forment la trilogie de Figaro.

LIRE AUJOURD'HUI
LE BARBIER DE SÉVILLE

Le Barbier de Séville est moins connu du grand public que *Le Mariage de Figaro* : une charge critique moins forte, des personnages moins ambigus et des situations plus simples expliquent ce moindre intérêt des metteurs en scène.

Pourtant, les rebondissements, l'ingéniosité de l'intrigue*, l'art de maintenir le suspens font du *Barbier* une réussite dramatique indéniable. Le charme des personnages, sans aucun véritable méchant, s'impose : les spectateurs sympathisent avec les jeunes gens, apprécient la complicité du Comte et du Barbier. La verve de Beaumarchais se déploie dans des échanges rapides et énergiques, des mots d'auteur*, des tirades virtuoses. Par ces qualités, *Le Barbier de Séville* condense toute l'efficacité de l'art de la comédie.

Les traits de satire* sociale sont bien présents mais on ne saurait réduire la pièce à cet aspect : que les grands soient nobles, puissants ou riches, ils sont toujours menaçants pour les petits, toujours plus exigeants pour leurs subordonnés que pour eux-mêmes. L'alliance du grand seigneur, de la jeune fille de petite noblesse et du Barbier contre le bourgeois Bartholo vise moins un état social que la tyrannie particulière de tous ceux qui abusent de leur pouvoir sur autrui : celui des hommes sur les femmes, des tuteurs ou des parents sur les jeunes gens pour arranger des mariages, des gens établis contre les idées nouvelles. Beaumarchais égratigne la censure, les cabales* littéraires, la médecine, les passe-droits, les représentants de l'ordre ou de la justice...

Bref, Beaumarchais se fait le défenseur de la liberté, en particulier de la liberté amoureuse, contre les contraintes sociales. En accord avec la « philosophie » si « gaie » de Figaro, les attaques contre les institutions et les mœurs ne versent jamais dans l'amertume. Cette gaieté et cette jeunesse font, aujourd'hui encore, tout le charme de la pièce.

* Les définitions des mots suivis d'un astérisque figurent p. 264-268.

REPÈRES

L'AUTEUR : Pierre-Augustin Caron de Beaumarchais, horloger, musicien, homme d'affaires, agent secret du roi, écrivain et dramaturge, bref homme orchestre.

PREMIÈRE REPRÉSENTATION : le 23 février 1774 en 5 actes, un échec.

DEUXIÈME REPRÉSENTATION : quelques jours après en 4 actes, un franc succès.

LE GENRE : comédie gaie (avec des chansons), en quatre actes.

LE CONTEXTE : une querelle stupide avec le duc de Chaulnes, par ailleurs de ses amis, et qui le redeviendra ensuite ; Beaumarchais fait trois mois de prison en 1773. Des démêlés avec la justice : une affaire de succession, l'affaire La Blache, fort compliquée. Un conflit avec le conseiller Goëzman contre lequel Beaumarchait écrit les *Mémoires* : procès, condamnation et privation partielle des droits civiques. Une mission couronnée de succès à Londres pour le roi Louis XV, mais celui-ci meurt. Un nouveau roi, Louis XVI, monte sur le trône.

LA PIÈCE :

• **Origines :** première ébauche du *Barbier de Séville* à travers une pièce récemment retrouvée, *Le Sacristain*, sans doute écrite vers 1765. Un opéra-comique* composé en 1772, que les Comédiens-Italiens refusent.

• **Intrigue :** un barbon*, médecin de son état, prétend épouser sa pupille qui ne l'aime pas et se trouve fort attirée par un beau jeune homme. Le galant, grand seigneur qui voudrait être aimé pour lui-même, se fait aider d'un ancien valet, désormais barbier, pour entrer dans la place et obtenir le consentement de la belle sous le nom de Lindor, étudiant pauvre. Au terme de nombreuses péripéties*, ils parviennent à leurs fins, laissant le barbon déconfit.

• **Lieu et temps :** une Espagne de fantaisie ; entre rue et maison, de part et d'autre d'une fenêtre bien fermée.

• **Personnages :** le comte Almaviva dispute à Bartholo, le tuteur, l'amour et la main de Rosine. Le barbier Figaro seconde le Comte, son ancien maître. L'organiste Bazile, instrument des desseins de Bartholo, dénoue la situation de manière inattendue. Quelques utilités* et figurants complètent cette distribution.

SORTIE DE LA PIÈCE : fort mouvementée, en plusieurs temps. Une première version en quatre actes devait être représentée en 1773 à la Comédie-Française, mais elle est interdite la veille de la représentation. En 1774, une deuxième version en cinq actes tombe après la première. Une troisième version, en quatre actes, obtient, le 26 février 1774, un large succès.

POSTÉRITÉ : dans *Le Mariage de Figaro*, dix ans plus tard, Beaumarchais reprend ses personnages, et dans *La Mère coupable*, un drame joué huit ans après, il montre encore les mêmes, vieillis et malheureux. À l'opéra, deux *Barbiers de Séville*, l'un contemporain de la pièce, de l'Italien Paisiello, le second, plus célèbre, d'un autre Italien, Rossini, représenté en 1816.

Mlle Mezeray dans le rôle de ROSINE, gravure de Duplessis Bertaux (1747-1799) (Bibliothèque nationale de France, Paris).

BEAUMARCHAIS ET *LE BARBIER DE SÉVILLE*

UN JEUNE HOMME DOUÉ SOUS TOUS RAPPORTS (1732-1764)

Beaumarchais naît le 24 janvier 1732 dans une **famille d'horlogers**. Son père, André-Charles Caron, protestant, s'est converti pour vivre tranquille et réussit bien dans son métier ; la famille, cultivée et musicienne, organise le soir des petits concerts où chacun joue, lit de la poésie, des romans. Le jeune Pierre-Augustin apprend le métier d'horloger, mais, joli garçon et porté sur les plaisirs, il se permet quelques frasques.

Il devient un horloger si compétent qu'il invente un procédé nouveau de régulation des mécanismes des montres (en usage jusqu'à nos jours), qui, malgré une tentative de l'horloger du roi pour s'en attribuer le mérite, lui sera reconnu par l'Académie des sciences. Il en tire grande réputation et est **présenté au roi Louis XV** : en 1754, c'est le début de ses succès à la cour, soutenus par une belle allure, une intelligence vive et ses talents de musicien qui lui vaudront quelques années plus tard la faveur des filles du roi.

Il épouse en 1756 une veuve plus âgée que lui ; il avait acheté à son mari, âgé et malade, une charge de « contrôleur de la bouche » à Versailles et commencé ainsi à sortir de sa condition d'artisan. D'une propriété de sa femme, il **prend le nom de Beaumarchais** qu'il ajoute au sien, se dotant ainsi d'une noblesse dont on se moquera mais qu'il revendique avec crânerie.

Veuf moins d'un an après son mariage, Beaumarchais, qui n'a pas de biens propres, se trouve sans argent. Mais il rebondit vite et se fait une réputation à Versailles, chez Mesdames, filles de Louis XV ; jalousé, il se tire des embûches avec esprit. Et surtout, en 1760, il se lie avec un riche financier, le banquier Pâris-Duverney, à qui il a rendu un grand service : à partir de ce moment, il évolue dans **le monde des affaires**, tout en continuant à fréquenter la cour. Il achète un brevet de « secrétaire du roi » qui lui donne le droit de porter légalement le nom de Beaumarchais, puis une autre charge, celle de « lieutenant général de chasse aux baillages et capitainerie de la Varenne du Louvre ». Là, il est amené à rendre la justice, en siégeant dans une salle du Louvre, sur les litiges de chasse, et il a autorité sur des seigneurs de haute lignée.

Belle réussite qu'il concrétise en achetant un hôtel particulier où il s'installe avec son père (devenu veuf) et deux de ses sœurs célibataires. Cette période est fort joyeuse dans la vie de Beaumarchais. Lié avec des gens importants, il écrit pour les distractions de leurs châteaux **ses premiers essais dramatiques, des parades***, textes légers, voire indécents, sans grande portée littéraire.

LE VOYAGE EN ESPAGNE ET SES CONSÉQUENCES (1764-1770)

En 1764, deux de ses sœurs sont en Espagne : l'une a accompagné son mari architecte ; l'autre, célibataire, tient compagnie à sa sœur. Beaumarchais reçoit une lettre de cette dernière l'appelant au secours : elle a été déshonorée par un homme de lettres espagnol qui lui avait fait une promesse de mariage et ne veut plus l'épouser. Beaumarchais décide alors de se rendre à Madrid, où il compte bien aussi **faire des affaires** pour son ami Pâris-Duverney. Ce n'est pas une réussite, mais il rentre à Paris sans rien avoir perdu de son crédit. Il reprend à Paris sa vie très occupée, se dépensant sans compter. Il a cependant une première affaire avec la justice à propos d'une forêt qu'il vient d'acheter, dont il se tire finalement bien.

En 1767, **il se met à écrire** un drame (inspiré sans doute par l'aventure de sa sœur en Espagne) : ***Eugénie*** met en scène une jeune noble anglaise abandonnée par un grand seigneur qui a feint de vouloir l'épouser pour la séduire, mais il la quitte pour faire un prestigieux mariage. Après des péripéties fort mélodramatiques, le suborneur se repent et tout rentre dans l'ordre. La pièce échoue d'abord (la cabale comme dirait Figaro !). Beaumarchais la remanie dans l'urgence, la raccourcit et c'est le succès. Première épreuve de ce qui se produira avec son *Barbier*. La pièce est traduite, jouée et appréciée dans divers pays : Beaumarchais écrivain est lancé. Il écrit d'ailleurs un texte théorique pour défendre sa pièce, ***L'Essai sur le genre dramatique sérieux***, où il s'inspire des idées de Diderot et s'attaque à la tragédie classique qu'il juge dépassée : il faut, dit-il, s'intéresser à son temps, à ses contemporains, aux événements qui peuvent toucher tout le monde. Bref, la mythologie, les héros lointains doivent être abandonnés. Il met en pratique cette thèse en donnant en 1770 un autre drame, en milieu bourgeois cette fois : ***Les Deux Amis ou le Négociant de Lyon***. L'histoire est fort compliquée, tout aussi mélodramatique et larmoyante qu'*Eugénie*, mais cette fois l'insuccès est total et irrémédiable ; on se moque même de ses talents dramatiques, lui conseillant charitablement de revenir aux montres !

Entre-temps, il s'est remarié avec une jeune veuve (1768) et a eu **un enfant, Augustin**. La paternité est une joie pour lui, il en parle souvent, fonde de grands espoirs de bonheur sur elle (pensons à Figaro, enfant trouvé, dont il imagine, dans la *Lettre modérée*, les retrouvailles avec ses parents avant de les mettre en scène dans *Le Mariage de Figaro*). Mais en 1770, année noire, il perd sa femme qui était de santé fragile ; son ami le financier Pâris-Duverney meurt sans avoir eu le temps de faire enregistrer les comptes qu'il avait faits avec lui. Le règlement de sa succession va entraîner des années de malheur pour Beaumarchais.

LE PROCÈS ET L'AFFAIRE GOËZMAN (1771-1774)

Il est difficile et inutile de suivre les péripéties de cette longue affaire qui va transformer Beaumarchais. Son adversaire, mari de la nièce et héritière de Pâris-Duverney, le comte de la Blache, poursuit Beaumarchais d'une haine tenace. Il l'accuse de falsification et refuse de payer l'argent que le financier avait écrit, mais non officiellement, devoir à Beaumarchais. Celui-ci avait des appuis politiques puissants, mais il les a perdus à cause de l'affaire des Parlements. Le nouveau Parlement, dont les membres sont plutôt hostiles aux amis de Beaumarchais, va, à travers un de ses juges, Goëzman, se trouver mis en cause en même temps que lui.

Une nouvelle histoire va mener Beaumarchais **en prison** : le duc de Chaulnes, un seigneur très irritable, mais qui était par ailleurs son ami et le redeviendra ensuite, est venu l'attaquer jusque chez lui en l'accusant d'être son rival auprès d'une chanteuse qui était sa maîtresse. L'esclandre est assez forte pour que les deux hommes soient jetés en prison. L'affaire tombe très mal pour Beaumarchais, écarté de son procès au moment où il devrait s'en occuper le plus : trois mois de détention mais allégés très vite. C'est alors qu'il s'efforce d'approcher Madame Goëzman, la femme du juge, à qui il donne de l'argent pour s'allouer la faveur de son mari (procédé qui était courant à l'époque). C'est un échec : le premier jugement donne tort à Beaumarchais qui se retrouve totalement ruiné.

Il **a donc tout perdu**, il est déshonoré, et tout le monde, si l'on en croit les témoignages, s'acharne contre lui : selon Grimm, le chroniqueur de la *Correspondance littéraire*, « il était l'horreur de tout Paris. Chacun, sur la parole de son voisin, le croyait capable des plus grands crimes[1] ». Désespéré dans un premier temps, il décide ensuite de lutter pour retrouver et sa charge, dont on a limité les prérogatives, et sa réputation et finalement ses biens. Il attaque Madame Goëzman d'une part et publie, pour retourner l'opinion, des ***Mémoires* contre les Goëzman**. Non seulement il passionne le public qui suit avec impatience ce feuilleton à rebondissements, mais il retrouve la faveur de ceux qui s'étaient éloignés de lui. Le nouveau Parlement est mis en cause indirectement en même temps que son juge, accusé de corruption et d'arbitraire ; or, ce Parlement est impopulaire auprès des philosophes qui voient dans sa nomination un coup de force du roi et une marque de « tyrannie ». Beaumarchais, mettant de son côté l'opinion publique, cristallise l'opposition à la politique royale. Finalement,

1. Cité par Frédéric Grendel, *Beaumarchais*, Flammarion, 1973, p. 182.

il gagne contre les Goëzman, mais il n'est pas innocenté pour autant et s'en tire avec une privation de ses droits civiques.

En plein procès, Beaumarchais fait la rencontre d'une jeune femme qui devient sa compagne et qu'il épousera douze ans plus tard. C'est d'elle qu'il aura la seule enfant qui survivra, Eugénie, car il a perdu en 1771 son fils Augustin.

Curieusement, dès la fin de l'affaire, il se met spontanément au service du roi en lui proposant de le servir en **Angleterre** où sont imprimés des libelles contre le souverain et son entourage (en particulier contre Madame du Barry, la favorite). Commence une nouvelle aventure qui l'occupe un bon moment et manque se terminer mal, dans une prison autrichienne. Mais Louis XV est mort et Beaumarchais, sans avoir obtenu sa réhabilitation, s'est au moins assuré la sympathie du nouveau roi.

LES MÉSAVENTURES DU *BARBIER DE SÉVILLE*

En 1772, il propose aux Comédiens-Français un opéra dont il a composé livret et musique, ***Le Barbier de Séville***. Il est refusé par la troupe et l'auteur ne fera aucune nouvelle tentative pour le faire représenter. Mais il en tire une pièce en quatre actes qu'il fait approuver en 1773 par la censure. Elle est acceptée à la Comédie-Française, mais interdite la veille de la première, à cause du quatrième *Mémoire* qui fait scandale. Un an après, elle est donnée, remaniée en cinq actes : c'est la chute. Mais trois jours plus tard, un travail de concentration de l'intrigue ayant été hâtivement opéré, elle triomphe en quatre actes.

Dans cette pièce gaie, où il invente un personnage qui lui restera lié et deviendra un nom commun (on dit un « figaro » pour un coiffeur-barbier), il fait passer **sa philosophie** de la vie (« Je me presse de rire de tout de peur d'être obligé d'en pleurer ») et même – chose plus surprenante – **un résumé de sa vie** (qu'il amplifiera dans une tirade interminable dans *Le Mariage de Figaro*). Certes, il n'a pas été valet d'un grand seigneur, mais ses tribulations, ses activités multiples, ses misères, même la prison, sont bien là :

« [...] accueilli dans une ville, emprisonné dans l'autre, et partout supérieur aux événements ; loué par ceux-ci, blâmé par ceux-là, aidant au bon temps, supportant le mauvais ; me moquant des sots, bravant les méchants, riant de ma misère et faisant la barbe à tout le monde [...]. » (Acte I, scène 2.)

Il ne parle pas de ce fameux procès, dira-t-on ? Mais il avait pensé appeler Bazile Guzman (Goëzman) et surtout il lui prête une tirade enflammée, sans aucun rapport avec l'action, ni avec son importance dans la pièce, la fameuse tirade sur la calomnie (acte II, scène 8, l. 23-39).

Sensible aux critiques dont il a été l'objet, il rédige la *Lettre modérée sur la chute et la critique du* Barbier de Séville, où il défend son ouvrage et pourfend ses critiques. Il se fait le défenseur de la comédie gaie, tout comme au temps d'*Eugénie* il avait défendu le drame.

LA SUITE D'UNE VIE AVENTUREUSE JUSQU'AU TRIOMPHE DU *MARIAGE DE FIGARO* (1775-1784)

Beaumarchais remplit pour Louis XVI une mission importante en Angleterre et, ayant réussi, il en perçoit au retour la récompense avec la cassation du jugement de 1773. Il est réhabilité par un nouveau procès en 1776 et peut reprendre toute sa place dans la société.

Bien vu du roi et du ministre Vergennes, il les convainc de s'intéresser au soulèvement des colonies anglaises d'Amérique, qui réclament leur indépendance. Il est même chargé d'organiser un soutien officieux et s'implique totalement, montant une société commerciale pour équiper une flotte. Son action est importante, mais il se retrouve une fois de plus au bord de la ruine, à laquelle il n'échappe que par le soutien du gouvernement (1779).

En 1782, il compose ***Le Mariage de Figaro*** et le donne à lire au roi, mais celui-ci, qui apprécie pourtant Beaumarchais, se montre immédiatement et durablement hostile à la pièce : « Cet homme se joue de tout ce qu'il faut respecter dans un gouvernement », dit-il.

Beaumarchais, qui n'est pas un révolutionnaire, mais un réformiste, veut bien modifier un peu sa pièce, mais il maintient les formules les plus choquantes pour le pouvoir politique. Il essaie par ailleurs, par des lectures privées, de convaincre les nobles d'influencer le roi. L'opposition dure deux ans, pendant lesquels la pièce est cependant jouée sur des théâtres privés ; la première représentation publique n'a lieu qu'en 1784, marquant le début **d'un immense succès**. Ce n'est pas seulement un succès populaire : le théâtre est plein à craquer et les nobles les plus brillants, présents eux aussi, applaudissent une pièce que le roi trouve dangereuse et que Napoléon, plus tard, jugera explosive : « *Le Mariage de Figaro*, c'est déjà la Révolution en action. »

Pourtant, il ne faut que trois ans pour que **la popularité de Beaumarchais s'efface**. Il fait des affaires financières fructueuses (il fonde la Compagnie des Eaux pour créer un réseau d'eau courante à Paris), mais sa vie luxueuse déplaît et à la veille de la Révolution, à la suite d'une affaire curieuse, l'affaire Korman, attaqué par un avocat habile qui le met du côté des profiteurs, il est hué par cette même foule qui lui avait fait un triomphe lors de l'affaire Goëzman.

En 1787, il fait jouer un opéra, *Tarare*, sur une musique de Salieri, qui obtient un succès relatif : il y est encore plus audacieux que dans *Le Mariage de Figaro*, et pourtant le roi n'en refuse pas la représentation. Mais la postérité a jugé cette œuvre ratée et depuis le début du XIXe siècle, elle n'a pas été rejouée.

LA TRAVERSÉE PÉRILLEUSE DE LA RÉVOLUTION (1789-1799)

Au début de la Révolution, Beaumarchais se retrouve « soldat citoyen de la garde bourgeoise de Paris ». **Il suit le mouvement qu'il approuve**, ayant prêché pour la transformation de la société, mais il ne veut ni violence ni bouleversement radical. Monarchiste constitutionnel, il défend le nouveau régime dans la dernière pièce de la trilogie de Figaro, ***La Mère coupable***, en 1792, un drame larmoyant qui scelle le sort de ses quatre héros, le comte et la comtesse Almaviva, Figaro et sa femme Suzanne, venus d'Espagne dans la France nouvelle. On ne peut dire ni qu'elle fut un succès malgré une première représentation honorable, ni qu'elle méritait un grand succès...

Dans le trouble des années 1790-1792, Beaumarchais est plus inquiet ; il redoute un tournant vers la violence. Il participe toutefois à la vie publique : il est chargé d'une entreprise financière, une affaire de fusils qu'il faut acheter en Hollande et amener en France. Cela lui vaut **des ennuis et des soupçons** qui le font mettre en accusation par la Convention et emprisonner. Il est libéré deux jours avant le début des massacres de septembre 1792.

Ses vicissitudes ne sont pas terminées. Il se disculpe de l'accusation portée contre lui et on le renvoie en Hollande pour régler l'affaire des fusils. Nouveau retour à Paris et nouvelles péripéties. Durant deux ans Beaumarchais mène **une vie agitée**, tantôt en grâce, tantôt menacé jusqu'au moment où il est mis, pendant la Terreur, sur la liste des émigrés, alors qu'il remplissait une mission pour le gouvernement.

En 1793, il écrit les *Six Époques ou Récit des neuf mois les plus pénibles de ma vie*, texte polémique, comme au temps des *Mémoires* contre Goëzman, dans lequel il fait le procès des gens au pouvoir et affronte courageusement les responsables de la Terreur :

« Ô ma patrie en larmes ! ô malheureux Français ! que vous aura servi de renverser des bastilles, si des brigands viennent danser dessus et nous égorgent sur leurs débris ? »

Sa famille est emprisonnée, puis libérée. Il échappe à la guillotine parce qu'il était à l'étranger mais la fin de la Terreur n'arrange pas ses affaires et **il ne rentre en France qu'en 1796**. Il essaie alors de faire payer l'État pour lequel il s'est ruiné dans l'affaire des fusils. Ses dernières années se passent dans ces difficultés, jusqu'à sa mort subite en 1799.

Portrait de Beaumarchais par Jean-Marc Nattier (1685-1766), vers 1760 (collection particulière, Paris).

Le Barbier de Séville ou la Précaution inutile

comédie
en quatre actes

représentée et tombée sur le théâtre
de la Comédie-Française
aux Tuileries le 23 février 1775

Lettre modérée[1] sur la chute et la critique du *Barbier de Séville*

L'auteur, vêtu modestement et courbé, présentant sa pièce au lecteur

MONSIEUR,

J'ai l'honneur de vous offrir un nouvel opuscule[2] de ma façon. Je souhaite vous rencontrer dans un de ces moments heureux où, dégagé de soins[3], content de votre santé, de vos affaires, de votre maîtresse, de votre dîner, de votre estomac,
5 vous puissiez vous plaire un moment à la lecture de mon *Barbier de Séville* ; car il faut tout cela pour être homme amusable et lecteur indulgent.

Mais si quelque accident a dérangé votre santé, si votre état est compromis, si votre belle a forfait[4] à ses serments, si
10 votre dîner fut mauvais ou votre digestion laborieuse, ah ! laissez mon *Barbier* ; ce n'est pas là l'instant ; examinez l'état de vos dépenses, étudiez le *factum*[5] de votre adversaire, relisez ce traître billet surpris à Rose[6], ou parcourez les chefs-d'œuvre de Tissot[7] sur la tempérance, et faites des réflexions politiques,
15 économiques, diététiques[8], philosophiques ou morales.

---

1. **Modérée :** d'un ton mesuré. Ici ironique.
2. **Opuscule :** petit ouvrage sans prétention.
3. **Soin :** souci, préoccupation.
4. **Forfait :** manqué.
5. ***Factum*** : exposé écrit des faits dans un procès (terme de droit aujourd'hui sorti de l'usage).
6. Nom supposé de la maîtresse évoquée plus haut.
7. Médecin suisse très connu, notamment pour son ouvrage *De la santé des gens de lettres* qui traite de la tempérance, c'est-à-dire de la maîtrise des passions.
8. **Diététique :** relatif au régime de vie, nourriture et boisson.

Ou si votre état est tel qu'il vous faille absolument l'oublier, enfoncez-vous dans une bergère[1], ouvrez le journal établi dans Bouillon avec encyclopédie, approbation et privilège[2], et dormez vite une heure ou deux.

20 Quel charme aurait une production légère au milieu des plus noires vapeurs[3] ? Et que vous importe, en effet, si Figaro le barbier s'est bien moqué de Bartholo le médecin, en aidant un rival à lui souffler sa maîtresse ? On rit peu de la gaieté d'autrui, quand on a de l'humeur pour son propre compte.

25 Que vous fait encore si ce barbier espagnol, en arrivant dans Paris, essuya quelques traverses[4], et si la prohibition de ses exercices a donné trop d'importance aux rêveries de mon bonnet ? On ne s'intéresse guère aux affaires des autres que lorsqu'on est sans inquiétude sur les siennes.

30 Mais enfin tout va-t-il bien pour vous ? Avez-vous à souhait double estomac, bon cuisinier, maîtresse honnête et repos imperturbable ? Ah ! parlons, parlons ; donnez audience à mon *Barbier*.

Je sens trop, Monsieur, que ce n'est plus le temps où, 35 tenant mon manuscrit en réserve, et semblable à la coquette qui refuse souvent ce qu'elle brûle toujours d'accorder, j'en faisais quelque avare lecture à des gens préférés, qui croyaient devoir payer ma complaisance par un éloge pompeux de mon ouvrage.

40 Ô jours heureux ! Le lieu, le temps, l'auditoire à ma dévotion, et la magie d'une lecture adroite assurant mon succès, je glissais sur le morceau faible en appuyant les bons endroits ; puis, recueillant les suffrages du coin de l'œil avec

---

1. **Bergère :** fauteuil large et profond.
2. Il s'agit du *Journal encyclopédique par une société de gens de lettres*, publié à Bouillon (petite principauté des Ardennes dans le sud de la Belgique) depuis 1760. Les rédacteurs avaient pris le parti de Goëzman, l'adversaire de Beaumarchais et publié un article très dur sur *Le Barbier de Séville*. « L'approbation » du souverain était théoriquement nécessaire à toute publication et le « privilège » conférait l'exclusivité.
3. **Noires vapeurs :** troubles dus à la mélancolie, à la tristesse.
4. **Traverses :** contrariétés, difficultés.

une orgueilleuse modestie, je jouissais d'un triomphe
45 d'autant plus doux que le jeu d'un fripon d'acteur ne m'en
dérobait pas les trois quarts pour son compte[1].

Que reste-t-il hélas ! de toute cette gibecière ? À l'instant
qu'il faudrait des miracles pour vous subjuguer, quand la
verge de Moïse y suffirait à peine, je n'ai plus même la
50 ressource du bâton de Jacob[2] ; plus d'escamotage, de triche-
rie, de coquetterie, d'inflexions de voix, d'illusion théâtrale,
rien. C'est ma vertu toute nue que vous allez juger.

Ne trouvez donc pas étrange, Monsieur, si, mesurant
mon style à ma situation, je ne fais pas comme ces écrivains
55 qui se donnent le ton de vous appeler négligemment *lecteur,
ami lecteur, cher lecteur, bénin* ou *benoît*[3] *lecteur*, ou de telle
autre dénomination cavalière, je dirais même indécente, par
laquelle ces imprudents essayent de se mettre au pair[4] avec
leur juge, et qui ne fait bien souvent que leur en attirer
60 l'animadversion[5]. J'ai toujours vu que les airs[6] ne séduisaient
personne, et que le ton modeste d'un auteur pouvait seul
inspirer un peu d'indulgence à son fier lecteur.

Eh ! quel écrivain en eut jamais plus besoin que moi ? Je
voudrais le cacher en vain : j'eus la faiblesse autrefois,
65 Monsieur, de vous présenter, en différents temps, deux tristes
drames, productions monstrueuses[7], comme on sait ! Car

1. Allusion à la pratique de la lecture préalable des ouvrages littéraires dans les salons, avant même la publication ou la représentation.
2. La **gibecière** et le **bâton de Jacob** renvoient aux tours des prestidigitateurs : l'une est une grande poche où ils enfermaient leurs instruments, l'autre désignait, par allusion au bâton qui permit à Jacob de passer le Jourdain (Genèse, 32, 10), leur baguette « magique ». Quant à Moïse, dans le désert, il frappa de sa baguette un rocher pour en faire jaillir de l'eau (Exode, 17, 6). Escamoter des objets fait partie des tours les plus courants. L'auteur affirme ainsi se présenter sans artifice d'aucune sorte.
3. **Bénin :** doux, indulgent ; **benoît**, déjà vieilli à l'époque, signifie « béni ».
4. **Se mettre au pair :** se mettre au même niveau que, à égalité avec.
5. **L'animadversion :** l'hostilité.
6. **Les airs :** manières affectées, trompeuses.
7. **Tristes** par le sujet, qui est sérieux, et par la qualité, car triste signifie aussi « médiocre ». Il s'agit d'*Eugénie* et de *Les Deux Amis* (la monstruosité vient du mélange des genres).

entre la tragédie et la comédie, on n'ignore plus qu'il n'existe rien ; c'est un point décidé, le maître[1] l'a dit, l'école en retentit, et pour moi, j'en suis tellement convaincu, que si je voulais 70 aujourd'hui mettre au théâtre une mère éplorée, une épouse trahie, une sœur éperdue, un fils déshérité, pour les présenter décemment au public, je commencerais par leur supposer un beau royaume où ils auraient régné de leur mieux, vers l'un des archipels ou dans tel autre coin du monde ; certain 75 après cela que l'invraisemblance du roman[2], l'énormité des faits, l'enflure des caractères, le gigantesque des idées et la bouffissure du langage, loin de m'être imputés à reproche, assureraient encore mon succès.

Présenter des hommes d'une condition moyenne, accablés 80 et dans le malheur, fi donc ! On ne doit jamais les montrer que bafoués. Les citoyens ridicules et les rois malheureux, voilà tout le théâtre existant et possible, et je me le tiens pour dit ; c'est fait, je ne veux plus quereller avec personne.

J'ai donc eu la faiblesse autrefois, Monsieur, de faire des 85 drames qui n'étaient pas *du bon genre*, et je m'en repens beaucoup.

Pressé depuis par les événements, j'ai hasardé de malheureux mémoires[3], que mes ennemis n'ont pas trouvés *du bon style*, et j'en ai le remords cruel.

90 Aujourd'hui, je fais glisser sous vos yeux une comédie fort gaie, que certains maîtres de goût n'estiment pas *du bon ton*, et je ne m'en console point.

Peut-être un jour oserai-je affliger votre oreille d'un opéra, dont les jeunes gens d'autrefois diront que la musique 95 n'est pas *du bon français*, et j'en suis tout honteux d'avance.

Ainsi, de fautes en pardons, et d'erreurs en excuses, je passerai ma vie à mériter votre indulgence, par la bonne foi

---

1. Le **maître** désigne ici ironiquement ceux qui s'affirment détenteurs du bon goût en matière littéraire.
2. **Roman :** fable, sujet de la pièce.
3. Les *Mémoires contre Goëzman*, publiés en 1773-1774, fort critiqués par les uns, admirés par les autres, dont Voltaire. *Mémoire* signifie « exposé critique, pamphlet ».

naïve avec laquelle je reconnaîtrai les unes en vous présentant les autres.

100 Quant au *Barbier de Séville*, ce n'est pas pour corrompre votre jugement que je prends ici le ton respectueux ; mais on m'a fort assuré que lorsqu'un auteur était sorti, quoique échiné[1], vainqueur au théâtre, il ne lui manquait plus que d'être agréé par vous, Monsieur, et lacéré dans quelques 105 journaux, pour avoir obtenu tous les lauriers littéraires. Ma gloire est donc certaine, si vous daignez m'accorder le laurier de votre agrément, persuadé que plusieurs de messieurs les journalistes ne me refuseront pas celui de leur dénigrement.

Déjà l'un d'eux, établi dans Bouillon avec approbation et 110 privilège, m'a fait l'honneur encyclopédique d'assurer à ses abonnés que ma pièce était sans plan, sans unité, sans caractères, vide d'intrigue et dénuée de comique.

Un autre[2], plus naïf encore, à la vérité sans approbation, sans privilège, et même sans encyclopédie, après un candide 115 exposé de mon drame, ajoute au laurier de sa critique cet éloge flatteur de ma personne : « La réputation du sieur de Beaumarchais est bien tombée ; et les honnêtes gens sont enfin convaincus que, lorsqu'on lui aura arraché les plumes du paon, il ne restera plus qu'un vilain corbeau noir, avec 120 son effronterie et sa voracité[3]. »

Puisqu'en effet j'ai eu l'effronterie de faire la comédie du *Barbier de Séville*, pour remplir l'horoscope[4] entier, je pousserai la voracité jusqu'à vous prier humblement, Monsieur, de me juger vous-même, et sans égard aux critiques passés, présents et 125 futurs ; car vous savez que, par état, les gens de feuilles[5] sont souvent ennemis des gens de lettres ; j'aurai même la voracité

1. **Échiné :** au sens propre, accablé de coups (sur l'échine) ; au figuré, critiqué vivement. On dit aujourd'hui « éreinté ».
2. Personnage imaginaire ? En tout cas non identifié.
3. Citation déformée d'un article paru dans la *Correspondance littéraire secrète*, le 25 février 1775.
4. Pour réaliser toutes les prédictions faites par le critique.
5. **Les gens de feuille** (expression de Beaumarchais) **:** les journalistes par opposition aux écrivains.

de vous prévenir qu'étant saisi de mon affaire, il faut que vous soyez mon juge absolument, soit que vous le vouliez ou non, car vous êtes mon lecteur.

130 Et vous sentez bien, Monsieur, que si, pour éviter ce tracas ou me prouver que je raisonne mal, vous refusiez constamment de me lire, vous feriez vous même une pétition de principe[1] au dessous de vos lumières : n'étant pas mon lecteur, vous ne seriez pas celui à qui s'adresse ma requête.

135 Que si, par dépit de la dépendance où je parais vous mettre, vous vous avisiez de jeter le livre en cet instant de votre lecture, c'est, Monsieur, comme si, au milieu de tout autre jugement, vous étiez enlevé du tribunal par la mort ou tel accident qui vous rayât du nombre des magistrats. Vous 140 ne pouvez éviter de me juger qu'en devenant nul, négatif, anéanti, qu'en cessant d'exister en qualité de mon lecteur.

Eh ! quel tort vous fais-je en vous élevant au-dessus de moi ? Après le bonheur de commander aux hommes, le plus grand honneur, Monsieur, n'est-il pas de les juger ?

145 Voilà donc qui est arrangé. Je ne reconnais plus d'autre juge que vous, sans excepter messieurs les spectateurs, qui, ne jugeant qu'en premier ressort, voient souvent leur sentence infirmée à votre tribunal.

L'affaire avait d'abord été plaidée devant eux au théâtre, 150 et, ces messieurs ayant beaucoup ri, j'ai pu penser que j'avais gagné ma cause à l'audience. Point du tout ; le journaliste établi dans Bouillon prétend que c'est de moi qu'on a ri. Mais ce n'est là, Monsieur, comme on dit en style de palais[2], qu'une mauvaise chicane de procureur[3] : mon but ayant été 155 d'amuser les spectateurs, qu'ils aient ri de ma pièce ou de moi, s'ils ont ri de bon cœur, le but est également rempli ; ce que j'appelle avoir gagné ma cause à l'audience.

1. **Pétition de principe :** raisonnement faux, indigne de votre raison et de votre culture.
2. Style de palais de justice.
3. **Une mauvaise chicane de procureur :** un mauvais procès devant des magistrats inférieurs.

Le même journaliste assure encore, ou du moins laisse entendre, que j'ai voulu gagner quelques-uns de ces messieurs en leur faisant des lectures particulières, en achetant d'avance leur suffrage par cette prédilection. Mais ce n'est encore là, Monsieur, qu'une difficulté de publiciste allemand[1]. Il est manifeste que mon intention n'a jamais été que de les instruire : c'étaient des espèces de consultations que je faisais sur le fond de l'affaire. Que si les consultants, après avoir donné leur avis, se sont mêlés parmi les juges, vous voyez bien, Monsieur, que je n'y pouvais rien de ma part, et que c'était à eux de se récuser par délicatesse, s'ils se sentaient de la partialité pour mon barbier andalou.

Eh ! plût au ciel qu'ils en eussent un peu conservé pour ce jeune étranger ! Nous aurions eu moins de peine à soutenir notre malheur éphémère. Tels sont les hommes : avez-vous du succès, ils vous accueillent, vous portent, vous caressent, ils s'honorent de vous ; mais gardez de broncher[2] dans la carrière ; au moindre échec, ô mes amis ! souvenez-vous qu'il n'est plus d'amis.

Et c'est précisément ce qui nous arriva le lendemain de la plus triste soirée. Vous eussiez vu les faibles amis du *Barbier* se disperser, se cacher le visage ou s'enfuir ; les femmes, toujours si braves quand elles protègent, enfoncées dans les coqueluchons[3] jusqu'aux panaches[4], et baissant des yeux confus ; les hommes courant se visiter, se faire amende honorable[5] du bien qu'ils avaient dit de ma pièce, et rejetant sur ma maudite façon de lire les choses tout le faux plaisir qu'ils y avaient goûté. C'était une désertion totale, une vraie désolation[6].

1. Les **publicistes** (juristes spécialisés dans le droit public) **allemands** étaient fort réputés. Allusion à l'affaire Goëzman.
2. **Broncher :** se dit d'un cheval qui fait un faux pas sur le champ de course.
3. **Coqueluchons :** « capuchons » (familier).
4. **Panaches :** ornements de plume pour les coiffures des dames.
5. **Se faire amende honorable :** se demander pardon les uns aux autres.
6. **Désolation :** action de dévaster, de faire le vide.

Les uns lorgnaient à gauche en me sentant passer à droite, et ne faisaient plus semblant de me voir[1] : ah ! dieux ! D'autres, plus courageux, mais s'assurant bien si personne ne 190 les regardait, m'attiraient dans un coin pour me dire : « Eh ! comment avez-vous produit en nous cette illusion ? car, il faut en convenir, mon ami, votre pièce est la plus grande platitude du monde.

– Hélas ! messieurs, j'ai lu ma platitude, en vérité, tout 195 platement comme je l'avais faite ; mais, au nom de la bonté que vous avez de me parler encore après ma chute, et pour l'honneur de votre second jugement, ne souffrez pas qu'on redonne la pièce au théâtre : si, par malheur, on venait à la jouer comme je l'ai lue, on vous ferait peut-être une nouvelle 200 tromperie, et vous vous en prendriez à moi de ne plus savoir quel jour vous eûtes raison ou tort ; ce qu'à Dieu ne plaise ! »

On ne m'en crut point ; on laissa rejouer la pièce, et pour le coup je fus prophète en mon pays. Ce pauvre Figaro, *fessé* par la cabale en *faux-bourdon*[2] et presque enterré le vendredi, 205 ne fit point comme Candide ; il prit courage, et mon héros se releva le dimanche[3], avec une vigueur que l'austérité d'un carême entier et la fatigue de dix-sept séances publiques n'ont pas encore altérée. Mais qui sait combien cela durera ? Je ne voudrais pas jurer qu'il en fût seulement question dans cinq 210 ou six siècles, tant notre nation est inconstante et légère !

Les ouvrages de théâtre, Monsieur, sont comme les enfants des femmes : conçus avec volupté, menés à terme avec fatigue, enfantés avec douleur, et vivant rarement assez pour payer les parents de leurs soins, ils coûtent plus de 215 chagrins qu'ils ne donnent de plaisirs. Suivez-les dans leur carrière : à peine ils voient le jour que, sous prétexte d'enflure, on leur applique les censeurs ; plusieurs en sont

1. **Ne faisaient plus semblant de me voir :** faisaient semblant de ne pas me voir.
2. Allusion à la scène de l'autodafé dans *Candide*, chapitre 6. Le **faux-bourdon** est une technique de chant d'église. La **cabale** désigne ici un complot littéraire destiné à faire « tomber » une pièce de théâtre.
3. La pièce, sifflée un vendredi, fut remaniée et rejouée un dimanche, avec succès cette fois (voir « Beaumarchais et *Le Barbier de Séville* », p. 26).

restés en chartre[1]. Au lieu de jouer doucement avec eux, le cruel parterre[2] les rudoie et les fait tomber. Souvent, en les
220 berçant, le comédien les estropie. Les perdez-vous un instant de vue, on les trouve, hélas ! traînant partout, mais dépenaillés[3], défigurés, rongés d'extraits[4] et couverts de critiques. Échappés à tant de maux, s'ils brillent un moment dans le monde, le plus grand de tous les atteint ; le mortel
225 oubli les tue ; ils meurent, et, replongés au néant, les voilà perdus à jamais dans l'immensité des livres.

Je demandais à quelqu'un pourquoi ces combats, cette guerre animée entre le parterre et l'auteur, à la première représentation des ouvrages, même de ceux qui devaient plaire un
230 autre jour. « Ignorez-vous, me dit-il, que Sophocle et le vieux Denys[5] sont morts de joie d'avoir remporté le prix des vers au théâtre ? Nous aimons trop nos auteurs pour souffrir qu'un excès de joie nous prive d'eux en les étouffant ; aussi, pour les conserver, avons-nous grand soin que leur triomphe ne soit
235 jamais si pur qu'ils puissent en expirer de plaisir. »

Quoi qu'il en soit des motifs de cette rigueur, l'enfant de mes loisirs, ce jeune, cet innocent Barbier, tant dédaigné le premier jour, loin d'abuser le surlendemain de son triomphe, ou de montrer de l'humeur à ses critiques, ne s'en est que plus
240 empressé de les désarmer par l'enjouement de son caractère.

Exemple rare et frappant, Monsieur, dans un siècle d'ergotisme[6], où l'on calcule tout jusqu'au rire ; où la plus légère diversité d'opinions fait germer des haines éternelles ;

---

1. **En chartre :** en prison ; se dit alors d'un enfant maigre et pâle comme un prisonnier enfermé.
2. **Parterre :** spectateurs du parterre, debout aux places les moins chères, qui manifestaient bruyamment.
3. **Dépenaillés :** habillés de loques.
4. Les critiques réduisent l'œuvre à un résumé, un abrégé, la « rongeant » comme le feraient des rats.
5. **Sophocle** est un des plus grands poètes tragiques grecs (Ve siècle av. J.-C.). **Denys de Syracuse** qui vécut un peu plus tard était tyran de Syracuse et aussi poète. Rien ne dit qu'ils soient morts de joie.
6. **Ergotisme** (emprunt probable à Montaigne) **:** manie d'ergoter, c'est-à-dire de discuter à plaisir.

où tous les jeux tournent en guerre ; où l'injure qui repousse
245 l'injure est à son tour payée par l'injure, jusqu'à ce qu'une autre effaçant cette dernière en enfante une nouvelle, auteur de plusieurs autres, et propage ainsi l'aigreur à l'infini, depuis le rire jusqu'à la satiété, jusqu'au dégoût, à l'indignation même du lecteur le plus caustique.

250 Quant à moi, Monsieur, s'il est vrai, comme on l'a dit, que tous les hommes soient frères (et c'est une belle idée), je voudrais qu'on pût engager nos frères les gens de lettres à laisser, en discutant, le ton rogue et tranchant à nos frères les libellistes[1], qui s'en acquittent si bien ! ainsi que les injures à
255 nos frères les plaideurs..., qui ne s'en acquittent pas mal non plus ! Je voudrais surtout qu'on pût engager nos frères les journalistes à renoncer à ce ton pédagogue et magistral avec lequel ils gourmandent les fils d'Apollon[2] et font rire la sottise aux dépens de l'esprit.

260 Ouvrez un journal : ne semble-t-il pas voir un dur répétiteur, la férule ou la verge[3] levée sur des écoliers négligents, les traiter en esclaves au plus léger défaut dans le devoir ? Eh ! mes frères, il s'agit bien de devoir ici ! la littérature en est le délassement et la douce récréation.

265 À mon égard au moins, n'espérez pas asservir dans ses jeux mon esprit à la règle : il est incorrigible, et, la classe du devoir une fois fermée, il devient si léger et badin que je ne puis que jouer avec lui. Comme un liège[4] emplumé qui bondit sur la raquette, il s'élève, il retombe, il égaye mes
270 yeux, repart en l'air, y fait la roue, et revient encore. Si quelque joueur adroit veut entrer en partie et ballotter à nous deux[5] le léger volant de mes pensées, de tout mon

1. **Libellistes :** auteurs de libelles, courts écrits satiriques ou même diffamatoires, de pamphlets.
2. **Les fils d'Apollon :** les poètes.
3. **La férule ou la verge :** la règle de bois (ou de cuir) ou la baguette utilisées par les maîtres d'école pour punir les écoliers.
4. **Liège :** balle qui servait au jeu de volant, très apprécié à l'époque.
5. **Ballotter à nous deux :** nous renvoyer le volant, la balle.

cœur ; s'il riposte avec grâce et légèreté, le jeu m'amuse et la partie s'engage. Alors on pourrait voir les coups portés, 275 parés, reçus, rendus, accélérés, pressés, relevés même avec une prestesse, une agilité propre à réjouir autant les spectateurs qu'elle animerait les acteurs.

Telle au moins, Monsieur, devrait être la critique, et c'est ainsi que j'ai toujours conçu la dispute entre les gens polis 280 qui cultivent les lettres.

Voyons, je vous prie, si le journaliste de Bouillon a conservé dans sa critique ce caractère aimable et surtout de candeur[1] pour lequel on vient de faire des vœux.

« La pièce est une farce », dit-il.

285 Passons sur les qualités. Le méchant nom qu'un cuisinier étranger donne aux ragoûts français ne change rien à la saveur : c'est en passant par ses mains qu'ils se dénaturent. Analysons la farce de Bouillon.

« La pièce, a-t-il dit, n'a pas de plan. »

290 Est-ce parce qu'il est trop simple qu'il échappe à la sagacité de ce critique adolescent ?

Un vieillard amoureux prétend épouser demain sa pupille ; un jeune amant plus adroit le prévient, et ce jour même en fait sa femme à la barbe et dans la maison du tuteur. Voilà le fond, dont 295 on eût pu faire, avec un égal succès, une tragédie, une comédie, un drame, un opéra, *et cætera*. *L'Avare* de Molière est-il autre chose ? Le grand *Mithridate*[2] est-il autre chose ? Le genre d'une pièce, comme celui de toute action, dépend moins du fond des choses que des caractères[3] qui les mettent en œuvre.

300 Quant à moi, ne voulant faire, sur ce plan, qu'une pièce amusante et sans fatigue, une espèce *d'imbroille*[4], il m'a suffi que le machiniste[5], au lieu d'être un noir scélérat, fût un drôle de garçon, un homme insouciant, qui rit également du

1. **Candeur :** sincérité, bonne foi.
2. Pièce de Racine.
3. **Caractères :** personnages, selon l'analyse théâtrale de l'époque.
4. **Imbroille :** transposition française de l'italien *imbroglio*, intrigue compliquée, embrouillée.
5. **Le machiniste :** celui qui machine, c'est-à-dire Figaro.

succès et de la chute de ses entreprises, pour que l'ouvrage,
305 loin de tourner en drame sérieux, devînt une comédie fort gaie ; et de cela seul que le tuteur est un peu moins sot que tous ceux qu'on trompe au théâtre, il a résulté beaucoup de mouvement dans la pièce, et surtout la nécessité d'y donner plus de ressorts aux intrigants[1].

310 Au lieu de rester dans ma simplicité comique, si j'avais voulu compliquer, étendre et tourmenter mon plan à la manière tragique ou *dramique*[2], imagine-t-on que j'aurais manqué de moyens dans une aventure dont je n'ai mis en scènes que la partie la moins merveilleuse ?

315 En effet, personne aujourd'hui n'ignore qu'à l'époque historique où la pièce finit gaiement dans mes mains, la querelle commença sérieusement à s'échauffer, comme qui dirait derrière la toile, entre le docteur et Figaro, sur les cent écus. Des injures, on en vint aux coups. Le docteur, étrillé
320 par Figaro, fit tomber, en se débattant, le rescille[3] ou filet qui coiffait le barbier, et l'on vit, non sans surprise, une forme de spatule[4] imprimée à chaud sur sa tête rasée. Suivez-moi, Monsieur, je vous prie.

À cet aspect, moulu de coups qu'il est, le médecin s'écrie
325 avec transport : « Mon fils ! ô ciel, mon fils ! mon cher fils !... » Mais avant que Figaro l'entende, il a redoublé de horions[5] sur son cher père. En effet, ce l'était.

Ce Figaro, qui pour toute famille avait jadis connu sa mère, est fils naturel de Bartholo. Le médecin, dans sa
330 jeunesse, eut cet enfant d'une personne en condition[6], que

1. **Intrigants :** ceux qui montent des intrigues contre Bartholo.
2. **Dramique :** qui relève du drame sérieux (néologisme de Beaumarchais) ; n'est donc pas synonyme de « dramatique ».
3. **Le** (ou la) **rescille :** filet à envelopper les cheveux. Mot espagnol qui deviendra « résille » (chez Beaumarchais, en 1785).
4. **Spatule :** instrument de chirurgie, large et aplati à un bout.
5. **Horions :** coups.
6. **Personne en condition :** domestique. Ne pas confondre avec une personne de condition, c'est-à-dire noble.

les suites de son imprudence firent passer du service au plus affreux abandon.

Mais avant de les quitter, le désolé Bartholo, frater[1] alors, a fait rougir sa spatule ; il en a timbré son fils à l'occiput[2], 335 pour le reconnaître un jour, si jamais le sort les rassemble. La mère et l'enfant avaient passé six années dans une honorable mendicité, lorsqu'un chef de bohémiens, descendu de Luc Gauric[3], traversant l'Andalousie avec sa troupe, et consulté par la mère sur le destin de son fils, déroba l'enfant furti- 340 vement, et laissa par écrit cet horoscope à sa place :

Après avoir versé le sang dont il est né,
Ton fils assommera son père infortuné.
Puis, tournant sur lui-même et le fer et le crime,
Il se frappe, et devient heureux et légitime.

345 En changeant d'état sans le savoir, l'infortuné jeune homme a changé de nom sans le vouloir ; il s'est élevé sous celui de Figaro ; il a vécu. Sa mère est cette Marceline, devenue vieille et gouvernante chez le docteur, que l'affreux horoscope de son fils a consolé de sa perte. Mais aujourd'hui, 350 tout s'accomplit.

En saignant Marceline au pied, comme on le voit dans ma pièce, ou plutôt comme on ne l'y voit pas[4], Figaro remplit le premier vers :

Après avoir versé le sang dont il est né.

355 Quand il étrille[5] innocemment le docteur, après la toile tombée, il accomplit le second vers :

Ton fils assommera son père infortuné.

---

1. **Frater :** moine (un « frère »), mais aussi, par moquerie, apprenti chirurgien.
2. **Occiput :** partie arrière et inférieure de la tête, faisant suite à la nuque.
3. Prélat italien de la Renaissance (1476-1558), astrologue réputé ; les Bohémiens disaient la bonne aventure.
4. Parce que cela se passe en coulisse.
5. **Étrille :** bat, malmène.

À l'instant, la plus touchante reconnaissance a lieu entre le médecin, la vieille et Figaro : *C'est vous ! c'est lui ! c'est toi ! c'est moi !* Quel coup de théâtre ! Mais le fils, au désespoir de son innocente vivacité, fond en larmes, et se donne un coup de rasoir, selon le sens du troisième vers :

Puis, tournant sur lui-même et le fer et le crime,
Il se frappe, et…

Quel tableau ! En n'expliquant point si, du rasoir, il se coupe la gorge ou seulement le poil du visage, on voit que j'avais le choix de finir ma pièce au plus grand pathétique[1]. Enfin, le docteur épouse la vieille, et Figaro, suivant la dernière leçon,

… devient heureux et légitime.

Quel dénouement ! Il ne m'en eût coûté qu'un sixième acte ! Et quel sixième acte ! Jamais tragédie au Théâtre-Français… Il suffit. Reprenons ma pièce en l'état où elle a été jouée et critiquée. Lorsqu'on me reproche avec aigreur ce que j'ai fait, ce n'est pas l'instant de louer ce que j'aurais pu faire. « La pièce est invraisemblable dans sa conduite », a dit encore le journaliste établi dans Bouillon avec approbation et privilège.

Invraisemblable ? Examinons cela par plaisir.

Son Excellence M. le comte Almaviva, dont j'ai, depuis longtemps, l'honneur d'être ami particulier, est un jeune seigneur, ou, pour mieux dire, était, car l'âge et les grands emplois en ont fait depuis un homme fort grave, ainsi que je le suis devenu moi-même. Son Excellence était donc un jeune seigneur espagnol, vif, ardent, comme tous les amants de sa nation, que l'on croit froide et qui n'est que paresseuse.

Il s'était mis secrètement à la poursuite d'une belle personne qu'il avait entrevue à Madrid, et que son tuteur a bientôt ramenée au lieu de sa naissance. Un matin qu'il se promenait sous ses fenêtres à Séville, où, depuis huit jours, il

1. **Au plus grand pathétique :** de façon très pathétique.

cherchait à s'en faire remarquer, le hasard conduisit au même endroit Figaro le barbier. – Ah ! le hasard, dira mon critique, et si le hasard n'eût pas conduit ce jour-là le barbier dans cet endroit, que devenait la pièce ? – Elle eût
395 commencé, mon frère, à quelque autre époque. – Impossible, puisque le tuteur, selon vous-même, épousait le lendemain. – Alors il n'y aurait pas eu de pièce ; ou, s'il y en avait eu, mon frère, elle aurait été différente. Une chose est-elle invraisemblable, parce qu'elle était possible autrement ?

400 Réellement vous avez un peu d'humeur. Quand le cardinal de Retz[1] nous dit froidement : « Un jour j'avais besoin d'un homme ; à la vérité, je ne voulais qu'un fantôme ; j'aurais désiré qu'il fût petit-fils de Henri le Grand[2] ; qu'il eût de longs cheveux blonds ; qu'il fût beau, bien fait, bien
405 séditieux ; qu'il eût le langage et l'amour des Halles : et voilà que le hasard me fait rencontrer à Paris M. de Beaufort[3], échappé de la prison du Roi ; c'était justement l'homme qu'il me fallait. » Va-t-on dire au coadjuteur : « Ah ! le hasard ! Mais si vous n'eussiez pas rencontré M. de Beau-
410 fort ? Mais ceci, mais cela… ? »

Le hasard donc conduisit en ce même endroit Figaro le barbier, beau diseur, mauvais poète, hardi musicien, grand fringueneur[4] de guitare, et jadis valet de chambre du comte ; établi dans Séville, y faisant avec succès des barbes, des
415 romances et des mariages ; y maniant également le fer du phlébotome[5] et le piston[6] du pharmacien ; la terreur des maris, la coqueluche des femmes, et justement l'homme qu'il nous fallait. Et comme en toute recherche ce qu'on

---

1. Paul de Gondi, cardinal de Retz, coadjuteur (auxiliaire) de l'archevêque de Paris, fut l'un des chefs de la Fronde, et laissa des *Mémoires* sur cette période. Citation approximative.
2. Henri IV.
3. Beaufort (1616-1669), petit fils d'Henri IV et chef de la Fronde, était surnommé « le roi des Halles ».
4. **Fringueneur :** néologisme de Beaumarchais, formé sur le verbe *fringuer*, « sautiller en jouant de son instrument ».
5. **Phlébotome :** instrument pour faire les saignées.
6. **Piston :** instrument servant aux lavements.

nomme passion n'est autre chose qu'un désir irrité par la
420 contradiction, le jeune amant, qui n'eût peut-être eu qu'un goût de fantaisie pour cette beauté s'il l'eût rencontrée dans le monde, en devient amoureux parce qu'elle est enfermée, au point de faire l'impossible pour l'épouser.

Mais vous donner ici l'extrait entier de la pièce,
425 Monsieur, serait douter de la sagacité, de l'adresse avec laquelle vous saisirez le dessein de l'auteur, et suivrez le fil de l'intrigue, en la lisant. Moins prévenu que le journal de Bouillon, qui se trompe, avec approbation et privilège, sur toute la conduite de cette pièce, vous verrez que *tous les soins*
430 *de l'amant* ne *sont* pas *destinés à remettre simplement une lettre*, qui n'est là qu'un léger accessoire à l'intrigue, mais bien à s'établir dans un fort défendu par la vigilance et le soupçon, surtout à tromper un homme qui, sans cesse éventant la manœuvre, oblige l'ennemi de se retourner assez
435 lestement pour n'être pas désarçonné d'emblée.

Et lorsque vous verrez que tout le mérite du dénouement consiste en ce que le tuteur a fermé sa porte en donnant son passe-partout à Bazile, pour que lui seul et le notaire pussent entrer et conclure son mariage, vous ne lais-
440 serez pas d'être étonné qu'un critique aussi équitable se joue de la confiance de son lecteur, ou se trompe, au point d'écrire, et dans Bouillon encore : *Le comte s'est donné la peine de monter au balcon par une échelle avec Figaro, quoique la porte ne soit pas fermée.*

445 Enfin, lorsque vous verrez le malheureux tuteur, abusé par toutes les précautions qu'il prend pour ne le point être, à la fin forcé de signer au contrat du comte et d'approuver ce qu'il n'a pu prévenir, vous laisserez au critique à décider si ce tuteur était un *imbécile* de ne pas deviner une intrigue dont
450 on lui cachait tout, lorsque lui, critique, à qui l'on ne cachait rien, ne l'a pas devinée plus que le tuteur.

En effet, s'il l'eût bien conçue, aurait-il manqué de louer tous les beaux endroits de l'ouvrage ?

Qu'il n'ait point remarqué la manière dont le premier
455 acte annonce et déploie avec gaieté tous les caractères de la pièce, on peut le lui pardonner.

Qu'il n'ait pas aperçu quelque peu de comédie dans la grande scène du second acte[1], où, malgré la défiance et la fureur du jaloux, la pupille parvient à lui donner le change
460 sur une lettre remise en sa présence, et lui faire demander pardon à genoux du soupçon qu'il a montré, je le conçois encore aisément.

Qu'il n'ait pas dit un seul mot de la scène de stupéfaction de Bazile au troisième acte[2], qui a paru si neuve au théâtre, et
465 a tant réjoui les spectateurs, je n'en suis point surpris du tout.

Passe encore qu'il n'ait pas entrevu l'embarras où l'auteur s'est jeté volontairement au dernier acte, en faisant avouer par la pupille à son tuteur que le comte avait dérobé la clef de sa jalousie ; et comment l'auteur s'en démêle en deux mots et
470 sort, en se jouant, de la nouvelle inquiétude qu'il a imprimée au spectateur. C'est peu de chose en vérité.

Je veux bien qu'il ne lui soit pas venu à l'esprit que la pièce, une des plus gaies qui soient au théâtre, est écrite sans la moindre équivoque, sans une pensée, un seul mot dont la
475 pudeur, même des petites loges[3], ait à s'alarmer ; ce qui pourtant est bien quelque chose, Monsieur, dans un siècle où l'hypocrisie de la décence est poussée presque aussi loin que le relâchement des mœurs. Très volontiers. Tout cela sans doute pouvait n'être pas digne de l'attention d'un critique aussi majeur[4].
480 Mais comment n'a-t-il pas admiré ce que tous les honnêtes gens n'ont pu voir sans répandre des larmes de tendresse et de plaisir ? Je veux dire la piété filiale de ce bon Figaro, qui ne saurait oublier sa mère !

Tu connais donc ce tuteur ? lui dit le comte au premier
485 acte. *Comme ma mère*, répond Figaro. Un avare aurait dit : *Comme mes poches.* Un petit-maître[5] eût répondu : *Comme*

1. Acte II, scène 15.
2. Acte III, scène 11.
3. **Petites loges :** au théâtre, loges grillagées qui permettaient d'assister au spectacle sans être vu.
4. Antiphrase.
5. **Petit-maître :** jeune noble à la mode, content de lui et s'étalant volontiers en public.

moi-même ; un ambitieux : *Comme le chemin de Versailles ;* et le journaliste de Bouillon : *Comme mon libraire*[1] *;* les comparaisons de chacun se tirant toujours de l'objet intéressant. 490 *Comme ma mère,* a dit le fils tendre et respectueux.

Dans un autre endroit encore[2] : *Ah ! vous êtes charmant !* lui dit le tuteur. Et ce bon, cet honnête garçon qui pouvait gaiement assimiler cet éloge à tous ceux qu'il a reçus de ses maîtresses, en revient toujours à sa bonne mère, et répond à 495 ce mot : *Vous êtes charmant ! – Il est vrai, monsieur, que ma mère me l'a dit autrefois.* Et le journal de Bouillon ne relève point de pareils traits ! Il faut avoir le cerveau bien desséché pour ne les pas voir, ou le cœur bien dur pour ne pas les sentir.

Sans compter mille autres finesses de l'Art répandues à 500 pleines mains dans cet ouvrage. Par exemple, on sait que les comédiens ont multiplié chez eux les emplois à l'infini : emplois de grande, moyenne et petite amoureuse ; emplois de grands, moyens et petits valets ; emplois de niais, d'important, de croquant[3], de paysan, de tabellion[4], de bailli[5] ; mais on sait 505 qu'ils n'ont pas encore appointé[6] celui de bâillant. Qu'a fait l'auteur pour former un comédien peu exercé au talent d'ouvrir largement la bouche au théâtre ? Il s'est donné le soin de lui rassembler, dans une seule phrase, toutes les syllabes bâillantes du français : *Rien... qu'en... l'en... en... ten...* 510 *dant... parler,* syllabes, en effet, qui feraient bâiller un mort, et parviendraient à desserrer les dents même de l'envie !

En cet endroit admirable[7] où, pressé par les reproches du tuteur qui lui crie : *Que direz-vous à ce malheureux qui bâille et dort tout éveillé ? Et l'autre qui, depuis trois heures, éternue à se* 515 *faire sauter le crâne et jaillir la cervelle ? Que leur direz-vous ?*

1. À l'époque, le libraire était aussi l'éditeur ; c'est donc lui qui payait l'auteur, le journaliste.
2. Acte III, scène 5.
3. **Croquant :** homme de peu, au bas de l'échelle sociale.
4. **Tabellion :** officier public faisant office de notaire.
5. **Bailli :** officier de justice.
6. **Appointé :** payé, rétribué.
7. Acte III, scène 5.

Le naïf barbier répond : *Eh ! parbleu, je dirai à celui qui éternue : « Dieu vous bénisse ! » et : « Va te coucher » à celui qui bâille.* Réponse en effet si juste, si chrétienne et si admirable, qu'un de ces fiers critiques qui ont leurs entrées au paradis[1] n'a
520 pu s'empêcher de s'écrier : « Diable ! l'auteur a dû rester au moins huit jours à trouver cette réplique ! »

Et le journal de Bouillon, au lieu de louer ces beautés sans nombre, use encre et papier, approbation et privilège, à mettre un pareil ouvrage au-dessous même de la critique ! On
525 me couperait le cou, Monsieur, que je ne saurais m'en taire.

N'a-t-il pas été jusqu'à dire, le cruel ! que, *pour ne pas voir expirer ce barbier sur le théâtre, il a fallu le mutiler, le changer, le refondre, l'élaguer, le réduire en quatre actes, et le purger d'un grand nombre de pasquinades*[2]*, de calembours, de*
530 *jeux de mots, en un mot, de bas comique ?*

À le voir ainsi frapper comme un sourd, on juge assez qu'il n'a pas entendu le premier mot de l'ouvrage qu'il décompose. Mais j'ai l'honneur d'assurer ce journaliste, ainsi que le jeune homme qui lui taille ses plumes et ses morceaux[3], que loin
535 d'avoir purgé la pièce d'aucun des *calembours*[4], *jeux de mots*, etc., qui lui eussent nui le premier jour, l'auteur a fait rentrer dans les actes restés au théâtre tout ce qu'il en a pu reprendre à l'acte au portefeuille[5], tel un charpentier économe cherche, dans ses copeaux épars sur le chantier, tout ce qui peut servir à
540 cheviller et boucher les moindres trous de son ouvrage.

Passerons-nous sous silence le reproche aigu qu'il fait à la jeune personne, d'avoir *tous les défauts d'une fille mal élevée ?* Il est vrai que, pour échapper aux conséquences d'une telle

1. **Paradis :** étage le plus élevé du théâtre, par opposition au parterre.
2. **Pasquinades :** railleries satiriques.
3. L'expression « tailler ses morceaux » a plusieurs sens possibles : « préparer son travail », ce qui signifierait que le journaliste ne travaille pas seul ; « donner des ordres à quelqu'un », ce qui met en cause son indépendance.
4. **Calembours :** jeux d'esprit fondés sur des mots à double sens ou des équivoques.
5. **Portefeuille :** carton plié en deux, recouvert de tissu ou de cuir, servant à ranger et transporter des papiers. Allusion à l'acte supprimé lors de la deuxième représentation.

imputation, il tente à la rejeter sur autrui, comme s'il n'en était pas l'auteur, en employant cette expression banale : *On trouve à la jeune personne*, etc. On trouve !...

Que voulait-il donc qu'elle fît ? Quoi ! qu'au lieu de se prêter aux vues d'un jeune amant très aimable et qui se trouve un homme de qualité, notre charmante enfant épousât le vieux podagre[1] médecin ? Le noble établissement[2] qu'il lui destinait là ! Et parce qu'on n'est pas de l'avis de Monsieur, on a *tous les défauts d'une fille mal élevée !*

En vérité, si le journal de Bouillon se fait des amis en France par la justesse et la candeur de ses critiques, il faut avouer qu'il en aura beaucoup moins au-delà des Pyrénées, et qu'il est surtout un peu bien dur pour les dames espagnoles.

Eh ! qui sait si Son Excellence Madame la comtesse Almaviva, l'exemple des femmes de son état, et vivant comme un ange avec son mari, quoiqu'elle ne l'aime plus, ne se ressentira pas un jour des libertés qu'on se donne à Bouillon, sur elle, avec approbation et privilège ?

L'imprudent journaliste a-t-il au moins réfléchi que Son Excellence ayant, par le rang de son mari, le plus grand crédit dans les bureaux, eût pu lui faire obtenir quelque pension sur la *Gazette d'Espagne*, ou la *Gazette* elle-même, et que, dans la carrière qu'il embrasse, il faut garder plus de ménagements pour les femmes de qualité ? Qu'est-ce que cela me fait, à moi ? L'on sent bien que c'est pour lui seul que j'en parle.

Il est temps de laisser cet adversaire, quoiqu'il soit à la tête des gens qui prétendent que, *n'ayant pu me soutenir en cinq actes, je me suis mis en quatre pour ramener le public.* Eh ! quand cela serait ? Dans un moment d'oppression, ne vaut-il pas mieux sacrifier un cinquième de son bien que de le voir aller tout entier au pillage ?

1. **Podagre :** malade de la goutte, forme de rhumatisme qui attaque les pieds.
2. **Établissement :** action de pourvoir quelqu'un d'une situation sociale, en particulier marier avantageusement une fille.

Mais ne tombez pas, cher lecteur... (Monsieur, veux-je dire), ne tombez pas, je vous prie, dans une erreur populaire qui ferait grand tort à votre jugement.

Ma pièce, qui paraît n'être aujourd'hui qu'en quatre actes, est réellement et de fait, en cinq, qui sont le premier, le deuxième, le troisième, le quatrième et le cinquième, à l'ordinaire.

Il est vrai que, le jour du combat, voyant les ennemis acharnés, le parterre ondulant, agité, grondant au loin comme les flots de la mer, et trop certain que ces mugissements sourds, précurseurs des tempêtes, ont amené plus d'un naufrage, je vins à réfléchir que beaucoup de pièces en cinq actes (comme la mienne), toutes très bien faites d'ailleurs (comme la mienne), n'auraient pas été au Diable en entier (comme la mienne), si l'auteur eût pris un parti vigoureux (comme le mien).

« Le dieu des cabales[1] est irrité », dis-je aux comédiens avec force :

Enfants ! un sacrifice est ici nécessaire.

Alors, faisant la part au Diable, et déchirant mon manuscrit : « Dieu des siffleurs, moucheurs, cracheurs, tousseurs et perturbateurs, m'écriai-je, il te faut du sang ! Bois mon quatrième acte, et que ta fureur s'apaise ! »

À l'instant vous eussiez vu ce bruit infernal, qui faisait pâlir et broncher les acteurs, s'affaiblir, s'éloigner, s'anéantir ; l'applaudissement lui succéder, et des bas-fonds du parterre un *bravo* général s'élever en circulant jusqu'aux hauts bancs du paradis.

De cet exposé, Monsieur, il suit que ma pièce est restée en cinq actes, qui sont le premier, le deuxième, le troisième au théâtre, le quatrième au Diable, le cinquième avec les trois premiers. Tel auteur même vous soutiendra que ce quatrième acte, qu'on n'y voit point, n'en est pas moins

1. Voir note 2, p. 39.

celui qui fait le plus de bien à la pièce, en ce qu'on ne l'y
610 voit point.

Laissons jaser le monde ; il me suffit d'avoir prouvé mon dire ; il me suffit, en faisant mes cinq actes, d'avoir montré mon respect pour Aristote, Horace, Aubignac et les Modernes[1], et d'avoir mis ainsi l'honneur de la règle à couvert.

615 Par le second arrangement, le Diable a son affaire : mon char n'en roule pas moins bien sans la cinquième roue, le public est content, je le suis aussi. Pourquoi le journal de Bouillon ne l'est-il pas ? – Ah ! pourquoi ? C'est qu'il est bien difficile de plaire à des gens qui, par métier, doivent ne
620 jamais trouver les choses gaies assez sérieuses, ni les graves assez enjouées.

Je me flatte, Monsieur, que cela s'appelle raisonner principes[2], et que vous n'êtes pas mécontent de mon petit syllogisme[3].

625 Reste à répondre aux observations dont quelques personnes ont honoré le moins important des drames[4] hasardés depuis un siècle au théâtre.

Je mets à part les lettres écrites aux comédiens, à moi-même, sans signature, et vulgairement appelées anonymes ; on
630 juge, à l'âpreté du style, que leurs auteurs, peu versés dans la critique, n'ont pas assez senti qu'une mauvaise pièce n'est point une mauvaise action, et que telle injure convenable à un méchant homme est toujours déplacée à un méchant écrivain. Passons aux autres.

635 Des connaisseurs ont remarqué que j'étais tombé dans l'inconvénient de faire critiquer des usages français par un plaisant de Séville à Séville, tandis que la vraisemblance exigeait qu'il s'égayât sur les mœurs espagnoles. Ils ont raison : j'y

1. Les trois premiers sont des théoriciens du théâtre ; **Aristote** au IVe siècle av. J.-C. en Grèce, **Horace** à Rome au Ier siècle av. J.-C. et l'abbé **d'Aubignac** au XVIIe siècle. **Les Modernes** sont les commentateurs contemporains.
2. **Raisonner principes :** raisonner selon les principes, rigoureusement.
3. Le **syllogisme** est un mode de raisonnement particulièrement rigoureux.
4. **Drames :** ici, pièces.

avais même tellement pensé que, pour rendre la vraisemblance
640 encore plus parfaite, j'avais d'abord résolu d'écrire et de faire jouer la pièce en langage espagnol ; mais un homme de goût m'a fait observer qu'elle en perdrait peut-être un peu de sa gaieté pour le public de Paris, raison qui m'a déterminé à l'écrire en français ; en sorte que j'ai fait, comme on voit, une
645 multitude de sacrifices à la gaieté, mais sans pouvoir parvenir à dérider le journal de Bouillon.

Un autre amateur, saisissant l'instant qu'il y avait beaucoup de monde au foyer[1], m'a reproché, du ton le plus sérieux, que ma pièce ressemblait à *On ne s'avise jamais de*
650 *tout*[2]. « Ressembler, monsieur ! Je tiens que ma pièce est *On ne s'avise jamais de tout* lui-même. – Et comment cela ? – C'est qu'on ne s'était pas encore avisé de ma pièce. » L'amateur resta court, et l'on en rit d'autant plus que celui-là qui me reprochait *On ne s'avise jamais de tout* est un
655 homme qui ne s'est jamais avisé de rien.

Quelques jours après (ceci est plus sérieux), chez une dame incommodée, un monsieur grave, en habit noir, coiffure bouffante et canne à corbin[3], lequel touchait légèrement le poignet de la dame, proposa civilement plusieurs doutes
660 sur la vérité des traits que j'avais lancés contre les médecins. « Monsieur, lui dis-je, êtes-vous ami de quelqu'un d'eux ? Je serais désolé qu'un badinage[4]... – On ne peut pas moins ; je vois que vous ne me connaissez pas ; je ne prends jamais le parti d'aucun ; je parle ici pour le corps en général. » Cela
665 me fit beaucoup chercher quel homme ce pouvait être. « En fait de plaisanterie, ajoutai-je, vous savez, monsieur, qu'on ne demande jamais si l'histoire est vraie, mais si elle est bonne. – Eh ! croyez-vous moins perdre à cet examen qu'au premier ? – À merveille, docteur, dit la dame. Le monstre

1. **Foyer :** salle où l'on se réunissait (acteurs et spectateurs) au théâtre pendant les entractes.
2. Titre d'un opéra-comique de Sedaine (musique de Montigny) joué en 1761.
3. **À corbin :** à poignée en forme de bec de corbeau.
4. **Badinage :** propos léger et enjoué.

670 qu'il est ! n'a-t-il pas osé parler aussi mal de nous ? Faisons cause commune. »

À ce mot de docteur, je commençai à soupçonner qu'elle parlait à son médecin. « Il est vrai, madame et monsieur, repris-je avec modestie[1], que je me suis permis ces légers torts
675 d'autant plus aisément qu'ils tirent moins à conséquence.

Eh ! qui pourrait nuire à deux corps puissants dont l'empire embrasse l'univers et se partage le monde ? Malgré les envieux, les belles y régneront toujours par le plaisir, et les médecins par la douleur, et la brillante santé nous ramène
680 à l'Amour, comme la maladie nous rend à la médecine.

Cependant je ne sais si, dans la balance des avantages, la Faculté ne l'emporte pas un peu sur la Beauté. Souvent on voit les belles nous renvoyer aux médecins ; mais plus souvent encore les médecins nous gardent et ne nous
685 renvoient plus aux belles.

En plaisantant donc, il faudrait peut-être avoir égard à la différence des ressentiments, et songer que si les belles se vengent en se séparant de nous, ce n'est là qu'un mal négatif ; au lieu que les médecins se vengent en s'en emparant, ce qui
690 devient très positif.

Que, quand ces derniers nous tiennent, ils font de nous tout ce qu'ils veulent ; au lieu que les belles, toutes belles qu'elles sont, n'en font jamais que ce qu'elles peuvent.

Que le commerce des belles nous les rend bientôt moins
695 nécessaires ; au lieu que l'usage des médecins finit par nous les rendre indispensables.

Enfin, que l'un de ces empires[2] ne semble établi que pour assurer la durée de l'autre, puisque, plus la verte jeunesse est livrée à l'Amour, plus la pâle vieillesse appartient sûrement à
700 la médecine.

Au reste, ayant fait contre moi cause commune, il était juste, madame et monsieur, que je vous offrisse en commun mes justifications. Soyez donc persuadés que, faisant profession

1. L'auteur se présente, au début de la lettre, « *vêtu modestement et courbé* ».
2. **Empire :** pouvoir exercé sur quelqu'un.

d'adorer les belles et de redouter les médecins, c'est toujours en
705 badinant que je dis du mal de la Beauté ; comme ce n'est jamais sans trembler que je plaisante un peu la Faculté[1].

Ma déclaration n'est point suspecte à votre égard, mesdames, et mes plus acharnés ennemis sont forcés d'avouer que, dans un instant d'humeur, où mon dépit contre
710 une belle allait s'épancher trop librement sur toutes les autres, on m'a vu m'arrêter tout court au vingt-cinquième couplet, et, par le plus prompt repentir, faire ainsi, dans le vingt-sixième, amende honorable aux belles irritées :

Sexe charmant, si je décèle
715 *Votre cœur en proie au désir,*
Souvent à l'amour infidèle,
Mais toujours fidèle au plaisir,
D'un badinage, ô mes déesses !
Ne cherchez point à vous venger :
720 *Tel glose, hélas ! sur*[2] *vos faiblesses,*
Qui brûle de les partager[3].

– Quant à vous, monsieur le docteur, on sait assez que Molière...

Au désespoir, dit-il en se levant, de ne pouvoir profiter
725 plus longtemps de vos lumières ; mais l'humanité qui gémit ne doit pas souffrir de mes plaisirs. » Il me laissa, ma foi ! la bouche ouverte avec ma phrase en l'air. « Je ne sais pas, dit la belle malade en riant, si je vous pardonne ; mais je vois bien que notre docteur ne vous pardonne pas. – Le nôtre,
730 madame ? Il ne sera jamais le mien. – Eh ! pourquoi ? – Je ne sais ; je craindrais qu'il ne fût au-dessous de son état, puisqu'il n'est pas au-dessus des plaisanteries qu'on en peut faire.

Ce docteur n'est pas de mes gens. L'homme assez consommé dans son art[4] pour en avouer de bonne foi l'incer-

1. C'est-à-dire la Faculté de médecine.
2. **Glose [...] sur :** fait des commentaires, plus particulièrement des critiques.
3. Dernière strophe d'un poème satirique de Beaumarchais, « La Galerie des dames du temps passé ».
4. **Consommé dans son art :** spécialiste accompli dans son art.

735 titude, assez spirituel pour rire avec moi de ceux qui le disent infaillible, tel est mon médecin. En me rendant ses soins qu'ils appellent des visites, en me donnant ses conseils qu'ils nomment des ordonnances, il remplit dignement et sans faste la plus noble fonction d'une âme éclairée et sensible. Avec 740 plus d'esprit, il calcule plus de rapports, et c'est tout ce qu'on peut dans un art aussi utile qu'incertain. Il me raisonne, il me console, il me guide, et la nature fait le reste. Aussi, loin de s'offenser de la plaisanterie, est-il le premier à l'opposer au pédantisme. À l'infatué[1] qui lui dit gravement : "De quatre-745 vingts fluxions de poitrine[2] que j'ai traitées cet automne, un seul malade a péri dans mes mains", mon docteur répond en souriant : "Pour moi, j'ai prêté mes secours à plus de cent cet hiver ; hélas ! je n'en ai pu sauver qu'un seul." Tel est mon aimable[3] médecin.

750 – Je le connais. – Vous permettez bien que je ne l'échange pas contre le vôtre. Un pédant n'aura pas plus ma confiance en maladie, qu'une bégueule[4] n'obtiendrait mon hommage en santé. Mais je ne suis qu'un sot. Au lieu de vous rappeler mon amende honorable au beau sexe, je devais lui chanter le 755 couplet de la bégueule ; il est tout fait pour lui :

Pour égayer ma poésie,
Au hasard j'assemble des traits ;
J'en fais, peintre de fantaisie,
Des tableaux, jamais des portraits ;
760 *La femme d'esprit, qui s'en moque,*
Sourit finement à l'auteur :
Pour l'imprudente qui s'en choque,
Sa colère est son délateur[5].

1. **Infatué :** content de soi, prétentieux.
2. **Fluxions de poitrine :** pneumonies.
3. **Aimable :** digne d'estime ou d'affection, au sens étymologique, encore usité à l'époque.
4. **Bégueule :** femme qui affecte la vertu et se choque aisément des propos un peu libres.
5. **Délateur :** qui dénonce. Strophe tirée du même poème que la précédente.

– À propos de chanson, dit la dame, vous êtes bien
765 honnête d'avoir été donner votre pièce au Français[1] ! moi qui n'ai de petite loge qu'aux Italiens[2] ! Pourquoi n'en avoir pas fait un opéra-comique ? Ce fut, dit-on, votre première idée. La pièce est d'un genre à comporter de la musique.

– Je ne sais si elle est propre à la supporter, ou si je
770 m'étais trompé d'abord en le supposant ; mais, sans entrer dans les raisons qui m'ont fait changer d'avis, celle-ci, madame, répond à tout :

Notre musique dramatique ressemble trop encore à notre musique chansonnière pour en attendre un véritable
775 intérêt ou de la gaieté franche. Il faudra commencer à l'employer sérieusement au théâtre quand on sentira bien qu'on ne doit y chanter que pour parler ; quand nos musiciens se rapprocheront de la nature, et surtout cesseront de s'imposer l'absurde loi de toujours revenir à la première
780 partie d'un air après qu'ils en ont dit la seconde. Est-ce qu'il y a des reprises et des rondeaux[3] dans un drame ? Ce cruel radotage est la mort de l'intérêt, et dénote un vide insupportable dans les idées. »

« Moi qui ai toujours chéri la musique sans inconstance et
785 même sans infidélité, souvent, aux pièces qui m'attachent le plus, je me surprends à pousser de l'épaule, à dire tout bas avec humeur : « Eh ! va donc, musique ! pourquoi toujours répéter ? N'es-tu pas assez lente ? Au lieu de narrer vivement, tu rabâches ! Au lieu de peindre la passion, tu t'accroches aux
790 mots ! Le poète se tue à serrer l'événement, et toi tu le délayes ! Que lui sert de rendre son style énergique et pressé, si tu l'ensevelis sous d'inutiles fredons[4] ? Avec ta stérile abondance, reste, reste aux chansons pour toute nourriture,

1. Le Théâtre-Français, aujourd'hui la Comédie-Française.
2. Autre troupe qui a eu une période très illustre, mais a moins de succès au temps de Beaumarchais.
3. **Rondeaux :** poèmes mis en musique avec retour du (ou des) premier(s) vers.
4. **Fredons :** ornements musicaux consistant en un tremblement de la voix.

jusqu'à ce que tu connaisses le langage sublime et tumultueux
795 des passions. »

En effet, si la déclamation[1] est déjà un abus de la narration au théâtre, le chant, qui est un abus de la déclamation, n'est donc, comme on voit, que l'abus de l'abus. Ajoutez-y la répétition des phrases, et voyez ce que devient l'intérêt.
800 Pendant que le vice ici va toujours en croissant, l'intérêt marche à sens contraire ; l'action s'alanguit ; quelque chose me manque ; je deviens distrait ; l'ennui me gagne ; et si je cherche alors à deviner ce que je voudrais, il m'arrive souvent de trouver que je voudrais la fin du spectacle.

805 Il est un autre art d'imitation, en général beaucoup moins avancé que la musique, mais qui semble en ce point lui servir de leçon. Pour la variété seulement, la danse élevée[2] est déjà le modèle du chant.

Voyez le superbe Vestris ou le fier d'Auberval[3] engager
810 un pas de caractère. Il ne danse pas encore ; mais d'aussi loin qu'il paraît, son port libre et dégagé fait déjà lever la tête aux spectateurs. Il inspire autant de fierté qu'il promet de plaisir. Il est parti… Pendant que le musicien redit vingt fois ses phrases et monotone[4] ses mouvements, le danseur varie les
815 siens à l'infini.

Le voyez-vous s'avancer légèrement à petits bonds, reculer à grands pas, et faire oublier le comble de l'art par la plus ingénieuse négligence ? Tantôt sur un pied, gardant le plus savant équilibre, et suspendu sans mouvement pendant
820 plusieurs mesures, il étonne, il surprend par l'immobilité de son aplomb… Et soudain, comme s'il regrettait le temps du repos, il part comme un trait, vole au fond du théâtre, et revient en pirouettant, avec une rapidité que l'œil peut suivre à peine.

1. **Déclamation :** forme de récitation modulée, jugée emphatique et peu naturelle à l'époque.
2. La **danse élevée** est celle de l'Opéra, avec des figures complexes et acrobatiques.
3. **Vestris** et **d'Auberval** étaient des danseurs célèbres au temps de Beaumarchais.
4. **Monotone :** répète de façon monotone (néologisme formé sur l'adjectif).

825 L'air a beau recommencer, rigaudonner[1], se répéter, se radoter[2], il ne se répète point, lui ! Tout en déployant les mâles beautés d'un corps souple et puissant, il peint les mouvements violents dont son âme est agitée ; il vous lance un regard passionné que ses bras mollement ouverts rendent 830 plus expressif ; et, comme s'il se lassait bientôt de vous plaire, il se relève avec dédain, se dérobe à l'œil qui le suit, et la passion la plus fougueuse semble alors naître et sortir de la plus douce ivresse. Impétueux, turbulent, il exprime une colère si bouillante et si vraie qu'il m'arrache à mon siège et 835 me fait froncer le sourcil. Mais, reprenant soudain le geste et l'accent d'une volupté paisible, il erre nonchalamment avec une grâce, une mollesse et des mouvements si délicats qu'il enlève autant de suffrages qu'il y a de regards attachés sur sa danse enchanteresse.

840 Compositeurs ! chantez comme il danse, et nous aurons, au lieu d'opéras, des mélodrames[3]. Mais j'entends mon éternel censeur (je ne sais plus s'il est d'ailleurs ou de Bouillon) qui me dit : « Que prétend-on par ce tableau ? Je vois un talent supérieur, et non la danse en général. C'est dans sa marche 845 ordinaire qu'il faut saisir un art pour le comparer, et non dans ses efforts les plus sublimes. N'avons-nous pas… »

Je l'arrête à mon tour. Eh quoi ! si je veux peindre un coursier et me former une juste idée de ce noble animal, irai-je le chercher hongre[4] et vieux, gémissant au timon[5] du 850 fiacre, ou trottinant sous le plâtrier qui siffle ? Je le prends au haras, fier étalon, vigoureux, découplé, l'œil ardent, frappant la terre et soufflant le feu par les naseaux, bondissant de désirs et d'impatience, ou fendant l'air qu'il électrise, et dont

1. **Rigaudonner :** autre néologisme formé sur *rigaudon*, danse où les danseurs restent sur place.
2. **Se radoter :** emploi inhabituel du réfléchi.
3. **Mélodrames :** drames musicaux. Terme récent qui changera de sens à la fin du siècle et désignera alors un genre théâtral.
4. **Hongre :** châtré.
5. **Timon :** barre à laquelle, dans un attelage de fiacre, sont attachés les chevaux.

le brusque hennissement réjouit l'homme et fait tressaillir
855 toutes les cavales[1] de la contrée. Tel est mon danseur.

Et quand je crayonne un art, c'est parmi les plus grands sujets qui l'exercent que j'entends choisir mes modèles ; tous les efforts du génie... Mais je m'éloigne trop de mon sujet, revenons au *Barbier de Séville*... ou plutôt, Monsieur, n'y
860 revenons pas. C'est assez pour une bagatelle[2]. Insensiblement je tomberais dans le défaut reproché trop justement à nos Français, de toujours faire de petites chansons sur les grandes affaires, et de grandes dissertations sur les petites.

Je suis, avec le plus profond respect,

865 MONSIEUR,

Votre très humble et très obéissant serviteur,

L'AUTEUR.

1. **Cavales :** juments ; mot noble et poétique.
2. **Bagatelle :** petite œuvre littéraire sans importance.

Les personnages

(*Les habits des acteurs doivent être dans l'ancien costume espagnol*[1].)

Le Comte Almaviva, *grand d'Espagne*[2], *amant*[3] *inconnu de Rosine, paraît, au premier acte, en veste et culotte de satin ; il est enveloppé d'un grand manteau brun, ou cape espagnole ; chapeau noir rabattu, avec un ruban de couleur autour de la forme. Au deuxième acte, habit uniforme*[4] *de cavalier, avec des moustaches et des bottines. Au troisième, habillé en bachelier*[5], *cheveux ronds, grande fraise*[6] *au cou ; veste, culotte, bas et manteau d'abbé. Au quatrième acte, il est vêtu superbement à l'espagnole avec un riche manteau ; par-dessus tout, le large manteau brun dont il se tient enveloppé.*

Bartholo, *médecin, tuteur de Rosine : habit noir, court, boutonné ; grande perruque ; fraise et manchettes relevées ; une ceinture noire ; et quand il veut sortir de chez lui, un long manteau écarlate.*

Rosine, *jeune personne d'extraction noble, et pupille de Bartholo : habillée à l'espagnole.*

Figaro, *barbier de Séville : en habit de majo*[7] *espagnol. La tête couverte d'un rescille*[8] *ou filet ; chapeau blanc, ruban de couleur autour de la forme, un fichu*[9] *de soie attaché fort lâche*

1. Ancien costume sans doute parce que, en 1766, les capes et les grands chapeaux tombants avaient été interdits.
2. **Grand d'Espagne :** titre de la plus haute noblesse en Espagne.
3. **Amant :** qui aime et est aimé (sens ancien).
4. **Habit uniforme :** uniforme de cavalier.
5. **Bachelier :** étudiant. Terme courant dans les romans espagnols, très lus à l'époque (en particulier *Don Quichotte*).
6. **Fraise :** large col plissé, démodé à l'époque et depuis longtemps.
7. **Majo :** terme espagnol péjoratif désignant un élégant.
8. **Rescille :** filet pour retenir les cheveux. Beaumarchais hésite sur le genre de ce mot qu'il emprunte à l'espagnol et francise. Il sera définitivement adopté dans la langue sous la forme *résille*, au féminin.
9. **Fichu :** pièce d'étoffe dont on s'enveloppe les épaules et/ou le cou.

à son cou, gilet et haut-de-chausse[1] *de satin, avec des boutons et boutonnières frangés d'argent ; une grande ceinture de soie ; les jarretières*[2] *nouées avec des glands qui pendent sur chaque jambe ; veste de couleur tranchante, à grands revers de la couleur du gilet ; bas blancs et souliers gris.*

DON BAZILE, *organiste, maître à chanter de Rosine : chapeau noir rabattu, soutanelle*[3] *et long manteau, sans fraise ni manchettes.*

LA JEUNESSE, *vieux domestique de Bartholo.*

L'ÉVEILLÉ, *autre valet de Bartholo, garçon niais et endormi. Tous deux habillés en Galiciens*[4]*; tous les cheveux dans la queue ; gilet couleur de chamois ; large ceinture de peau avec une boucle ; culotte bleue et veste de même, dont les manches, ouvertes aux épaules pour le passage des bras, sont pendantes par-derrière.*

UN NOTAIRE.

UN ALCADE, *homme de justice, avec une longue baguette blanche à la main.*

Plusieurs alguazils[5] et valets *avec des flambeaux.*

La scène est à Séville, dans la rue et sous les fenêtres de Rosine, au premier acte, et le reste de la pièce dans la maison du docteur Bartholo.

1. **Haut-de-chausse :** nom ancien de la culotte, pantalon court porté par les hommes.
2. **Jarretières :** rubans servant à retenir les bas.
3. **Soutanelle :** courte soutane qui ne va que jusqu'à la jarretière.
4. La Galice est une province d'Espagne.
5. **Alguazils :** gendarmes espagnols ; on prononce *alguouazil.*

Acte premier

Le théâtre représente une rue de Séville,
où toutes les croisées[1] sont grillées.

Scène première. Le Comte,

seul, en grand manteau brun et chapeau rabattu.
Il tire sa montre en se promenant.

Le jour est moins avancé que je ne croyais. L'heure à laquelle elle a coutume de se montrer derrière sa jalousie[2] est encore éloignée. N'importe ; il vaut mieux arriver trop tôt que de manquer l'instant de la voir. Si quelque aimable[3] de la cour pouvait me deviner à cent lieues de Madrid, arrêté tous les matins sous les fenêtres d'une femme à qui je n'ai jamais parlé, il me prendrait pour un Espagnol du temps d'Isabelle[4]... Pourquoi non ? Chacun court après le bonheur. Il est pour moi dans le cœur de Rosine. Mais quoi ! suivre une femme à Séville, quand Madrid et la cour offrent de toutes parts des plaisirs si faciles ? Et c'est cela même que je fuis. Je suis las des conquêtes que l'intérêt, la convenance ou la vanité nous présentent sans cesse. Il est si doux d'être aimé pour soi-même ! Et si je pouvais m'assurer sous ce déguisement... Au diable l'importun !

1. **Croisées :** fenêtres dont l'ouverture vitrée est divisée par une croix de pierre ou de bois.
2. **Jalousie :** treillis de fer ou de bois au travers duquel on peut voir sans être vu. Tire son nom du sentiment de jalousie des hommes qui ne veulent pas que leurs femmes soient vues de la rue.
3. **Aimable :** mondain, homme qui cherche à plaire (adjectif substantivé).
4. Il s'agit du temps de la reine Isabelle la Catholique (1451-1504), où le service de sa dame guidait les actes du chevalier amoureux.

SCÈNE 2. FIGARO, LE COMTE, *caché*.

FIGARO, *une guitare sur le dos, attachée en bandoulière avec un large ruban ; il chantonne gaiement, un papier et un crayon à la main.*

Bannissons le chagrin,
5 *Il nous consume :*
Sans le feu du bon vin
Qui nous rallume,
Réduit à languir,
L'homme, sans plaisir,
10 *Vivrait comme un sot,*
Et mourrait bientôt.

Jusque-là ceci ne va pas mal, hein, hein.

Et mourrait bientôt...
Le vin et la paresse
15 *Se disputent mon cœur.*

Eh non ! ils ne se le disputent pas, ils y règnent paisiblement ensemble...

Se partagent... mon cœur.

Dit-on se partagent ?... Eh ! mon Dieu, nos faiseurs d'opéras-
20 comiques n'y regardent pas de si près. Aujourd'hui, ce qui ne vaut pas la peine d'être dit, on le chante. *(Il chante.)*

Le vin et la paresse
Se partagent mon cœur.

Je voudrais finir par quelque chose de beau, de brillant, de
25 scintillant, qui eût l'air d'une pensée. *(Il met un genou en terre et écrit en chantant.)*

Se partagent mon cœur.
Si l'une a ma tendresse...
L'autre fait mon bonheur.

30 Fi donc ! c'est plat. Ce n'est pas ça... Il me faut une opposition, une antithèse :

Si l'une... est ma maîtresse
L'autre...

Eh ! parbleu, j'y suis...

35 *L'autre est mon serviteur.*

Fort bien, Figaro !... *(Il écrit en chantant.)*

Le vin et la paresse
Se partagent mon cœur ;
Si l'une est ma maîtresse,
L'autre est mon serviteur.
L'autre est mon serviteur.
L'autre est mon serviteur.

Hein, hein, quand il y aura des accompagnements là-dessous, nous verrons encore, messieurs de la cabale[1], si je ne sais ce que je dis... *(Il aperçoit le Comte.)* J'ai vu cet abbé-là quelque part. *(Il se relève.)*

LE COMTE, *à part.* Cet homme ne m'est pas inconnu.

FIGARO. Eh non, ce n'est pas un abbé ! Cet air altier[2] et noble...

LE COMTE. Cette tournure grotesque...

FIGARO. Je ne me trompe point ; c'est le comte Almaviva.

LE COMTE. Je crois que c'est ce coquin de Figaro.

FIGARO. C'est lui-même, monseigneur.

LE COMTE. Maraud[3] ! si tu dis un mot...

FIGARO. Oui, je vous reconnais ; voilà les bontés familières dont vous m'avez toujours honoré.

LE COMTE. Je ne te reconnaissais pas, moi. Te voilà si gros et si gras...

FIGARO. Que voulez-vous, monseigneur, c'est la misère.

LE COMTE. Pauvre petit ! Mais que fais-tu à Séville ? Je t'avais autrefois recommandé dans les bureaux pour un emploi.

FIGARO. Je l'ai obtenu, monseigneur ; et ma reconnaissance...

---

1. **Cabale :** voir note 2, p. 39.
2. **Altier :** qui montre de l'orgueil, de la fierté ; air caractéristique des grands seigneurs ; le terme n'est pas forcément péjoratif.
3. **Maraud :** coquin ; épithète injurieuse réservée aux valets dans la comédie classique.

LE COMTE. Appelle-moi Lindor[1]. Ne vois-tu pas, à mon
65 déguisement, que je veux être inconnu ?

FIGARO. Je me retire.

LE COMTE. Au contraire. J'attends ici quelque chose, et deux hommes qui jasent[2] sont moins suspects qu'un seul qui se promène. Ayons l'air de jaser. Eh bien, cet emploi ?

70 FIGARO. Le ministre, ayant égard à la recommandation de Votre Excellence, me fit nommer sur-le-champ garçon apothicaire.

LE COMTE. Dans les hôpitaux de l'armée ?

FIGARO. Non ; dans les haras d'Andalousie.

75 LE COMTE, *riant*. Beau début !

FIGARO. Le poste n'était pas mauvais ; parce qu'ayant le district des pansements et des drogues[3], je vendais souvent aux hommes de bonnes médecines de cheval...

LE COMTE. Qui tuaient les sujets du roi !

80 FIGARO. Ah ! ah ! il n'y a point de remède universel ; mais qui n'ont pas laissé de[4] guérir quelquefois des Galiciens, des Catalans, des Auvergnats[5].

LE COMTE. Pourquoi donc l'as-tu quitté ?

FIGARO. Quitté ? C'est bien lui-même ; on m'a desservi
85 auprès des puissances :

L'envie aux doigts crochus, au teint pâle et livide [6]...

1. Nom de théâtre, qui installe une atmosphère de comédie.
2. **Jasent :** bavardent.
3. **Drogues :** médicaments.
4. **Qui n'ont pas laissé de :** qui n'ont pas manqué de.
5. Il y avait des mercenaires auvergnats dans les armées espagnoles. En France, les Auvergnats étaient tenus pour particulièrement arriérés, ce qui suggère que les Galiciens et les Catalans étaient leurs équivalents en Espagne : assez rustres pour être guéris par des remèdes de cheval.
6. Représentation traditionnelle dans la poésie antique de la déesse Envie. Alexandrin épique, sans doute parodié de Voltaire :
« La Sombre Jalousie au teint pâle et livide. » (*Henriade*, IX, v. 45-46.)

LE COMTE. Oh ! grâce ! grâce, ami ! Est-ce que tu fais aussi des vers ? Je t'ai vu là griffonnant sur ton genou, et chantant dès le matin.

90 **FIGARO.** Voilà précisément la cause de mon malheur, Excellence. Quand on a rapporté au ministre que je faisais, je puis dire assez joliment, des bouquets à Chloris[1] ; que j'envoyais des énigmes[2] aux journaux, qu'il courait des madrigaux[3] de ma façon ; en un mot, quand il a su que j'étais
95 imprimé tout vif, il a pris la chose au tragique et m'a fait ôter mon emploi, sous prétexte que l'amour des lettres est incompatible avec l'esprit des affaires.

LE COMTE. Puissamment raisonné ! Et tu ne lui fis pas représenter[4]...

100 **FIGARO.** Je me crus trop heureux d'en être oublié, persuadé qu'un grand nous fait assez de bien quand il ne nous fait pas de mal.

LE COMTE. Tu ne dis pas tout. Je me souviens qu'à mon service tu étais un assez mauvais sujet.

105 **FIGARO.** Eh ! mon Dieu, monseigneur, c'est qu'on veut que le pauvre soit sans défaut.

LE COMTE. Paresseux, dérangé[5]...

FIGARO. Aux vertus qu'on exige dans un domestique, Votre Excellence connaît-elle beaucoup de maîtres qui
110 fussent dignes d'être valets ?

LE COMTE, *riant.* Pas mal. Et tu t'es retiré en cette ville ?

FIGARO. Non, pas tout de suite.

LE COMTE, *l'arrêtant.* Un moment... J'ai cru que c'était elle... Dis toujours, je t'entends de reste.

---

1. Un des noms traditionnels de la femme aimée dans la poésie lyrique ; un « bouquet à Chloris » est un recueil de poèmes dédié à une dame de ce nom.
2. **Énigmes :** poèmes en forme de devinettes ou de rébus.
3. **Madrigaux :** courts poèmes galants, très appréciés au XVIIe siècle.
4. **Représenter :** objecter.
5. **Dérangé :** qui a une mauvaise conduite, débauché.

115 **FIGARO.** De retour à Madrid, je voulus essayer de nouveau mes talents littéraires ; et le théâtre me parut un champ d'honneur...

LE COMTE. Ah ! miséricorde !

FIGARO. *(Pendant sa réplique, le Comte regarde avec attention du côté de la jalousie.)* En vérité, je ne sais comment je n'eus pas le plus grand succès, car j'avais rempli le parterre des plus excellents travailleurs ; des mains... comme des battoirs ; j'avais interdit les gants, les cannes, tout ce qui ne produit que des applaudissements sourds ; et d'honneur, avant la pièce, le café[1] m'avait paru dans les meilleures dispositions pour moi. Mais les efforts de la cabale...

LE COMTE. Ah ! la cabale ! monsieur l'auteur tombé !

FIGARO. Tout comme un autre : pourquoi pas ? Ils m'ont sifflé ; mais si jamais je puis les rassembler...

130 **LE COMTE.** L'ennui te vengera bien d'eux ?

FIGARO. Ah ! comme je leur en garde[2], morbleu !

LE COMTE. Tu jures ! Sais-tu qu'on n'a que vingt-quatre heures au palais pour maudire ses juges[3] ?

FIGARO. On a vingt-quatre ans au théâtre ; la vie est trop courte pour user un pareil ressentiment.

LE COMTE. Ta joyeuse colère me réjouit. Mais tu ne me dis pas ce qui t'a fait quitter Madrid.

FIGARO. C'est mon bon ange, Excellence, puisque je suis assez heureux pour retrouver mon ancien maître. Voyant à Madrid que la république des lettres[4] était celle des loups, toujours armés les uns contre les autres, et que, livrés au mépris où ce risible acharnement les conduit, tous les insectes, les

1. **Le café** (singulier collectif) : les cafés, où se faisait alors l'opinion. On peut penser au plus célèbre de ces cafés « littéraires », le café Procope.
2. **Je leur en garde :** je leur garde de la rancune.
3. **Pour maudire ses juges :** pour faire appel du jugement.
4. **La république des lettres :** le milieu littéraire.

moustiques, les cousins[1], les critiques, les maringouins[2], les envieux, les feuillistes, les libraires, les censeurs, et tout ce qui
145 s'attache à la peau des malheureux gens de lettres, achevait de déchiqueter et sucer le peu de substance qui leur restait ; fatigué d'écrire, ennuyé de moi, dégoûté des autres, abîmé de dettes et léger d'argent ; à la fin convaincu que l'utile revenu du rasoir est préférable aux vains honneurs de la plume, j'ai quitté Madrid ;
150 et, mon bagage en sautoir[3], parcourant philosophiquement les deux Castilles, la Manche, l'Estramadure, la Sierra-Morena, l'Andalousie ; accueilli dans une ville, emprisonné dans l'autre, et partout supérieur aux événements ; loué par ceux-ci, blâmé par ceux-là ; aidant au bon temps ; supportant le mauvais ; me
155 moquant des sots, bravant les méchants ; riant de ma misère et faisant la barbe[4] à tout le monde ; vous me voyez enfin établi dans Séville, et prêt à servir de nouveau Votre Excellence en tout ce qu'il lui plaira m'ordonner.

LE COMTE. Qui t'a donné une philosophie aussi gaie ?

160 **FIGARO.** L'habitude du malheur. Je me presse de rire de tout, de peur d'être obligé d'en pleurer. Que regardez-vous donc toujours de ce côté ?

LE COMTE. Sauvons-nous.

FIGARO. Pourquoi ?

165 **LE COMTE.** Viens donc, malheureux ! tu me perds.

(Ils se cachent.)

1. **Cousin :** insecte voisin du moustique.
2. **Maringouin :** moustique des marais. Marin est aussi le nom d'un des censeurs de la pièce.
3. **En sautoir :** en bandoulière.
4. **Faisant la barbe :** au sens propre pour l'activité du barbier ; au sens figuré, « se moquer ».

SITUER

Deux scènes d'exposition* qui, selon la tradition classique, donnent des indications sur la situation et l'action à venir. Mais Beaumarchais ne s'astreint pas à une présentation rigoureuse et continue ; il met en place des caractères*, des relations et un ton qui ménagent des surprises, une attente.

RÉFLÉCHIR

DRAMATURGIE : une exposition enlevée

1. Deux scènes liminaires, mais une présentation des personnages en trois temps : précisez lesquels. Quel est l'intérêt de cette présentation ? Quelles formes de dialogue revêt-elle ?

2. Quelles informations essentielles à l'action sont livrées dans ces deux scènes ?

3. Beaumarchais inscrit *Le Barbier* dans la tradition de la comédie, comme le titre même de la pièce le suggère. Le dynamisme de l'exposition repose en partie sur cette légèreté comique. Où ce comique apparaît-il et comment se manifeste-t-il ? Étudiez en particulier les échanges de répliques suivants : de « LE COMTE. [...] Ayons l'air de jaser. Eh bien, cet emploi ? » (l. 69) à « LE COMTE. Oh grâce, grâce, ami ! » (l. 87) ; et de « FIGARO. Je me crus trop heureux d'en être oublié [...] » (l. 100) à « LE COMTE, *riant.* Pas mal » (l. 111).

PERSONNAGES : une relation maître-valet biaisée

4. Étudier la présentation des personnages au début de la pièce et dans les didascalies* des deux scènes ; quelles indications en tirez-vous sur eux-mêmes et leur relation ?

5. Quels sont les métiers et les traits de caractère de Figaro ? En quoi diffère-t-il d'un valet de comédie traditionnel, tel qu'on peut en trouver par exemple chez Molière ?

6. Dans le dialogue entre le Comte et Figaro, qui est mis en valeur ? Montrez précisément, dans les répliques, les expressions et les échanges, la nature de leur rapport. S'agit-il d'un véritable dialogue ? Tout est-il dit entre les deux hommes ?

REGISTRES ET TONALITÉS : sous le signe de la gaieté

7. Le travail de Figaro musicien : étudiez sous cet angle le début de la scène 2 jusqu'au moment où Figaro aperçoit le Comte (l. 1-46).

8. La satire sociale : identifiez clairement les cibles visées. Quel est le ton de cette satire ? Étudiez en particulier la tirade de Figaro (rythme, lexique, etc.).

9. Identifiez ce qui évoque ici l'Espagne. Comment les usages français transparaissent-ils derrière le déguisement espagnol ?

THÈMES : « une philosophie aussi gaie »

10. Quelles sont les maximes de la philosophie de Figaro ? En quoi sa chanson préfigure-t-elle son dialogue avec le Comte ?

11. Quels sont les traits qui vous paraissent relever de la polémique littéraire ? Comment prolongent-ils les attaques de la *Lettre modérée* ?

ÉCRIRE

12. Les metteurs en scène contemporains aiment à transposer les pièces classiques dans le présent. Si vous faisiez une adaptation qui aille jusqu'à changer le texte (pour le cinéma par exemple), comment écririez-vous le monologue* du Comte, en déplaçant la situation à notre époque ?

SCÈNE 3. BARTHOLO, ROSINE.

(La jalousie du premier étage s'ouvre, et Bartholo et Rosine se mettent à la fenêtre.)

ROSINE. Comme le grand air fait plaisir à respirer !… Cette jalousie s'ouvre si rarement…

BARTHOLO. Quel papier tenez-vous là ?

ROSINE. Ce sont des couplets de *la Précaution inutile*[1], 5 que mon maître à chanter m'a donnés hier.

BARTHOLO. Qu'est-ce que *la Précaution inutile* ?

ROSINE. C'est une comédie nouvelle.

BARTHOLO. Quelque drame encore ! quelque sottise d'un nouveau genre !

10 **ROSINE.** Je n'en sais rien.

BARTHOLO. Euh, euh, les journaux et l'autorité nous en feront raison[2]. Siècle barbare !…

ROSINE. Vous injuriez toujours notre pauvre siècle.

BARTHOLO. Pardon de la liberté ! Qu'a-t-il produit pour 15 qu'on le loue ? Sottises de toute espèce : la liberté de penser, l'attraction, l'électricité, le tolérantisme, l'inoculation, le quinquina, *l'Encyclopédie*, et les drames[3]…

1. Renvoie au sous-titre de la pièce. Jeu subtil de théâtre dans le théâtre.
2. **Feront raison :** donneront satisfaction, c'est-à-dire interdiront la pièce.
3. Critique fourre-tout de nouveautés d'ordres très différents : la loi d'attraction universelle a été formulée par Newton en 1687 ; les phénomènes électriques sont très à la mode et donnent lieu à des démonstrations dans les salons ; le **tolérantisme** est la doctrine de la tolérance en matière d'idées, religieuses en particulier (néologisme destiné à donner dans la bouche de Bartholo une couleur péjorative à la tolérance) ; l'**inoculation** est la vaccination de la variole que l'on commence à pratiquer ; le **quinquina** est une écorce dont on faisait une boisson revigorante dont personne ne discute les bienfaits ; l'**Encyclopédie** de Diderot et d'Alembert (terminée en 1772) ; les **drames** sérieux du théâtre « bourgeois » illustré par Diderot et Beaumarchais lui-même.

ROSINE. *(Le papier lui échappe et tombe dans la rue.)* Ah ! ma chanson ! Ma chanson est tombée en vous écoutant[1] ; courez, courez donc, monsieur ! Ma chanson, elle sera perdue !

BARTHOLO. Que diable aussi, l'on tient ce qu'on tient. *(Il quitte le balcon.)*

ROSINE *regarde en dedans et fait signe dans la rue.* St, st ! *(Le Comte paraît.)* Ramassez vite et sauvez-vous. *(Le Comte ne fait qu'un saut, ramasse le papier et rentre.)*

BARTHOLO *sort de la maison et cherche.* Où donc est-il ? Je ne vois rien.

ROSINE. Sous le balcon, au pied du mur.

BARTHOLO. Vous me donnez là une jolie commission ! Il est donc passé quelqu'un ?

ROSINE. Je n'ai vu personne.

BARTHOLO, *à lui-même.* Et moi qui ai la bonté de chercher !... Bartholo, vous n'êtes qu'un sot, mon ami : ceci doit vous apprendre à ne jamais ouvrir de jalousie sur la rue. *(Il rentre.)*

ROSINE, *toujours au balcon.* Mon excuse est dans mon malheur : seule, enfermée, en butte à la persécution d'un homme odieux, est-ce un crime de tenter à[2] sortir d'esclavage ?

BARTHOLO, *paraissant au balcon.* Rentrez, signora ; c'est ma faute si vous avez perdu votre chanson ; mais ce malheur ne vous arrivera plus, je vous jure.

(Il ferme la jalousie à la clef.)

1. **En vous écoutant :** pendant que je vous écoutais.
2. **Tenter à :** tenter de (construction vieillie).

SITUER

Après le dialogue de Figaro et du Comte, deux personnages essentiels entrent en scène : Rosine, déjà évoquée dans la scène 1, et son tuteur Bartholo. Ils lancent l'action : un billet tombe de la jalousie…

RÉFLÉCHIR

STRUCTURE : dans le feu de l'action

1. En rupture avec les scènes précédentes, Beaumarchais décide de passer à l'action. Justifiez son choix. Quels liens étroits maintient-il cependant avec les scènes précédentes ?

2. Le papier : quel est l'intérêt de cet accessoire ? Comment l'auteur le rend-il intéressant et significatif ?

PERSONNAGES : des types renouvelés

3. Rosine, en son temps, a été jugée par certains trop délurée. Beaumarchais s'en est défendu. Comment, selon vous, l'actrice doit-elle parler et jouer ?

4. Étudiez l'apparition et les déplacements de Bartholo. Comment apprend-on son nom ? Est-il ridicule ? redoutable ? À quel type de la comédie s'apparente-t-il ? En quoi s'en distingue-t-il ?

5. Qu'apprend-on et que peut-on deviner de la relation entre Rosine et Bartholo à travers le dialogue et les actions ? Commentez en particulier le choix de l'aparté* pour les deux dernières répliques.

QUI PARLE ? QUI VOIT ? Une construction complexe

6. Quels sont les personnages présents dans cette scène ? À qui s'adresse le discours de Rosine ?

7. Beaumarchais ne fait pas seulement de Bartholo un tuteur et un prétendant jaloux : que manifeste-t-il à travers sa diatribe contre « le siècle » ? En quoi la liste de ce qu'il déteste est-elle significative (l. 14-17) ?

8. Étudiez le fonctionnement de la double énonciation*. Quelle est en particulier la tonalité des deux dernières répliques ? À qui sont-elles adressées ?

MISE EN SCÈNE : le ballet du billet

9. Combien de lieux différents composent l'espace scénique ? Mettez en évidence le rôle* de la fenêtre en travaillant sur l'utilisation du mot « jalousie ».

10. Quels sont les jeux de scène suggérés par les didascalies ?

ÉCRIRE

11. Comparez l'entrée en scène de Rosine avec celle d'Agnès dans *L'École des femmes* de Molière (acte I, scène 3 et acte II, scène 5). Qu'est-ce qui différencie ces deux personnages d'ingénue ?

SCÈNE 4. LE COMTE, FIGARO.

(Ils entrent avec précaution.)

LE COMTE. À présent qu'ils sont retirés, examinons cette chanson, dans laquelle un mystère est sûrement renfermé. C'est un billet !

FIGARO. Il demandait ce que c'est que *la Précaution inutile !*

5 LE COMTE *lit vivement. « Votre empressement excite ma curiosité ; sitôt que mon tuteur sera sorti, chantez indifféremment, sur l'air connu de ces couplets, quelque chose qui m'apprenne enfin le nom, l'état et les intentions de celui qui paraît s'attacher si obstinément à l'infortunée Rosine. »*

10 FIGARO, *contrefaisant la voix de Rosine.* Ma chanson, ma chanson est tombée ; courez, courez donc, *(Il rit.)* ah ! ah ! ah ! ah ! Oh ! ces femmes ! voulez-vous donner de l'adresse à la plus ingénue[1] ? enfermez-la.

LE COMTE. Ma chère Rosine !

15 FIGARO. Monseigneur, je ne suis plus en peine des motifs de votre mascarade[2] ; vous faites ici l'amour en perspective[3].

LE COMTE. Te voilà instruit ; mais si tu jases…

FIGARO. Moi, jaser ! Je n'emploierai point pour vous rassurer les grandes phrases d'honneur et de dévouement dont on 20 abuse à la journée ; je n'ai qu'un mot : mon intérêt vous répond de moi ; pesez tout à cette balance, et…

LE COMTE. Fort bien. Apprends donc que le hasard m'a fait rencontrer au Prado[4], il y a six mois, une jeune personne d'une beauté !… Tu viens de la voir. Je l'ai fait chercher en 25 vain par tout Madrid. Ce n'est que depuis peu de jours que j'ai découvert qu'elle s'appelle Rosine, est d'un sang noble,

1. **Ingénue :** qui a une sincérité innocente et naïve, qualité des jeunes filles élevées dans l'ignorance des réalités de la vie.
2. **Mascarade :** déguisement.
3. Vous faites votre cour pour l'avenir, porté par l'espérance.
4. **Prado :** lieu de promenade à la mode à Madrid.

orpheline, et mariée à un vieux médecin de cette ville, nommé Bartholo.

FIGARO. Joli oiseau, ma foi ! difficile à dénicher ! Mais qui
30 vous a dit qu'elle était femme du docteur ?

LE COMTE. Tout le monde.

FIGARO. C'est une histoire qu'il a forgée en arrivant de Madrid pour donner le change aux galants et les écarter ; elle n'est encore que sa pupille, mais bientôt[1]...

35 **LE COMTE,** *vivement.* Jamais. Ah ! quelle nouvelle ! J'étais résolu de tout oser pour lui présenter mes regrets, et je la trouve libre ! Il n'y a pas un moment à perdre ; il faut m'en faire aimer, et l'arracher à l'indigne engagement qu'on lui destine. Tu connais donc ce tuteur ?

40 **FIGARO.** Comme ma mère.

LE COMTE. Quel homme est-ce ?

FIGARO, *vivement.* C'est un beau, gros, court, jeune vieillard, gris pommelé[2], rusé, rasé, blasé, qui guette et furète et gronde et geint tout à la fois.

45 **LE COMTE,** *impatienté.* Eh ! je l'ai vu. Son caractère ?

FIGARO. Brutal, avare, amoureux et jaloux à l'excès de sa pupille, qui le hait à la mort.

LE COMTE. Ainsi, ses moyens de plaire sont...

FIGARO. Nuls.

50 **LE COMTE.** Tant mieux. Sa probité ?

FIGARO. Tout juste autant qu'il en faut pour n'être point pendu.

LE COMTE. Tant mieux. Punir un fripon en se rendant heureux...

1. Dans la première version, elle était effectivement mariée. Mais Beaumarchais a renoncé à traiter de l'adultère, comme la plupart des dramaturges de l'époque.
2. **Gris pommelé :** se dit d'un cheval dont la robe est couverte de taches rondes grises et blanches. Plaisanterie sur les cheveux grisonnants de Bartholo.

FIGARO. C'est faire à la fois le bien public et particulier : chef-d'œuvre de morale, en vérité, monseigneur !

LE COMTE. Tu dis que la crainte des galants lui fait fermer sa porte ?

FIGARO. À tout le monde ; s'il pouvait la calfeutrer…

LE COMTE. Ah ! diable, tant pis. Aurais-tu de l'accès chez lui ?

FIGARO. Si j'en ai ! *Primo*, la maison que j'occupe appartient au docteur, qui m'y loge *gratis*…

LE COMTE. Ah ! ah !

FIGARO. Oui. Et moi, en reconnaissance, je lui promets dix pistoles[1] par an, *gratis* aussi…

LE COMTE, *impatienté.* Tu es son locataire ?

FIGARO. De plus, son barbier, son chirurgien, son apothicaire ; il ne se donne pas dans sa maison un coup de rasoir, de lancette[2] ou de piston[3], qui ne soit de la main de votre serviteur.

LE COMTE *l'embrasse.* Ah ! Figaro, mon ami, tu seras mon ange, mon libérateur, mon dieu tutélaire[4].

FIGARO. Peste ! comme l'utilité vous a bientôt rapproché les distances ! Parlez-moi des gens passionnés !

LE COMTE. Heureux Figaro ! tu vas voir ma Rosine ! tu vas la voir ! Conçois-tu ton bonheur ?

FIGARO. C'est bien là un propos d'amant ! Est-ce que je l'adore, moi ? Puissiez-vous prendre ma place !

LE COMTE. Ah ! si l'on pouvait écarter tous les surveillants !…

FIGARO. C'est à quoi je rêvais[5].

---

1. **Pistole :** monnaie d'or battue en Espagne et en Italie.
2. **Lancette :** instrument de chirurgie utilisé pour pratiquer les saignées. Le barbier, depuis le Moyen Âge, est aussi chirurgien, profession longtemps décriée.
3. **Piston :** piston de la seringue servant à administrer les lavements (clystères).
4. **Tutélaire :** protecteur.
5. **Rêvais :** songeais.

LE COMTE. Pour douze heures seulement !

FIGARO. En occupant les gens de leur propre intérêt, on les empêche de nuire à l'intérêt d'autrui.

LE COMTE. Sans doute. Eh bien ?

FIGARO, *rêvant.* Je cherche dans ma tête si la pharmacie ne fournirait pas quelques petits moyens innocents…

LE COMTE. Scélérat !

FIGARO. Est-ce que je veux leur nuire ? Ils ont tous besoin de mon ministère[1]. Il ne s'agit que de les traiter ensemble.

LE COMTE. Mais ce médecin peut prendre un soupçon.

FIGARO. Il faut marcher si vite que le soupçon n'ait pas le temps de naître. Il me vient une idée !… Le régiment de Royal-Infant[2] arrive en cette ville.

LE COMTE. Le colonel est de mes amis.

FIGARO. Bon. Présentez-vous chez le docteur en habit de cavalier, avec un billet de logement[3] ; il faudra bien qu'il vous héberge ; et moi, je me charge du reste.

FIGARO. Il ne serait même pas mal que vous eussiez l'air entre deux vins…

LE COMTE. À quoi bon ?

FIGARO. Et le mener un peu lestement sous cette apparence déraisonnable.

LE COMTE. À quoi bon ?

FIGARO. Pour qu'il ne prenne aucun ombrage, et vous croie plus pressé de dormir que d'intriguer chez lui.

LE COMTE. Supérieurement vu ! Mais que n'y vas-tu, toi ?

---

1. **Ministère :** fonction, métier.
2. Nom inventé par Beaumarchais sur le modèle des noms français de régiments.
3. **Billet de logement :** papier officiel commandant à un civil de loger des soldats durant un temps déterminé.

FIGARO. Ah ! oui, moi ! Nous serons bien heureux s'il ne vous reconnaît pas, vous qu'il n'a jamais vu. Et comment vous introduire après ?

110 **LE COMTE.** Tu as raison.

FIGARO. C'est que vous ne pourrez peut-être pas soutenir ce personnage difficile. Cavalier... pris de vin...

LE COMTE. Tu te moques de moi. *(Prenant un ton ivre.)* N'est-ce point ici la maison du docteur Bartholo, mon ami ?

115 **FIGARO.** Pas mal, en vérité ; vos jambes seulement un peu plus avinées[1]. *(D'un ton plus ivre.)* N'est-ce pas ici la maison...

LE COMTE. Fi donc[2] ! tu as l'ivresse du peuple.

FIGARO. C'est la bonne, c'est celle du plaisir.

120 **LE COMTE.** La porte s'ouvre.

FIGARO. C'est notre homme : éloignons-nous jusqu'à ce qu'il soit parti.

SCÈNE 5. LE COMTE *et* FIGARO *cachés* ; BARTHOLO.

BARTHOLO *sort en parlant à la maison.* Je reviens à l'instant ; qu'on ne laisse entrer personne. Quelle sottise à moi d'être descendu ! Dès qu'[3]elle m'en priait, je devais bien me douter... Et Bazile qui ne vient pas ! Il devait tout arranger
5 pour que mon mariage se fît secrètement demain ; et point de nouvelles ! Allons voir ce qui peut l'arrêter.

1. Formule ramassée pour dire « les jambes d'un homme assez aviné ».
2. **Fi donc :** interjection marquant ici le dédain ou le mépris.
3. **Dès que :** du moment que, puisque.

SITUER

Nous connaissons maintenant les deux couples de personnages, Figaro et le Comte, Rosine et Bartholo. Il reste encore à préciser leurs relations. Mais l'intrigue est déjà en place : le billet a été lancé et le Comte s'en est saisi. Il lui faut trouver un moyen de s'introduire auprès de Rosine.

RÉFLÉCHIR

DRAMATURGIE : l'art de l'exposition

1. Le dialogue entre Figaro et le Comte reprend. Pourquoi l'avoir interrompu par l'apparition de Rosine et de Bartholo et le jeu autour de la jalousie ?

2. Analysez les informations données sur le tuteur : précisez son statut par rapport à Rosine, son caractère, ses relations avec Figaro.

3. Comment l'action est-elle mise en mouvement et se substitue-t-elle à l'exposition ?

4. Quelles parties de cette scène relèvent du théâtre dans le théâtre ?

PERSONNAGES : deux prétendants pour Rosine

5. Le contenu de la lettre de Rosine vous paraît-il en accord avec son comportement dans la scène précédente ? Comment les spectateurs doivent-ils juger la jeune fille ?

6. Relevez et commentez les nombreux adjectifs employés par Figaro pour peindre Bartholo.

7. En quoi ce dialogue du Comte avec Figaro confirme-t-il l'image que le monologue de la scène 1 donnait de lui ?

STRATÉGIES : le valet maître du jeu

8. Par rapport aux scènes 1 et 2, comment les relations entre Figaro et le Comte évoluent-elles ? Quelles sont les répliques caractéristiques de cette évolution ? Quelles sont celles, en particulier, où Figaro semble prendre des libertés de langage avec son ancien maître ?

9. Figaro mène désormais le jeu : montrez comment le barbier maîtrise la parole et l'utilise pour faire passer des messages sur la société. Relevez les passages les plus significatifs.

10. La rapidité du dialogue et son efficacité. Étudiez le passage suivant : de « LE COMTE. […] Tu connais donc ce tuteur ? » (l. 39) à « FIGARO. […] en vérité, monseigneur ! » (l. 56). Commentez le choix des mots, l'économie des phrases, les ellipses, l'échange des répliques. Quel effet Beaumarchais cherche-t-il à produire ?

ÉCRIRE

11. Imaginez Rosine en train de réfléchir à sa lettre, hésitant à l'écrire, s'y décidant et en cherchant les termes sous forme d'un monologue intérieur.

SCÈNE 6. LE COMTE, FIGARO.

LE COMTE. Qu'ai-je entendu ? Demain il épouse Rosine en secret !

FIGARO. Monseigneur, la difficulté de réussir ne fait qu'ajouter à la nécessité d'entreprendre.

5 **LE COMTE.** Quel est donc ce Bazile qui se mêle de son mariage ?

FIGARO. Un pauvre hère[1] qui montre la musique à sa pupille, infatué de son art, friponneau, besoigneux[2], à genoux devant un écu, et dont il sera facile de venir à bout,
10 monseigneur... *(Regardant à la jalousie.)* La v'là, la v'là.

LE COMTE. Qui donc ?

FIGARO. Derrière sa jalousie, la voilà, la voilà. Ne regardez pas, ne regardez donc pas !

LE COMTE. Pourquoi ?

15 **FIGARO.** Ne vous écrit-elle pas : « Chantez indifféremment » ? c'est-à-dire, chantez comme si vous chantiez... seulement pour chanter. Oh ! la v'là, la v'là.

LE COMTE. Puisque j'ai commencé à l'intéresser sans être connu d'elle, ne quittons point le nom de Lindor que j'ai
20 pris ; mon triomphe en aura plus de charmes. *(Il déploie le papier que Rosine a jeté.)* Mais comment chanter sur cette musique ? Je ne sais pas faire de vers, moi !

FIGARO. Tout ce qui vous viendra, monseigneur, est excellent : en amour, le cœur n'est pas difficile sur les productions
25 de l'esprit... Et prenez ma guitare.

LE COMTE. Que veux-tu que j'en fasse ? j'en joue si mal !

FIGARO. Est-ce qu'un homme comme vous ignore quelque chose ? Avec le dos de la main, from, from, from... Chanter

---

1. **Hère :** homme misérable.
2. **Besoigneux :** qui est dans le besoin.

sans guitare à Séville ! Vous seriez bientôt reconnu, ma foi,
30 bientôt dépisté. *(Figaro se colle au mur sous le balcon.)*

LE COMTE *chante en se promenant et s'accompagnant sur sa guitare.*

PREMIER COUPLET

Vous l'ordonnez, je me ferai connaître ;
35 *Plus inconnu, j'osais vous adorer :*
En me nommant, que pourrais-je espérer ?
N'importe, il faut obéir à son maître.

FIGARO, *bas.* Fort bien, parbleu ! Courage, monseigneur !

LE COMTE.

40 DEUXIÈME COUPLET

Je suis Lindor, ma naissance est commune,
Mes vœux sont ceux d'un simple bachelier[1] *;*
Que n'ai-je, hélas ! d'un brillant chevalier
À vous offrir le rang et la fortune !

45 **FIGARO.** Et comment, diable ! Je ne ferais pas mieux, moi qui m'en pique[2].

LE COMTE.

TROISIÈME COUPLET

Tous les matins, ici, d'une voix tendre,
50 *Je chanterai mon amour sans espoir ;*
Je bornerai mes plaisirs à vous voir ;
Et puissiez-vous en trouver à m'entendre !

FIGARO. Oh ! ma foi, pour celui-ci !... *(Il s'approche et baise le bas de l'habit de son maître.)*

55 **LE COMTE.** Figaro ?

FIGARO. Excellence ?

1. **Bachelier :** étudiant.
2. **Moi qui m'en pique :** moi qui prétends avoir des compétences (en matière de chansons).

LE COMTE. Crois-tu que l'on m'ait entendu ?

ROSINE, *en dedans, chante.*

(AIR du *Maître en droit*[1].)
60 *Tout me dit que Lindor est charmant,*
Que je dois l'aimer constamment...
(On entend une croisée qui se ferme avec bruit.)

FIGARO. Croyez-vous qu'on vous ait entendu, cette fois ?

LE COMTE. Elle a fermé sa fenêtre ; quelqu'un apparem-
65 ment est entré chez elle.

FIGARO. Ah ! la pauvre petite, comme elle tremble en chantant ! Elle est prise[2], monseigneur.

LE COMTE. Elle se sert du moyen qu'elle-même a indiqué. *Tout me dit que Lindor est charmant.* Que de grâces ! que
70 d'esprit !

FIGARO. Que de ruse ! que d'amour !

LE COMTE. Crois-tu qu'elle se donne à moi, Figaro ?

FIGARO. Elle passera plutôt à travers cette jalousie que d'y manquer.

75 LE COMTE. C'en est fait, je suis à ma Rosine... pour la vie.

FIGARO. Vous oubliez, monseigneur, qu'elle ne vous entend plus.

LE COMTE. Monsieur Figaro, je n'ai qu'un mot à vous dire : elle sera ma femme ; et si vous servez bien mon projet
80 en lui cachant mon nom... Tu m'entends[3], tu me connais...

FIGARO. Je me rends. Allons, Figaro, vole à la fortune, mon fils.

LE COMTE. Retirons-nous, crainte de nous rendre suspects.

---

1. Opéra comique de Monsigny sur un livret de Lemonnier, joué en 1760 et dont le héros se nomme Lindor.
2. **Prise :** éprise, amoureuse.
3. **Entends :** comprends.

FIGARO, *vivement*. Moi, j'entre ici, où, par la force de mon
85 art, je vais, d'un seul coup de baguette, endormir la vigilance, éveiller l'amour, égarer la jalousie, fourvoyer[1] l'intrigue, et renverser tous les obstacles. Vous, monseigneur, chez moi, l'habit de soldat, le billet de logement, et de l'or dans vos poches.

90 **LE COMTE.** Pour qui, de l'or ?

FIGARO, *vivement*. De l'or, mon Dieu, de l'or : c'est le nerf de l'intrigue.

LE COMTE. Ne te fâche pas, Figaro, j'en prendrai beaucoup.

95 **FIGARO**, *s'en allant*. Je vous rejoins dans peu.

LE COMTE. Figaro !

FIGARO. Qu'est-ce que c'est ?

LE COMTE. Et ta guitare ?

FIGARO *revient*. J'oublie ma guitare, moi ? Je suis donc
100 fou ! *(Il s'en va.)*

LE COMTE. Et ta demeure, étourdi ?

FIGARO *revient*. Ah ! réellement je suis frappé[2] ! – Ma boutique à quatre pas d'ici, peinte en bleu, vitrage en plomb, trois palettes[3] en l'air, l'œil dans la main[4], *Consilio manuque*[5],
105 Figaro.

(Il s'enfuit.)

---

1. **Fourvoyer :** détourner ; ici, le projet de mariage de Bartholo.
2. **Frappé :** fou, détraqué.
3. **Palettes :** petits récipients pour recueillir le sang des saignées ; suspendus pour former l'enseigne de la boutique.
4. Symbole de la perspicacité intellectuelle alliée à l'habileté manuelle.
5. ***Consilio manuque*** : « par l'intelligence et la main ». C'est la devise de l'Académie royale de chirurgie.

DRAMATURGIE : une comédie d'intrigue

Beaumarchais affirme avoir voulu faire « une espèce d'*imbroille** », une « comédie fort gaie », à partir d'un thème qui aurait pu être grave.

1. En tenant compte de la présentation liminaire des personnages, étudiez dans tout l'acte les éléments d'*imbroille* : déguisements, dissimulation, mensonges, projets.

2. Comment l'auteur impose-t-il un sentiment d'urgence ? Le déroulement de l'acte confirme-t-il dans son mouvement cet aspect de complexité ? Comment Beaumarchais, tout en respectant les conventions théâtrales classiques, les met-il en œuvre de façon vivante ?

3. Le sous-titre de la pièce réapparaît dans le cours de l'acte : relevez et interprétez ces occurrences. Quels sont, de manière plus générale, les passages qui mettent en évidence la théâtralité ? En quoi est-ce un élément d'*imbroille* ?

PERSONNAGES : tradition et nouveauté

Les personnages de la comédie sont souvent stéréotypés, le valet, l'ingénue, le barbon, le jeune amoureux. Beaumarchais s'inscrit dans la tradition, mais il la renouvelle aussi.

4. Comment caractérise-t-il les personnages traditionnels et antithétiques du barbon et du jeune amoureux ? Comparez avec Arnolphe et Horace au premier acte de *L'École des femmes*.

5. En faisant de Figaro non pas un valet, mais un ancien valet qui exerce une profession indépendante après avoir tâté de divers métiers et se met au service de son ancien maître pour favoriser ses amours, Beaumarchais enrichit le rôle du « valet débrouillard » de la comédie. Montrez comment le personnage se dévoile et s'approfondit. Quelles sont les conséquences de cette situation de Figaro sur le plan de l'action ?

6. Beaumarchais choisit de placer l'action en Espagne. En quoi cela influe-t-il sur la construction des personnages ? Étudiez les noms des personnages et leurs effets (connotations, sonorités, associations, etc.).

STRUCTURE : fantaisie et réalité

La comédie met traditionnellement en jeu des amours contrariées, des jeunes gens que l'on tente de séparer avant qu'ils ne triomphent des obstacles, grâce à d'efficaces « adjuvants », serviteurs le plus souvent.

7. Comment Beaumarchais nous intéresse-t-il à un scénario aussi ancien et connu ?

8. Figaro double de Beaumarchais ? En vous appuyant sur le dossier (voir « Beaumarchais et *Le Barbier de Séville* », p. 22-29), vous rapprocherez l'auteur et son personnage. Beaumarchais est célèbre pour ses mots d'auteur. Vous en relèverez certains et en montrerez le fonctionnement. Quel rapport avec les spectateurs créent-ils ?

SOCIÉTÉ : une critique acerbe ?

On a souvent vu dans la société sévillane du *Barbier* un reflet de la France du XVIIIe siècle. Effectivement la critique sociale se fait jour très vite dans cet acte.

9. Relevez les traits de cette critique et classez-les en vue de les interpréter. Peut-on parler de « satire » ou de « dénonciation » ?

ACTE II

Le théâtre représente l'appartement de Rosine. La croisée dans le fond du théâtre est fermée par une jalousie grillée.

SCÈNE PREMIÈRE. ROSINE, *seule, un bougeoir à la main. Elle prend du papier sur la table et se met à écrire.*

Marceline est malade, tous les gens[1] sont occupés, et personne ne me voit écrire. Je ne sais si ces murs ont des yeux et des oreilles, ou si mon Argus[2] a un génie[3] malfaisant qui l'instruit à point nommé, mais je ne puis dire un mot ni faire un pas
5 dont il ne devine sur-le-champ l'intention… Ah ! Lindor ! *(Elle cachette la lettre.)* Fermons toujours ma lettre, quoique j'ignore quand et comment je pourrai la lui faire tenir. Je l'ai vu à travers ma jalousie parler longtemps au barbier Figaro. C'est un bon homme qui m'a montré quelquefois de la pitié ;
10 si je pouvais l'entretenir un moment !

SCÈNE 2. ROSINE, FIGARO.

ROSINE, *surprise.* Ah ! monsieur Figaro, que je suis aise de vous voir !

FIGARO. Votre santé, madame ?

ROSINE. Pas trop bonne, monsieur Figaro. L'ennui me tue.

5 **FIGARO.** Je le crois ; il n'engraisse que les sots.

---

1. **Les gens :** les domestiques.
2. Nom d'un géant de la mythologie grecque : doté de cent yeux, il était chargé par la déesse Junon de surveiller une jeune fille aimée de son époux Jupiter. Désigne dans le langage commun un gardien vigilant, généralement au service d'un jaloux, ou, comme ici, le jaloux lui-même.
3. Allusion au génie des contes, créature surnaturelle obéissant aux ordres de l'homme qui a su se rendre maître de lui.

ROSINE. Avec qui parliez-vous donc là-bas si vivement ? Je n'entendais pas, mais…

FIGARO. Avec un jeune bachelier de mes parents, de la plus grande espérance ; plein d'esprit, de sentiments, de talents, 10 et d'une figure fort revenante[1].

ROSINE. Oh ! tout à fait bien, je vous assure ! Il se nomme ?…

FIGARO. Lindor. Il n'a rien. Mais s'il n'eût pas quitté brusquement Madrid, il pouvait y trouver quelque bonne place.

15 **ROSINE**, *étourdiment.* Il en trouvera, monsieur Figaro, il en trouvera. Un jeune homme tel que vous le dépeignez n'est pas fait pour rester inconnu.

FIGARO, *à part.* Fort bien. *(Haut.)* Mais il a un grand défaut, qui nuira toujours à son avancement.

20 **ROSINE.** Un défaut, monsieur Figaro ! un défaut ! en êtes-vous bien sûr ?

FIGARO. Il est amoureux.

ROSINE. Il est amoureux ! et vous appelez cela un défaut !

FIGARO. À la vérité, ce n'en est un que relativement à sa 25 mauvaise fortune.

ROSINE. Ah ! que le sort est injuste ! Et nomme-t-il la personne qu'il aime ? Je suis d'une curiosité…

FIGARO. Vous êtes la dernière, madame, à qui je voudrais faire une confidence de cette nature.

30 **ROSINE**, *vivement.* Pourquoi, monsieur Figaro ? Je suis discrète, ce jeune homme vous appartient[2], il m'intéresse infiniment… Dites donc !

FIGARO, *la regardant finement.* Figurez-vous la plus jolie petite mignonne, douce, tendre, accorte[3] et fraîche, agaçant

1. **Fort revenante :** fort agréable, plaisante.
2. **Vous appartient :** fait partie de votre famille, de votre maisonnée.
3. **Accorte :** vive, plaisante, gracieuse.

35 l'appétit, pied furtif, taille adroite, élancée, bras dodus, bouche rosée, et des mains ! des joues ! des dents ! des yeux !...

ROSINE. Qui reste[1] en cette ville ?

FIGARO. En ce quartier.

40 **ROSINE.** Dans cette rue peut-être ?

FIGARO. À deux pas de moi.

ROSINE. Ah ! que c'est charmant... pour monsieur votre parent. Et cette personne est ?...

FIGARO. Je ne l'ai pas nommée ?

45 **ROSINE,** *vivement.* C'est la seule chose que vous ayez oubliée, monsieur Figaro. Dites donc, dites donc vite ; si l'on rentrait, je ne pourrais plus savoir...

FIGARO. Vous le voulez absolument, madame ? Eh bien, cette personne est... la pupille de votre tuteur.

50 **ROSINE.** La pupille ?...

FIGARO. Du docteur Bartholo, oui, madame.

ROSINE, *avec émotion.* Ah ! monsieur Figaro... Je ne vous crois pas, je vous assure.

FIGARO. Et c'est ce qu'il brûle de venir vous persuader lui-
55 même.

ROSINE. Vous me faites trembler, monsieur Figaro.

FIGARO. Fi donc[2], trembler ! mauvais calcul, madame. Quand on cède à la peur du mal, on ressent déjà le mal de la peur. D'ailleurs, je viens de vous débarrasser de tous vos
60 surveillants jusqu'à demain.

ROSINE. S'il m'aime, il doit me le prouver en restant absolument tranquille.

1. **Reste :** habite.
2. **Fi donc :** interjection marquant ici une désapprobation amusée.

FIGARO. Eh ! madame ! amour et repos peuvent-ils habiter en même cœur ? La pauvre jeunesse est si malheureuse aujourd'hui, qu'elle n'a que ce terrible choix : amour sans repos, ou repos sans amour.

ROSINE, *baissant les yeux.* Repos sans amour... paraît...

FIGARO. Ah ! bien languissant. Il semble, en effet, qu'amour sans repos se présente de meilleure grâce ; et pour moi, si j'étais femme...

ROSINE, *avec embarras.* Il est certain qu'une jeune personne ne peut empêcher un honnête homme de l'estimer.

FIGARO. Aussi mon parent vous estime-t-il infiniment.

ROSINE. Mais s'il allait faire quelque imprudence, monsieur Figaro, il nous perdrait.

FIGARO, *à part.* Il nous perdrait ! *(Haut.)* Si vous le lui défendiez expressément par une petite lettre... Une lettre a bien du pouvoir.

ROSINE *lui donne la lettre qu'elle vient d'écrire.* Je n'ai pas le temps de recommencer celle-ci, mais en la lui donnant, dites-lui... dites-lui bien... *(Elle écoute.)*

FIGARO. Personne, madame.

ROSINE. Que c'est par pure amitié tout ce que je fais.

FIGARO. Cela parle de soi. Tudieu[1] ! l'amour a bien une autre allure !

ROSINE. Que par pure amitié, entendez-vous ? Je crains seulement que, rebuté par les difficultés...

FIGARO. Oui, quelque feu follet[2]. Souvenez-vous, madame, que le vent qui éteint une lumière allume un brasier, et que nous sommes ce brasier-là. D'en parler seule-

1. **Tudieu :** juron euphémisé de « par la vertu de Dieu ».
2. **Feu follet :** simple passade amoureuse. Comprendre : « Oui, si c'était quelque feu follet qui s'enflamme aisément et s'éteint aussi vite. »

ment, il exhale un tel feu qu'il m'a presque enfiévré de sa passion, moi qui n'y ai que voir !

ROSINE. Dieux ! j'entends mon tuteur. S'il vous trouvait ici... Passez par le cabinet du clavecin, et descendez le plus doucement que vous pourrez.

FIGARO. Soyez tranquille. *(À part, montrant la lettre.)* Voici qui vaut mieux que toutes mes observations.

(Il entre dans le cabinet.)

SCÈNE 3. ROSINE, *seule.*

Je meurs d'inquiétude jusqu'à ce qu'il soit dehors... Que je l'aime, ce bon Figaro ! C'est un bien honnête homme, un bon parent ! Ah ! voilà mon tyran ; reprenons mon ouvrage.

(Elle souffle la bougie[1], s'assied, et prend une broderie au tambour[2].)

SCÈNE 4. BARTHOLO, ROSINE.

BARTHOLO, *en colère.* Ah ! malédiction ! l'enragé, le scélérat corsaire de Figaro ! Là, peut-on sortir un moment de chez soi sans être sûr en rentrant...

ROSINE. Qui vous met donc si fort en colère, monsieur ?

BARTHOLO. Ce damné barbier qui vient d'écloper[3] toute ma maison en un tour de main ; il donne un narcotique[4] à L'Éveillé, un sternutatoire[5] à La Jeunesse ; il saigne au pied Marceline ; il n'y a pas jusqu'à ma mule... Sur les yeux d'une pauvre bête aveugle, un cataplasme[6] ! Parce qu'il me doit

1. Cette bougie a servi à cacheter la lettre.
2. **Broderie au tambour :** broderie dont le canevas est tendu sur un cercle de bois, ce qui la fait ressembler à la partie supérieure d'un tambour.
3. **Écloper :** estropier.
4. **Narcotique :** somnifère.
5. **Sternutatoire :** médicament qui fait éternuer.
6. **Cataplasme :** bouillie médicinale que l'on applique sur le corps.

SITUER

La didascalie initiale indique que nous sommes dans l'appartement de Rosine, au cœur de la maison, dans l'intimité. Rosine ouvre l'acte par un monologue symétrique à celui du Comte dans l'acte I. Figaro joue ici pour elle un rôle d'informateur, mais il la révèle également aux spectateurs. La jeune femme écrit un billet pour le Comte quand le barbier la surprend.

RÉFLÉCHIR

PERSONNAGES : une plaisante complicité

1. « C'est un bonhomme... » : tel est l'avis de Rosine sur Figaro (scène 1). Le mot « bonhomme » est assez ambigu, car il peut dénoter une certaine lourdeur d'esprit. Est-ce le cas pour Figaro ? Qu'est-ce qui peut alors justifier l'emploi de ce terme ?

2. Comment Figaro présente-t-il son prétendu parent et rassure-t-il Rosine à son sujet ?

3. On a critiqué (voir la *Lettre modérée*) Rosine d'avoir « tous les défauts d'une fille mal élevée ». Cette scène peut-elle donner des arguments en ce sens ?

GENRES : entre émotion et gaieté

4. La lettre écrite dans la scène précédente, remise ici, reste ignorée des spectateurs. Pourquoi ?

5. Étudiez particulièrement le passage de la révélation : de « FIGARO. Il est amoureux » (l. 22) à « ROSINE. [...] Je ne vous crois pas, je vous assure » (l. 53) : didascalies, tons, rythme de l'échange, usage des interruptions. Quel effet Beaumarchais veut-il produire sur les spectateurs ?

6. Cette scène est-elle comique ? Relevez les répliques ou les échanges qui peuvent susciter le rire et caractérisez celui-ci.

STRATÉGIES : les finesses de Figaro

7. Comment Figaro amène-t-il Rosine à consentir à lui donner la lettre ? À partir de : « ROSINE. Vous me faites trembler » (l. 56), il n'y a aucune indication de ton pour les répliques de Figaro : comment les lui feriez-vous dire ?

8. Étudiez l'utilisation et le rôle des phrases de portée générale. Comment s'articulent-elles avec les propos personnels ?

9. Que traduit l'aparté de Figaro : « Il nous perdrait ! » (l. 76) ?

THÈMES : la reconnaissance de l'amour

10. À la suite de Marivaux, les auteurs comiques du XVIIIe siècle mettent volontiers en scène la naissance du sentiment amoureux et l'aveu que l'on s'en fait à soi-même, grâce à un autre, serviteur ou servante le plus souvent. Montrez comment, ici, le lieu, le moment et les circonstances contribuent à cette reconnaissance.

11. Montrez, à travers cette scène, l'intérêt de faire de Figaro, non un valet, mais un barbier. Commentez sa relation avec Rosine, mais aussi avec Bartholo et, en particulier, le premier échange de répliques.

ÉCRIRE

12. Imaginez que Figaro fasse le portrait de Rosine à l'un de ses amis. Écrivez ce portrait sous la forme d'une tirade en utilisant ce que cette scène et l'acte précédent vous ont appris d'elle.

10 cent écus, il se presse de faire des mémoires[1]. Ah ! qu'il les apporte !... Et personne à l'antichambre ! On arrive à cet appartement comme à la place d'armes.

ROSINE. Eh ! qui peut y pénétrer que vous, monsieur ?

BARTHOLO. J'aime mieux craindre sans sujet, que de
15 m'exposer sans précaution. Tout est plein de gens entreprenants, d'audacieux... N'a-t-on pas, ce matin encore, ramassé lestement votre chanson pendant que j'allais la chercher ? Oh ! je...

ROSINE. C'est bien mettre à plaisir de l'importance à tout !
20 Le vent peut avoir éloigné ce papier, le premier venu, que sais-je ?

BARTHOLO. Le vent, le premier venu !... Il n'y a point de vent, madame, point de premier venu dans le monde ; et c'est toujours quelqu'un posté là exprès qui ramasse les
25 papiers qu'une femme a l'air de laisser tomber par mégarde.

ROSINE. A l'air, monsieur ?

BARTHOLO. Oui, madame, a l'air.

ROSINE, *à part.* Oh ! le méchant vieillard !

BARTHOLO. Mais tout cela n'arrivera plus, car je vais faire
30 sceller cette grille.

ROSINE. Faites mieux ; murez les fenêtres tout d'un coup[2]. D'une prison à un cachot la différence est si peu de chose !

BARTHOLO. Pour celles qui donnent sur la rue ? Ce ne serait peut-être pas si mal... Ce barbier n'est pas entré chez
35 vous au moins ?

ROSINE. Vous donne-t-il aussi de l'inquiétude ?

BARTHOLO. Tout comme un autre.

ROSINE. Que vos répliques sont honnêtes[3] !

1. **Mémoires :** feuilles d'honoraires pour ses soins.
2. **Tout d'un coup :** en même temps.
3. **Honnêtes :** dignes d'un honnête homme, polies.

BARTHOLO. Ah ! fiez-vous à tout le monde, et vous aurez
40 bientôt à la maison une bonne femme pour vous tromper, de bons amis pour vous la souffler[1], et de bons valets pour les y aider.

ROSINE. Quoi ! vous n'accordez pas même qu'on ait des principes contre la séduction de monsieur Figaro ?

45 BARTHOLO. Qui diable entend quelque chose à la bizarrerie des femmes ? Et combien j'en ai vu, de ces vertus à principes...

ROSINE, *en colère*. Mais, monsieur, s'il suffit d'être homme pour nous plaire, pourquoi donc me déplaisez-vous si fort ?

BARTHOLO, *stupéfait*. Pourquoi ?... Pourquoi ?... Vous ne
50 répondez pas à ma question sur ce barbier.

ROSINE, *outrée*. Eh bien oui ! cet homme est entré chez moi ; je l'ai vu, je lui ai parlé. Je ne vous cache pas même que je l'ai trouvé fort aimable[2] ; et puissiez-vous en mourir de dépit !

55 *(Elle sort.)*

SCÈNE 5. BARTHOLO, *seul.*

Oh ! les juifs[3], les chiens de valets ! La Jeunesse ! L'Éveillé ! L'Éveillé maudit !

SCÈNE 6. BARTHOLO, L'ÉVEILLÉ.

L'ÉVEILLÉ *arrive en bâillant, tout endormi*. Aah, aah, ah, ah...

BARTHOLO. Où étais-tu, peste d'étourdi, quand ce barbier est entré ici ?

1. **Souffler :** enlever.
2. **Aimable :** digne d'être aimé.
3. **Les juifs :** injure traditionnelle contre les avares.

5 **L'ÉVEILLÉ.** Monsieur j'étais… ah, aah, ah…

BARTHOLO. À machiner quelque espièglerie, sans doute ? Et tu ne l'as pas vu ?

L'ÉVEILLÉ. Sûrement je l'ai vu, puisqu'il m'a trouvé tout malade, à ce qu'il dit ; et faut bien que ça soit vrai, car j'ai 10 commencé à me douloir[1] dans tous les membres, rien qu'en l'en entendant parl… Ah, ah, aah…

BARTHOLO *le contrefait.* Rien qu'en l'en entendant !… Où donc est ce vaurien de La Jeunesse ? Droguer ce petit garçon sans mon ordonnance ! Il y a quelque friponnerie là-dessous.

SCÈNE 7. LES ACTEURS PRÉCÉDENTS ; LA JEUNESSE *arrive en vieillard avec une canne en béquille ; il éternue plusieurs fois.*

L'ÉVEILLÉ, *toujours bâillant.* La Jeunesse ?

BARTHOLO. Tu éternueras dimanche.

LA JEUNESSE. Voilà plus de cinquante… cinquante fois… dans un moment ! *(Il éternue.)* Je suis brisé.

5 **BARTHOLO.** Comment ! Je vous demande à tous deux s'il est entré quelqu'un chez Rosine, et vous ne me dites pas que ce barbier…

L'ÉVEILLÉ, *continuant de bâiller.* Est-ce que c'est quelqu'un donc, monsieur Figaro ? Aah ! ah…

10 **BARTHOLO.** Je parie que le rusé s'entend avec lui.

L'ÉVEILLÉ, *pleurant comme un sot.* Moi… je m'entends !…

LA JEUNESSE, *éternuant.* Eh ! mais monsieur, y a-t-il… y a-t-il de la justice ?…

BARTHOLO. De la justice ! C'est bon entre vous autres 15 misérables, la justice ! Je suis votre maître, moi, pour avoir toujours raison.

1. **Me douloir :** souffrir (terme archaïque à l'époque).

LA JEUNESSE, *éternuant.* Mais, pardi, quand une chose est vraie…

BARTHOLO. Quand une chose est vraie ! Si je ne veux pas qu'elle soit vraie, je prétends bien qu'elle ne soit pas vraie. Il n'y aurait qu'à permettre à tous ces faquins[1]-là d'avoir raison, vous verriez bientôt ce que deviendrait l'autorité.

LA JEUNESSE, *éternuant.* J'aime autant recevoir mon congé. Un service terrible, et toujours un train d'enfer !

L'ÉVEILLÉ, *pleurant.* Un pauvre homme de bien est traité comme un misérable.

BARTHOLO. Sors donc, pauvre homme de bien ! *(Il les contrefait.)* Et t'chi et t'cha ; l'un m'éternue au nez, l'autre m'y bâille.

LA JEUNESSE. Ah ! monsieur, je vous jure que, sans Mademoiselle, il n'y aurait… il n'y aurait pas moyen de rester dans la maison. *(Il sort en éternuant.)*

BARTHOLO. Dans quel état ce Figaro les a mis tous ! Je vois ce que c'est : le maraud[2] voudrait me payer mes cent écus sans bourse délier…

SCÈNE 8. BARTHOLO, DON BAZILE ; FIGARO,

caché dans le cabinet, paraît de temps en temps, et les écoute.

BARTHOLO *continue.* Ah ! don Bazile, vous veniez donner à Rosine sa leçon de musique ?

BAZILE. C'est ce qui presse le moins.

BARTHOLO. J'ai passé chez vous sans vous trouver.

BAZILE. J'étais sorti pour vos affaires. Apprenez une nouvelle assez fâcheuse.

1. **Faquins :** coquins.
2. **Maraud :** vaurien.

BARTHOLO. Pour vous ?

BAZILE. Non, pour vous. Le comte Almaviva est en cette ville.

BARTHOLO. Parlez bas. Celui qui faisait chercher Rosine dans tout Madrid ?

BAZILE. Il loge à la grande place, et sort tous les jours déguisé.

BARTHOLO. Il n'en faut point douter, cela me regarde. Et que faire ?

BAZILE. Si c'était un particulier[1], on viendrait à bout de l'écarter.

BARTHOLO. Oui, en s'embusquant le soir, armé, cuirassé...

BAZILE. *Bone Deus*[2] *!* se compromettre ! Susciter une méchante affaire, à la bonne heure ; et pendant la fermentation, calomnier à dire d'experts[3] ; *concedo*[4].

BARTHOLO. Singulier moyen de se défaire d'un homme !

BAZILE. La calomnie, monsieur ? Vous ne savez guère ce que vous dédaignez ; j'ai vu les plus honnêtes gens près d'en être accablés. Croyez qu'il n'y a pas de plate méchanceté, pas d'horreurs, pas de conte absurde, qu'on ne fasse adopter aux oisifs d'une grande ville, en s'y prenant bien : et nous avons ici des gens d'une adresse !... D'abord un bruit léger, rasant le sol comme hirondelle avant l'orage, *pianissimo*, murmure et file, et sème en courant le trait empoisonné. Telle bouche le recueille, et *piano, piano*, vous le glisse en l'oreille adroitement. Le mal est fait ; il germe, il rampe, il chemine, et *rinforzando* de bouche en bouche il va le diable, puis tout à coup, ne sais comment, vous voyez Calomnie se dresser, siffler, s'enfler,

1. **Un particulier :** un simple citoyen, qui ne soit pas noble.
2. ***Bone Deus* :** Bon Dieu ; juron en latin de cuisine.
3. **À dire d'experts :** avec assurance.
4. ***Concedo* :** je l'accorde. Expression latine utilisée dans les controverses, c'est-à-dire des discussions contradictoires qui servaient d'exercices dans les facultés de théologie.

35 grandir à vue d'œil. Elle s'élance, étend son vol, tourbillonne, enveloppe, arrache, entraîne, éclate et tonne, et devient, grâce au ciel, un cri général, un *crescendo* public, un chorus[1] universel de haine et de proscription[2]. Qui diable y résisterait ?

BARTHOLO. Mais quel radotage me faites-vous donc là, 40 Bazile ? Et quel rapport ce *piano-crescendo* peut-il avoir à ma situation ?

BAZILE. Comment, quel rapport ? Ce qu'on fait partout pour écarter son ennemi, il faut le faire ici pour empêcher le vôtre d'approcher.

45 **BARTHOLO.** D'approcher ? Je prétends bien épouser Rosine avant qu'elle apprenne seulement que ce comte existe.

BAZILE. En ce cas, vous n'avez pas un instant à perdre.

BARTHOLO. Et à qui tient-il[3], Bazile ? Je vous ai chargé de 50 tous les détails de cette affaire.

BAZILE. Oui, mais vous avez lésiné sur les frais ; et dans l'harmonie du bon ordre, un mariage inégal[4], un jugement inique, un passe-droit évident[5] sont des dissonances qu'on doit toujours préparer et sauver par l'accord parfait de l'or.

55 **BARTHOLO,** *lui donnant de l'argent.* Il faut en passer par où vous voulez ; mais finissons.

BAZILE. Cela s'appelle parler. Demain tout sera terminé ; c'est à vous d'empêcher que personne, aujourd'hui, ne puisse instruire la pupille.

---

1. On trouve là une série de termes italiens utilisés en musique pour préciser la manière de jouer un morceau ou un passage : ***pianissimo***, très lentement ; ***piano***, lentement ; ***rinforzando***, en renforçant l'attaque des notes ; ***crescendo***, en augmentant le volume. **Chorus** est le mot latin pour chœur.
2. **Proscription :** condamnation arbitraire, prononcée sans jugement, marquée par l'inscription sur une simple liste.
3. **À qui tient-il :** de qui cela dépend-il ?
4. **Inégal** par l'âge et la situation, car Rosine est noble, Bartholo bourgeois.
5. Pas très clair. S'agit-il des comptes de tutelle ? ou de considérations générales sur le pouvoir de l'argent ? Beaumarchais pense peut-être à son propre procès.

SITUER

Entre les deux scènes où s'affrontent Bartholo et sa pupille, Beaumarchais glisse une série de scènes franchement comiques : un moment de détente avant que les événements ne se précipitent. Pourtant, à côté de L'Éveillé et de La Jeunesse, apparaît l'inquiétant Bazile : que vient-il faire ici ?

RÉFLÉCHIR

STRUCTURE : étape ou intermède ?

1. Beaumarchais se vante, dans la *Lettre modérée*, de son habileté à introduire un « bâillant » (voir p. 49). Comment a-t-il procédé pour annoncer, justifier, préparer ces scènes ?

2. Peut-on, suivant l'avis de certains, considérer ces scènes comme un « intermède » ? Quelle est alors la fonction de celui-ci ? Sinon, quel est le lien avec la suite de l'acte ?

3. Pourquoi Beaumarchais fait-il paraître « de temps en temps » Figaro, qui est caché et écoute ?

REGISTRES ET TONALITÉS : variations comiques

4. À quel type de comique Beaumarchais fait-il appel dans les scènes 6 et 7 ? S'intègre-t-il bien, à votre avis, dans le ton donné à la pièce depuis le début ? Commentez en particulier le nom des personnages.

5. Relevez les traits de langage populaire chez L'Éveillé et La Jeunesse. Pour quelles raisons Beaumarchais les utilise-t-il ?

6. La scène 8 se joue-t-elle sur le même ton ? D'où naît le comique ici ?

PERSONNAGES : la parade de l'hypocrite

7. Figaro a décrit Bazile à la scène 6 de l'acte I. Est-il conforme à ce portrait ? En quoi contraste-t-il avec les personnages des scènes précédentes ?

8. Beaumarchais fait porter à Bazile, organiste dans un couvent, un costume d'homme d'Église, une *soutanelle*. Or il n'y a rien de religieux dans son rôle, ni dans ses propos. Pourquoi, à votre avis, Beaumarchais a-t-il choisi ce costume ? À quel personnage d'une comédie antérieure peut-il faire penser ?

9. Quels sont les rapports entre les deux personnages de cette scène 8 ? Si Bazile sert Bartholo, ne lui dit-il pas cependant des vérités cruelles ? Quel éclairage le monologue de Figaro apporte-t-il sur Bazile ?

10. En quoi ces cinq scènes complètent-elles le portrait de Bartholo ?

DRAMATURGIE : un « morceau de bravoure »

11. La tirade sur la calomnie est très célèbre en raison de son brio, mais on l'a aussi jugée artificielle et plaquée, sans aucun intérêt dramaturgique. Pourquoi Beaumarchais l'a-t-il conservée en refondant sa pièce ?

12. Comment est-elle encadrée et rendue vraisemblable dans la bouche de Bazile ?

13. Étudiez précisément cette tirade comme « morceau de bravoure » : le mouvement, le rythme, l'utilisation des termes de musique, les accumulations, les comparaisons, les sonorités.

DIRE

14. Lisez à haute voix la tirade de la calomnie (scène 8, l. 23-38) et celle de Figaro à la fin de la scène 2 de l'acte I (l. 138-158). Comparez-les : quels points communs relevez-vous dans l'art de ces deux morceaux de bravoure ?

60 **BARTHOLO.** Fiez-vous-en à moi. Viendrez-vous ce soir, Bazile ?

BAZILE. N'y comptez pas. Votre mariage seul m'occupera toute la journée ; n'y comptez pas.

BARTHOLO *l'accompagne.* Serviteur[1].

65 **BAZILE.** Restez, docteur, restez donc.

BARTHOLO. Non pas. Je veux fermer sur vous la porte de la rue.

SCÈNE 9. FIGARO, *seul, sortant du cabinet.*

Oh ! la bonne précaution ! Ferme, ferme la porte de la rue, et moi je vais la rouvrir au comte en sortant. C'est un grand maraud que ce Bazile ! heureusement il est encore plus sot. Il faut un état, une famille, un nom, un rang, de la consis-
5 tance enfin, pour faire sensation dans le monde en calomniant. Mais un Bazile ! il médirait[2], qu'on ne le croirait pas.

SCÈNE 10. ROSINE, *accourant* ; FIGARO.

ROSINE. Quoi ! vous êtes encore là, monsieur Figaro ?

FIGARO. Très heureusement pour vous, mademoiselle. Votre tuteur et votre maître à chanter, se croyant seuls ici, viennent de parler à cœur ouvert…

5 **ROSINE.** Et vous les avez écoutés, monsieur Figaro ? Mais savez-vous que c'est fort mal !

FIGARO. D'écouter ? C'est pourtant ce qu'il y a de mieux pour bien entendre. Apprenez que votre tuteur se dispose à vous épouser demain.

1. Formule abrégée pour *je suis votre serviteur*, qui signifie « je prends congé de vous », « au revoir ».
2. La différence est sensible entre *calomnier*, dire du mal de quelqu'un en dehors de toute vérité, et *médire*, tenir sur quelqu'un des propos malveillants, mais véridiques ou proches de la vérité.

10 **ROSINE.** Ah ! grands dieux !

FIGARO. Ne craignez rien ; nous lui donnerons tant d'ouvrage qu'il n'aura pas le temps de songer à celui-là.

ROSINE. Le voici qui revient ; sortez donc par le petit escalier. Vous me faites mourir de frayeur.

15 *(Figaro s'enfuit.)*

SCÈNE 11. BARTHOLO, ROSINE.

ROSINE. Vous étiez ici avec quelqu'un, monsieur ?

BARTHOLO. Don Bazile que j'ai reconduit, et pour cause[1]. Vous eussiez mieux aimé que c'eût été monsieur Figaro ?

ROSINE. Cela m'est fort égal, je vous assure.

5 **BARTHOLO.** Je voudrais bien savoir ce que ce barbier avait de si pressé à vous dire ?

ROSINE. Faut-il parler sérieusement ? Il m'a rendu compte de l'état de Marceline, qui même n'est pas trop bien, à ce qu'il dit.

10 **BARTHOLO.** Vous rendre compte ! Je vais parier qu'il était chargé de vous remettre quelque lettre.

ROSINE. Et de qui, s'il vous plaît ?

BARTHOLO. Oh ! de qui ! De quelqu'un que les femmes ne nomment jamais. Que sais-je, moi ? Peut-être la réponse au
15 papier de la fenêtre.

ROSINE, *à part.* Il n'en a pas manqué une seule. *(Haut.)* Vous mériteriez bien que cela fût.

BARTHOLO *regarde les mains de Rosine.* Cela est. Vous avez écrit.

20 **ROSINE,** *avec embarras.* Il serait assez plaisant que vous eussiez le projet de m'en faire convenir.

1. **Pour cause :** pour une bonne raison.

BARTHOLO, *lui prenant la main droite.* Moi ! point du tout ; mais votre doigt est encore taché d'encre ! Hein ! rusée signora[1] !

25 **ROSINE**, *à part.* Maudit homme !

BARTHOLO, *lui tenant toujours la main.* Une femme se croit bien en sûreté, parce qu'elle est seule.

ROSINE. Ah ! sans doute... La belle preuve !... Finissez donc, monsieur, vous me tordez le bras. Je me suis brûlée en 30 chiffonnant[2] autour de cette bougie, et l'on m'a toujours dit qu'il fallait aussitôt tremper dans l'encre : c'est ce que j'ai fait.

BARTHOLO. C'est ce que vous avez fait ? Voyons donc si un second témoin confirmera la déposition du premier. C'est ce cahier de papier où je suis certain qu'il y avait six feuilles ; 35 car je les compte tous les matins, aujourd'hui encore.

ROSINE, *à part.* Oh ! imbécile !

BARTHOLO, *comptant.* Trois, quatre, cinq...

ROSINE. La sixième...

BARTHOLO. Je vois bien qu'elle n'y est pas, la sixième.

40 **ROSINE**, *baissant les yeux.* La sixième ? Je l'ai employée à faire un cornet pour des bonbons que j'ai envoyés à la petite Figaro[3].

BARTHOLO. À la petite Figaro ? Et la plume qui était toute neuve, comment est-elle devenue noire ? Est-ce en écrivant l'adresse de la petite Figaro ?

45 **ROSINE**, *à part.* Cet homme a un instinct de jalousie !... *(Haut.)* Elle m'a servi à retracer une fleur effacée sur la veste que je vous brode au tambour.

BARTHOLO. Que cela est édifiant ! Pour qu'on vous crût, mon enfant, il faudrait ne pas rougir en déguisant coup sur 50 coup la vérité, mais c'est ce que vous ne savez pas encore.

---

1. En espagnol, on attend le mot *señora* pour madame ; Beaumarchais emploie (par étourderie sans doute) le mot italien.
2. **Chiffonnant :** m'occupant à de petits travaux de couture.
3. On n'en saura pas plus sur cette enfant.

ROSINE. Eh ! qui ne rougirait pas, monsieur, de voir tirer des conséquences aussi malignes des choses les plus innocemment faites ?

BARTHOLO. Certes, j'ai tort. Se brûler le doigt, le tremper
55 dans l'encre, faire des cornets aux bonbons pour la petite Figaro, et dessiner ma veste au tambour ! quoi de plus innocent ? Mais que de mensonges entassés pour cacher un seul fait !... « Je suis seule, on ne me voit point ; je pourrai mentir à mon aise. » Mais le bout du doigt reste noir, la
60 plume est tachée, le papier manque ! On ne saurait penser à tout. Bien certainement, signora, quand j'irai par la ville, un bon double tour me répondra de vous.

SCÈNE 12. LE COMTE, BARTHOLO, ROSINE.

(Le Comte, en uniforme de cavalerie, ayant l'air d'être entre deux vins et chantant : « Réveillons-là[1] » ; etc.)

BARTHOLO. Mais que nous veut cet homme ? Un soldat ! Rentrez chez vous, signora.

LE COMTE *chante : « Réveillons-là », et s'avance vers Rosine.* Qui de vous deux, mesdames, se nomme le docteur Balordo[2] ?
5 *(À Rosine, bas.)* Je suis Lindor.

BARTHOLO. Bartholo !

ROSINE, *à part.* Il parle de Lindor.

LE COMTE. Balordo, Barque à l'eau, je m'en moque comme de ça. Il s'agit seulement de savoir laquelle des deux...
10 *(À Rosine, lui montrant un papier.)* Prenez cette lettre.

---

1. On a voulu parfois corriger le manuscrit qui porte « Réveillons-là » en « Réveillons-la », qui conviendrait à une chanson d'amour : réveillons notre belle. Il s'agit plutôt d'une chanson de soldat, « Réveillons (nous)-là dedans », puisque le Comte est déguisé en soldat.
2. **Balordo :** balourd en italien (avec deux *l*) ; de plus, dans la commedia dell'arte, Balordo est le nom d'un personnage traditionnel, le docteur.

SITUER

La méfiance de Bartholo, toujours en éveil, a été renforcée par l'annonce de Bazile : « Le Comte Almaviva est en cette ville » (II, 8, l. 8-9). Le danger se précise, il faut être vigilant. Dans cette scène le tuteur se fait enquêteur, voyant tout, n'oubliant rien. Mais Rosine a pris de l'assurance. Qui aura le dernier mot ?

RÉFLÉCHIR

DRAMATURGIE : une discussion serrée

1. Qui commence, qui finit la discussion ? Que peut-on en déduire ?

2. Analysez l'échange verbal, sans négliger les didascalies, en suivant les réactions des deux personnages pour montrer l'évolution de chacun.

3. Que pensez-vous des excuses de Rosine ? Qu'est-ce qui ne convainc pas Bartholo ? Est-ce seulement son caractère jaloux et méfiant ?

PERSONNAGES : la tyrannie de l'œuvre

4. En quoi Bartholo abuse-t-il du pouvoir qu'il a sur Rosine ? Comment son langage traduit-il cet abus de pouvoir ?

5. Que pensez-vous des deux appellations « mon enfant » et « signora » employées dans l'avant-dernière et la dernière répliques de Bartholo ?

6. Cela justifie-t-il les tromperies et les mensonges de Rosine ? Montrez par quelles paroles (de l'un ou de l'autre) Beaumarchais parvient à rendre son personnage sympathique, même quand la jeune fille est prise en flagrant délit de mensonge.

7. Vous reviendrez au monologue de Rosine dans la scène 1 de cet acte, pour montrer, à la lumière de cette scène 11, sa fonction et son intérêt.

8. Les « barbons » des comédies traditionnelles sont souvent stupides. Est-ce le cas de Bartholo ? Examinez en particulier sa dernière réplique.

THÈMES : la clôture

9. Depuis le début de la pièce, le thème de la fermeture (porte, jalousie, clef) revient constamment. Que représente la lettre dans ce contexte ? Vous en examinerez les différents aspects (le support, l'usage de l'écriture, la transmission).

10. En quoi peut-on dire que ce dialogue est une autre forme de prison ou de clôture ? Quel est le rôle des gestes sous ce rapport ?

11. Commentez précisément les termes de la dernière phrase de Bartholo : « Bien certainement, signora, quand j'irai par la ville, un bon double tour me répondra de vous » (l. 61-62).

12. Quelle image de la vie d'une femme innocente les excuses de Rosine donnent-elles ?

STRUCTURE : une pause ?

13. Imaginez et présentez les attitudes et les déplacements des personnages sur la scène. Vous justifierez vos choix en vous fondant sur l'évolution du dialogue.

ÉCRIRE

14. Sur le thème « je l'ai échappé belle », imaginez une situation dans laquelle vous auriez pu vous trouver en difficulté comme Rosine. À la manière de La Fontaine, mais en prose, faites alterner récit et dialogue.

15. Deux metteurs en scène discutent entre eux. L'un prétend faire jouer cette scène de manière comique, l'autre non. Développez les arguments de chacun d'eux.

BARTHOLO. Laquelle ! Vous voyez bien que c'est moi. Laquelle ! Rentrez donc, Rosine ; cet homme paraît avoir du vin.

ROSINE. C'est pour cela, monsieur ; vous êtes seul. Une femme en impose quelquefois.

15 **BARTHOLO.** Rentrez, rentrez ; je ne suis pas timide[1].

SCÈNE 13. LE COMTE, BARTHOLO.

LE COMTE. Oh ! je vous ai reconnu d'abord à votre signalement.

BARTHOLO, *au Comte, qui serre la lettre.* Qu'est-ce que c'est donc que vous cachez là dans votre poche ?

5 **LE COMTE.** Je le cache dans ma poche, pour que vous ne sachiez pas ce que c'est.

BARTHOLO. Mon signalement ! Ces gens-là croient toujours parler à des soldats.

LE COMTE. Pensez-vous que ce soit une chose si difficile à
10 faire que votre signalement ?

(AIR : *Ici sont venus en personne.*)

Le chef branlant, la tête chauve,
Les yeux vairons[2], le regard fauve[3],
L'air farouche d'un Algonquin[4]...

1. **Timide :** craintif, peureux.
2. **Les yeux vairons :** de deux couleurs différentes.
3. **Fauve** (adjectif) **:** de couleur jaune tirant sur le roux. Beaumarchais, ici, semble moins penser à une couleur qu'à un aspect « farouche », comme celui des fauves.
4. Les **Algonquins** sont des Indiens du Canada. Dans deux manuscrits, on trouve la suite de cette chanson :
« La taille lourde et déjetée,
L'épaule droite surmontée,
Le teint grenu d'un Maroquin,
Le nez comme un baldaquin,
La jambe potte et circonflexe,
Le ton bourru, la voix perplexe,
Tous les appétits destructeurs ;
Enfin la perle des docteurs. »

15 **BARTHOLO.** Qu'est-ce que cela veut dire ? Êtes-vous ici pour m'insulter ? Délogez à l'instant.

LE COMTE. Déloger ! Ah ! fi ! que c'est mal parler ! Savez-vous lire, docteur... Barbe à l'eau ?

BARTHOLO. Autre question saugrenue.

20 **LE COMTE.** Oh ! que cela ne vous fasse point de peine car, moi qui suis pour le moins aussi docteur que vous...

BARTHOLO. Comment cela ?

LE COMTE. Est-ce que je ne suis pas le médecin des chevaux du régiment ? Voilà pourquoi l'on m'a exprès logé 25 chez un confrère.

BARTHOLO. Oser comparer un maréchal[1]...

LE COMTE.

(AIR : *Vive le vin.*)

(Sans chanter.)

30 *Non, docteur, je ne prétends pas*
Que notre art obtienne le pas
Sur Hippocrate et sa brigade[2],

(En chantant.)

Votre savoir, mon camarade,
35 *Est d'un succès plus général,*
Car s'il n'emporte point le mal,
Il emporte au moins le malade.

C'est-il poli ce que je vous dis là ?

BARTHOLO. Il vous sied bien, manipuleur[3] ignorant, de 40 ravaler ainsi le premier, le plus grand et le plus utile des arts !

---

1. **Maréchal :** sous-officier chargé de soigner les chevaux.
2. **Hippocrate :** médecin grec (vers 460-vers 377 av. J.-C.) considéré comme le père de la médecine. Les étudiants en médecine, au moment de soutenir leur thèse, prononcent toujours le serment d'Hippocrate.
   Sa brigade (terme militaire) : désigne la troupe des médecins.
3. **Manipuleur :** terme employé par Beaumarchais au lieu de *manipulateur.* Le sens premier de *manipuler,* « faire des opérations chimiques en laboratoire », a pris une valeur péjorative : manœuvrer par des moyens déloyaux.

LE COMTE. Utile tout à fait pour ceux qui l'exercent.

BARTHOLO. Un art dont le soleil s'honore d'éclairer les succès !

LE COMTE. Et dont la terre s'empresse de couvrir les bévues.

45 **BARTHOLO.** On voit bien, malappris, que vous n'êtes habitué de parler qu'à des chevaux.

LE COMTE. Parler à des chevaux ? Ah ! docteur ! pour un docteur d'esprit… N'est-il pas de notoriété que le maréchal guérit toujours ses malades sans leur parler ; au lieu que le
50 médecin parle beaucoup aux siens…

BARTHOLO. Sans les guérir, n'est-ce pas ?

LE COMTE. C'est vous qui l'avez dit.

BARTHOLO. Qui diable envoie ici ce maudit ivrogne ?

LE COMTE. Je crois que vous me lâchez des épigrammes[1],
55 L'Amour[2] !

BARTHOLO. Enfin, que voulez-vous ? que demandez-vous ?

LE COMTE, *feignant une grande colère.* Eh bien donc, il s'enflamme ! Ce que je veux ? Est-ce que vous ne le voyez pas ?

SCÈNE 14. ROSINE, LE COMTE, BARTHOLO.

ROSINE, *accourant.* Monsieur le soldat, ne vous emportez point, de grâce ! *(À Bartholo.)* Parlez-lui doucement, monsieur : un homme qui déraisonne…

LE COMTE. Vous avez raison ; il déraisonne, lui ; mais nous
5 sommes raisonnables, nous ! Moi poli, et vous jolie… enfin suffit. La vérité, c'est que je ne veux avoir affaire qu'à vous dans la maison.

1. **Épigrammes :** courtes pièces de vers satiriques ; par extension, toute brève formule qui critique avec esprit quelqu'un.
2. Surnom à la manière des soldats, en guise de moquerie bien sûr.

SITUER

Après le dialogue tendu entre Bartholo et Rosine, l'arrivée du Comte détend l'atmosphère. L'auteur joue ici sur la double énonciation pour faire passer des messages aux spectateurs. C'est aussi l'occasion de confronter les deux rivaux pour la première fois.

RÉFLÉCHIR

STRUCTURE : une pause ?

1. Pour quelles raisons Beaumarchais retarde-t-il l'annonce du billet de logement ? Pourquoi Rosine ne prend-elle pas la lettre que veut lui donner Almaviva ?

2. Pourquoi utiliser à nouveau des chansons pour signaler Bartholo ?

3. Quel intérêt dramatique voyez-vous à faire sortir Rosine à la scène 12 pour la faire revenir deux scènes plus tard ?

REGISTRES ET TONALITÉS : une franche gaieté

4. Comment Almaviva-Lindor marque-t-il d'emblée une ivresse innocente ?

5. Étudiez les variations sur le nom de Bartholo : est-ce un simple jeu ou y a-t-il des doubles sens ?

6. Curieusement, il y a peu de didascalies indiquant gestes et tons dans une scène où domine le comique de répétition : essayez de marquer les déplacements, les intonations de Bartholo, les gestes, les jeux de scène.

PERSONNAGES : jeux de masque

7. Nous découvrons une nouvelle facette du Comte : Almaviva se révèle un bon acteur. Est-ce dans la continuité de son personnage ? Ses répliques sur la médecine sont-elles vraisemblables dans la bouche d'un « soigneur » de chevaux ? Sinon, comment les expliquez-vous ?

8. Almaviva qui, pour Rosine, est Lindor, se trouve deux fois déguisé. En quoi ce premier rôle, celui de Lindor, rend-il plus vraisemblable le second ?

9. Bartholo se défend-il bien ? À quel moment perd-il le contrôle de lui-même ?

THÈMES : un coup de griffe aux médecins

10. Peut-on parler de satire des médecins ? Pourquoi Beaumarchais recourt-il à ce thème traditionnel (voir *Le Malade imaginaire* de Molière).

11. Que pensez-vous du portrait de Bartholo tracé par la chanson ? C'est le deuxième portrait du docteur : comparez-le au premier. L'ivresse du Comte est sympathique, mais tient-il son rôle jusqu'au bout ?

12. Commentez en particulier l'avant-dernier vers de ce portrait (voir la note 4, p. 109) : « Tous les appétits destructeurs. » Que veut dire le Comte ?

ÉCRIRE

13. Réécrivez la scène 12 comme une scène de roman, en insérant les répliques dans un récit qui fera place aux actions comme aux réactions des uns et des autres.

ROSINE. Que puis-je pour votre service, monsieur le soldat ?

LE COMTE. Une petite bagatelle, mon enfant. Mais s'il y a
10 de l'obscurité dans mes phrases…

ROSINE. J'en saisirai l'esprit.

LE COMTE, *lui montrant la lettre.* Non, attachez-vous à la lettre, à la lettre ; il s'agit seulement… mais je dis en tout bien, tout honneur, que vous me donniez à coucher ce soir.

15 **BARTHOLO.** Rien que cela ?

LE COMTE. Pas davantage. Lisez le billet doux que notre maréchal des logis vous écrit.

BARTHOLO. Voyons. *(Le Comte cache la lettre et lui donne un autre papier. – Bartholo lit.) « Le docteur Bartholo recevra,*
20 *nourrira, hébergera, couchera… »*

LE COMTE, *appuyant.* Couchera.

BARTHOLO. *« Pour une nuit seulement, le nommé Lindor, dit l'Écolier, cavalier du régiment… »*

ROSINE. C'est lui, c'est lui même.

25 **BARTHOLO,** *vivement, à Rosine.* Qu'est-ce qu'il y a ?

LE COMTE. Eh bien ! ai-je tort à présent, docteur Barbaro ?

BARTHOLO. On dirait que cet homme se fait un malin plaisir de m'estropier de toutes les manières possibles. Allez au diable, Barbaro ! Barbe à l'eau ! et dites à votre impertinent
30 maréchal des logis que depuis mon voyage à Madrid, je suis exempt de loger des gens de guerre.

LE COMTE, *à part.* Ô ciel ! fâcheux contretemps !

BARTHOLO. Ah ! ah ! notre ami, cela vous contrarie et vous dégrise un peu ! Mais n'en décampez pas moins à l'instant.

35 **LE COMTE,** *à part.* J'ai pensé me trahir[1]. *(Haut.)* Décamper ! Si vous êtes exempt de gens de guerre, vous n'êtes pas exempt de politesse, peut-être ? Décamper !

---

1. **J'ai pensé me trahir :** j'ai failli me trahir.

Montrez-moi votre brevet d'exemption[1] ; quoique je ne sache pas lire, je verrai bientôt.

40 **BARTHOLO.** Qu'à cela ne tienne. Il est dans ce bureau.

LE COMTE, *pendant qu'il y va, dit, sans quitter sa place.* Ah ! ma belle Rosine !

ROSINE. Quoi, Lindor, c'est vous ?

LE COMTE. Recevez au moins cette lettre.

45 **ROSINE.** Prenez garde, il a les yeux sur nous.

LE COMTE. Tirez votre mouchoir, je la laisserai tomber. *(Ils s'approchent.)*

BARTHOLO. Doucement, doucement, seigneur soldat, je n'aime point qu'on regarde ma femme de si près.

50 **LE COMTE.** Elle est votre femme ?

BARTHOLO. Eh quoi donc ?

LE COMTE. Je vous ai pris pour son bisaïeul paternel, maternel, sempiternel ; il y a au moins trois générations entre elle et vous.

55 **BARTHOLO** *lit un parchemin. « Sur les bons et fidèles témoignages qui nous ont été rendus... »*

LE COMTE *donne un coup de main sous les parchemins, qui les envoie au plancher.* Est-ce que j'ai besoin de tout ce verbiage ?

60 **BARTHOLO.** Savez-vous bien, soldat, que si j'appelle mes gens, je vous fais traiter sur-le-champ comme vous le méritez ?

LE COMTE. Bataille ? Ah ! volontiers, bataille ! c'est mon métier, à moi *(montrant son pistolet de ceinture)*, et voici de quoi leur jeter de la poudre aux yeux. Vous n'avez peut-être

65 jamais vu de bataille, madame ?

ROSINE. Ni ne veux en voir.

1. **Brevet d'exemption :** document attestant que l'on est dispensé d'héberger des soldats.

LE COMTE. Rien n'est pourtant aussi gai que bataille. Figurez-vous *(poussant le docteur)* d'abord que l'ennemi est d'un côté du ravin, et les amis de l'autre. *(À Rosine en lui*
70 *montrant la lettre.)* Sortez le mouchoir. *(Il crache à terre.)* Voilà le ravin, cela s'entend. *(Rosine tire son mouchoir ; le comte laisse tomber la lettre entre elle et lui.)*

BARTHOLO, *se baissant.* Ah ! ah !

LE COMTE *la reprend et dit :* Tenez... moi qui allais vous
75 apprendre ici les secrets de mon métier... Une femme bien discrète, en vérité ! Ne voilà-t-il pas un billet doux qu'elle laisse tomber de sa poche ?

BARTHOLO. Donnez, donnez.

LE COMTE. *Dulciter*[1], papa ! chacun son affaire. Si une
80 ordonnance de rhubarbe[2] était tombée de la vôtre ?

ROSINE *avance la main.* Ah ! je sais ce que c'est, monsieur le soldat. *(Elle prend la lettre, qu'elle cache dans la petite poche de son tablier.)*

BARTHOLO. Sortez-vous enfin ?

85 **LE COMTE.** Eh bien, je sors. Adieu, docteur ; sans rancune. Un petit compliment, mon cœur : priez la mort de m'oublier encore quelques campagnes ; la vie ne m'a jamais été si chère.

BARTHOLO. Allez toujours. Si j'avais ce crédit-là sur la
90 mort...

LE COMTE. Sur la mort ! Ah ! docteur ! vous faites tant de choses pour elle, qu'elle n'a rien à vous refuser.

(Il sort.)

---

1. ***Dulciter*** : « doucement » en latin tardif.
2. La **rhubarbe** était prescrite par les médecins comme laxatif.

SITUER

Le Comte a réussi à faire revenir Rosine. Il s'agit maintenant de lui donner la lettre : on assiste à un véritable ballet, avec des retournements, des essais avant que l'action ne réussisse. Mais Bartholo veille : que deviendra la lettre ?

RÉFLÉCHIR

STRUCTURE : au fil de la lettre

1. Étudiez le rythme de la scène : comment sont amenées et développées les péripéties ? Comment s'enchaînent-elles ? En particulier, qu'est-ce qui déclenche l'idée de mimer une bataille ?

2. On ignore le contenu de la lettre du Comte tout comme celui de la lettre écrite par Rosine au début de l'acte II. Pourquoi ?

REGISTRES ET TONALITÉS : entre finesse et grotesque

3. Étudiez les jeux de mots dans l'échange des lignes 4 à 13.

4. « LE COMTE. Je vous ai pris pour son bisaïeul paternel, maternel, sempiternel ; il y a au moins trois générations entre elle et vous » (l. 52-54). De quel type de comique de mots Beaumarchais use-t-il ici ? Le commentaire était-il nécessaire ? Qu'ajoute le Comte plus loin pour accentuer sa moquerie ?

5. Le comique visuel : pourquoi le Comte donne-t-il « *un coup de main sous les parchemins, qui les envoie au plancher* » ?

PERSONNAGES : le triangle de la comédie

6. Où l'on voit que le docteur n'est pas si bête : réagit-il aux provocations du Comte ? comment ? Montrez qu'il ne laisse rien passer et se montre très difficile à tromper. Est-il ridicule dans cette scène ?

7. Pourquoi le Comte précise-t-il « quoique je ne sache pas lire » ? D'après ses propos antérieurs, cela convient-il au personnage qu'il joue ?

8. Étudiez les paroles du Comte après l'échec du billet de logement et la remarque de Bartholo. Quelle attitude adopte-t-il à son égard ? Que cherche-t-il à faire ? Commentez le dernier échange de répliques.

9. En quoi Rosine se montre-t-elle rusée dans toute la scène ?

MISE EN SCÈNE : une bataille

10. Quels sont les objets nécessaires à la représentation de cette scène ? Leur fonction est-elle seulement utilitaire ?

11. Où faut-il que Rosine soit placée par rapport au Comte et à Bartholo pour que l'action se déroule à partir de la « bataille » ?

12. La *Lettre modérée* décrit cette scène comme une bataille. Qu'est-ce qui, au plan du vocabulaire comme de l'action, s'apparente effectivement à une bataille ?

SCÈNE 15. BARTHOLO, ROSINE.

BARTHOLO *le regarde aller.* Il est enfin parti ! *(À part.)* Dissimulons.

ROSINE. Convenez pourtant, monsieur, qu'il est bien gai, ce jeune soldat ! À travers son ivresse, on voit qu'il ne manque ni d'esprit, ni d'une certaine éducation.

BARTHOLO. Heureux, m'amour, d'avoir pu nous en délivrer ! Mais n'es-tu pas un peu curieuse de lire avec moi le papier qu'il t'a remis ?

ROSINE. Quel papier ?

BARTHOLO. Celui qu'il a feint de ramasser pour te le faire accepter.

ROSINE. Bon ! c'est la lettre de mon cousin l'officier, qui était tombée de ma poche.

BARTHOLO. J'ai idée, moi, qu'il l'a tirée de la sienne.

ROSINE. Je l'ai très bien reconnue.

BARTHOLO. Qu'est-ce qu'il coûte d'y regarder ?

ROSINE. Je ne sais pas seulement ce que j'en ai fait.

BARTHOLO, *montrant la pochette.* Tu l'as mise là.

ROSINE. Ah ! ah ! par distraction.

BARTHOLO. Ah ! sûrement. Tu vas voir que ce sera quelque folie.

ROSINE, *à part.* Si je ne le mets pas en colère, il n'y aura pas moyen de refuser.

BARTHOLO. Donne donc, mon cœur.

ROSINE. Mais quelle idée avez-vous en insistant, monsieur ? Est-ce encore quelque méfiance ?

BARTHOLO. Mais vous, quelle raison avez-vous de ne pas le montrer ?

ROSINE. Je vous répète, monsieur, que ce papier n'est autre que la lettre de mon cousin, que vous m'avez rendue hier toute décachetée ; et puisqu'il en est question, je vous dirai tout net que cette liberté me déplaît excessivement.

BARTHOLO. Je ne vous entends pas.

ROSINE. Vais-je examiner les papiers qui vous arrivent ?
35 Pourquoi vous donnez-vous les airs de toucher à ceux qui me sont adressés ? Si c'est jalousie, elle m'insulte ; s'il s'agit de l'abus d'une autorité usurpée, j'en suis plus révoltée encore.

BARTHOLO. Comment, révoltée ! Vous ne m'avez jamais parlé ainsi.

40 **ROSINE.** Si je me suis modérée jusqu'à ce jour, ce n'était pas pour vous donner le droit de m'offenser impunément.

BARTHOLO. De quelle offense parlez-vous ?

ROSINE. C'est qu'il est inouï qu'on se permette d'ouvrir les lettres de quelqu'un.

45 **BARTHOLO.** De sa femme ?

ROSINE. Je ne la suis pas encore[1]. Mais pourquoi lui donnerait-on la préférence d'une indignité qu'on ne fait à personne ?

BARTHOLO. Vous voulez me faire prendre le change[2] et
50 détourner mon attention du billet, qui sans doute est une missive de quelque amant ! Mais je le verrai, je vous assure.

ROSINE. Vous ne le verrez pas. Si vous m'approchez, je m'enfuis de cette maison, et je demande retraite[3] au premier venu.

55 **BARTHOLO.** Qui ne vous recevra point.

ROSINE. C'est ce qu'il faudra voir.

1. **Je ne la suis pas encore :** je ne le suis pas. L'accord du pronom attribut se faisait à l'époque avec le sujet *je*, Rosine.
2. **Faire prendre le change :** faire prendre une autre direction, égarer quelqu'un en le lançant sur une fausse piste.
3. **Retraite :** asile.

BARTHOLO. Nous ne sommes pas ici en France, où l'on donne toujours raison aux femmes ; mais, pour vous en ôter la fantaisie, je vais fermer la porte.

60 **ROSINE**, *pendant qu'il y va.* Ah ciel ! que faire ? Mettons vite à la place la lettre de mon cousin, et donnons-lui beau jeu[1] à la prendre. *(Elle fait l'échange, et met la lettre du cousin dans sa pochette, de façon qu'elle sorte un peu.)*

BARTHOLO, *revenant.* Ah ! j'espère maintenant la voir.

65 **ROSINE.** De quel droit, s'il vous plaît ?

BARTHOLO. Du droit le plus universellement reconnu, celui du plus fort.

ROSINE. On me tuera plutôt que de l'obtenir de moi.

BARTHOLO, *frappant du pied.* Madame ! madame !...

70 **ROSINE** *tombe sur un fauteuil et feint de se trouver mal.* Ah ! quelle indignité !...

BARTHOLO. Donnez cette lettre, ou craignez ma colère.

ROSINE, *renversée.* Malheureuse Rosine !

BARTHOLO. Qu'avez-vous donc ?

75 **ROSINE.** Quel avenir affreux !

BARTHOLO. Rosine !

ROSINE. J'étouffe de fureur !

BARTHOLO. Elle se trouve mal.

ROSINE. Je m'affaiblis, je meurs.

80 **BARTHOLO**, *à part.* Dieux ! la lettre ! Lisons-la sans qu'elle en soit instruite. *(Il lui tâte le pouls, et prend la lettre qu'il tâche de lire en se tournant un peu.)*

ROSINE, *toujours renversée.* Infortunée ! ah !

BARTHOLO *lui quitte le bras et dit, à part.* Quelle rage a-t-on
85 d'apprendre ce qu'on craint toujours de savoir !

1. **Donnons-lui beau jeu :** offrons-lui des conditions favorables pour.

ROSINE. Ah ! pauvre Rosine !

BARTHOLO. L'usage des odeurs[1]... produit ces affections spasmodiques[2]. *(Il lit par-derrière le fauteuil en lui tâtant le pouls. Rosine se relève un peu, le regarde finement, fait un geste*
90 *de tête, et se remet sans parler.)*

BARTHOLO, *à part.* Ô ciel ! c'est la lettre de son cousin. Maudite inquiétude ! Comment l'apaiser maintenant ? Qu'elle ignore au moins que je l'ai lue. *(Il fait semblant de la soutenir, et remet la lettre dans la pochette.)*

95 **ROSINE** *soupire.* Ah !...

BARTHOLO. Eh bien ! ce n'est rien, mon enfant ; un petit mouvement de vapeurs[3], voilà tout ; car ton pouls n'a seulement pas varié. *(Il va prendre un flacon sur la console[4].)*

ROSINE, *à part.* Il a remis la lettre ! fort bien.

100 **BARTHOLO.** Ma chère Rosine, un peu de cette eau spiritueuse[5].

ROSINE. Je ne veux rien de vous ; laissez-moi.

BARTHOLO. Je conviens que j'ai montré trop de vivacité sur ce billet.

ROSINE. Il s'agit bien du billet ! C'est votre façon de
105 demander les choses qui est révoltante.

BARTHOLO, *à genoux.* Pardon ; j'ai bientôt senti tous mes torts, et tu me vois à tes pieds, prêt à les réparer.

ROSINE. Oui, pardon ! lorsque vous croyez que cette lettre ne vient pas de mon cousin.

---

1. **Odeurs :** parfums.
2. **Affections spasmodiques :** atteinte nerveuse, crise de nerfs.
3. Dans l'ancienne médecine, on pensait que le sang, quand il était échauffé, envoyait vers le cerveau des exhalaisons qui produisaient des malaises. Les femmes y étaient particulièrement sujettes.
4. **Console :** petit meuble appuyé contre un mur.
5. **Eau spiritueuse :** eau mélangée à de l'alcool, utilisée pour lutter contre les malaises.

110 **BARTHOLO.** Qu'elle soit d'un autre ou de lui, je ne veux aucun éclaircissement.

ROSINE, *lui présentant la lettre.* Vous voyez qu'avec de bonnes façons on obtient tout de moi. Lisez-la.

BARTHOLO. Cet honnête procédé dissiperait mes soup-
115 çons, si j'étais assez malheureux pour en conserver.

ROSINE. Lisez-la donc, monsieur.

BARTHOLO *se retire.* À Dieu ne plaise que je te fasse une pareille injure !

ROSINE. Vous me contrariez de la refuser.

120 **BARTHOLO.** Reçois en réparation cette marque de ma parfaite confiance. Je vais voir la pauvre Marceline, que ce Figaro a, je ne sais pourquoi, saignée au pied ; n'y viens-tu pas aussi ?

ROSINE. J'y monterai dans un moment.

125 **BARTHOLO.** Puisque la paix est faite, mignonne, donne-moi ta main. Si tu pouvais m'aimer, ah ! comme tu serais heureuse !

ROSINE, *baissant les yeux.* Si vous pouviez me plaire, ah ! comme je vous aimerais.

130 **BARTHOLO.** Je te plairai, je te plairai ; quand je te dis que je te plairai !

(Il sort.)

SCÈNE 16. ROSINE *le regarde aller.*

Ah ! Lindor ! il dit qu'il me plaira !... Lisons cette lettre qui a manqué de me causer tant de chagrin. *(Elle lit et s'écrie.)* Ah !... j'ai lu trop tard : il me recommande de tenir une querelle ouverte avec mon tuteur ; j'en avais une si bonne, et je
5 l'ai laissée échapper ! En recevant la lettre, j'ai senti que je rougissais jusqu'aux yeux. Ah ! mon tuteur a raison : je suis bien loin d'avoir cet usage du monde qui, me dit-il souvent, assure le maintien des femmes en toute occasion ! Mais un homme injuste parviendrait à faire une rusée de l'innocence même.

SITUER

Cette nouvelle confrontation entre Bartholo et Rosine ne repose plus sur des soupçons, mais sur un fait précis : le tuteur a vu Rosine mettre la lettre dans sa poche et il veut la lire. Rosine est seule avec lui. Le conflit est inévitable.

RÉFLÉCHIR

GENRES : où l'on frôle la comédie sérieuse

1. Dégagez les mouvements de cette scène agitée et ses diverses tonalités. Comment voyez-vous les gestes et les déplacements des personnages ?

2. La colère de Rosine se fait de plus en plus forte : étudiez l'enchaînement des répliques en montrant quels mots font mouche.

3. L'évanouissement est-il vraisemblable ? Comment Beaumarchais l'amène-t-il ? Était-il nécessaire ?

4. On imaginerait bien une scène de ce genre dans une comédie sérieuse : comment Beaumarchais suscite-t-il et désamorce-t-il l'émotion ?

STRATÉGIES : l'esprit vient aux filles et déserte les barbons

5. Par rapport au premier affrontement avec Bartholo (acte II, scène 4), Rosine semble avoir évolué : en quoi montre-t-elle plus d'assurance ? Reste-t-elle pour autant sympathique ? Est-il habile de sa part de manifester, au début, de la sympathie pour le soldat ?

6. Bartholo n'avait pas l'intention d'être violent : montrez-le au début de la scène. Comment expliquer sa modération ? Relevez chez Bartholo des traits inquiétants ; avec quels propos antérieurs faut-il les mettre en relation ?

7. Il se montre pourtant bien naïf pour un médecin devant le prétendu évanouissement de Rosine. Est-ce un procédé de comédie pour faire avancer l'action ? Ou bien cela signifie-t-il quelque chose du personnage ? Dans le même ordre d'idée, commentez les trois dernières répliques de la scène.

THÈMES : sexe faible ou sexe fort ?

8. Rosine feint la colère au début, mais quel message Beaumarchais fait-il passer à travers ses paroles ? Que pensez-vous du ton et du vocabulaire ?

9. Quel rapport établissez-vous entre le thème de la clôture (encore une fois une porte est fermée) et l'évanouissement de Rosine ? Comment comprendre la phrase : « Nous ne sommes pas en France, où l'on donne toujours raison aux femmes » ? Pourquoi Beaumarchais la place-t-il ici ?

MISE EN SCÈNE : le dupeur dupé

10. Relevez et classez les didascalies selon le type d'informations qu'elles délivrent. Précisez les jeux de scène qu'elles suggèrent.

11. Comment expliquez-vous, au plan de la mise en scène, le recours fréquent à l'aparté ? Quel rôle le public joue-t-il dans cet affrontement ?

DRAMATURGIE : un acte tout en contrastes

Nous voici entrés dans la maison de Bartholo, plus précisément dans l'appartement de Rosine. Une pièce au décor simple sert de cadre : quelques meubles obligés, un bureau, un fauteuil, trois portes. L'une donne sur la chambre de Rosine, l'autre sur l'antichambre et au-delà la porte de la maison, une troisième sur un cabinet où Figaro se poste pour écouter. C'est ce lieu clos que tente de forcer Almaviva.

1. De part et d'autre de la jalousie : comment le monde extérieur pénètre-t-il dans la « forteresse » ?

2. Montrez comment Beaumarchais équilibre l'acte entre les temps forts que constituent les entretiens orageux entre Rosine et Bartholo.

3. Quels échos fait-il entendre entre les scènes comiques et les autres ? Que pensez-vous des interventions de L'Éveillé et de La Jeunesse ?

4. La scène 8 (avec le commentaire qu'en fait Bartholo à la scène 9) se situe à peu près au milieu de l'acte. Peut-on parler à son propos de « point culminant » de l'acte ?

5. Étudiez l'encadrement de l'acte : qu'ont de commun les deux monologues ? Quelle est leur utilité dramatique ?

PERSONNAGES : ingénue et barbon ?

Rosine est présente au premier plan dans dix scènes sur seize, avec Figaro, Bartholo et même le Comte-soldat. L'ingénue prend de l'assurance et de plus en plus d'initiative. Mais elle a en face d'elle un adversaire redoutable.

6. Rosine est recherchée par deux hommes. Comment Beaumarchais fait-il d'elle bien autre chose qu'un simple objet ? Récapitulez les traits qui montrent en elle, au-delà de la révolte spontanée contre l'autorité abusive de son tuteur, une capacité de réflexion et de formulation qui lui donne une vraie stature.

7. En face d'elle, Bartholo ne s'en laisse pas aisément conter : montrez la cohérence de son comportement dans tout l'acte. Pourtant, il finit par se laisser berner. Où est donc la faille ? Est-ce l'amour qu'il porterait à Rosine ou la balourdise traditionnelle du barbon que Beaumarchais doit bien réintroduire, pour rendre la comédie possible ?

THÈMES : la liberté revendiquée

La condition des femmes, en particulier des jeunes filles que l'on veut marier contre leur gré, est depuis Molière un thème constant de la comédie. Au siècle des Lumières, les femmes prennent une plus grande assurance.

8. « Est-ce un crime de tenter à sortir d'esclavage ? », disait Rosine dans la scène 3 de l'acte I (l. 38). Montrer que l'acte II répond à cette question.

9. Quels rôles jouent les deux comédies (celle du Comte en soldat, celle de Rosine en « évanouie ») à l'intérieur de la comédie ? S'agit-il seulement d'un vieux procédé d'auteur dramatique pour compliquer l'intrigue et obtenir des effets garantis ?

ACTE III

SCÈNE PREMIÈRE. BARTHOLO, *seul et désolé.*

Quelle humeur ! quelle humeur ! Elle paraissait apaisée... Là, qu'on me dise qui diable lui a fourré dans la tête de ne plus vouloir prendre leçon de don Bazile ! Elle sait qu'il se mêle de mon mariage... *(On heurte à la porte.)* Faites tout
5 au monde pour plaire aux femmes ; si vous omettez un seul petit point... je dis un seul... *(On heurte une seconde fois.)* Voyons qui c'est.

SCÈNE 2. BARTHOLO, LE COMTE, *en bachelier*[1].

LE COMTE. Que la paix et la joie habitent toujours céans[2] !

BARTHOLO, *brusquement.* Jamais souhait ne vint plus à propos. Que voulez-vous ?

LE COMTE. Monsieur, je suis Alonzo, bachelier, licencié...

5 BARTHOLO. Je n'ai pas besoin de précepteur.

LE COMTE. ... élève de don Bazile, organiste du grand couvent, qui a l'honneur de montrer la musique à madame votre...

BARTHOLO. Bazile ! organiste ! qui a l'honneur !... Je le
10 sais ; au fait.

LE COMTE, *à part.* Quel homme ! *(Haut.)* Un mal subit qui le force à garder le lit...

BARTHOLO. Garder le lit ! Bazile ! Il a bien fait d'envoyer[3] ; je vais le voir à l'instant.

15 LE COMTE, *à part.* Oh ! diable ! *(Haut.)* Quand je dis le lit, monsieur, c'est... la chambre que j'entends[4].

1. **Bachelier :** étudiant.
2. **Céans :** ici, dans cette maison.
3. **Envoyer** (sans complément) **:** envoyer un message, un messager.
4. **Que j'entends :** que je veux dire.

BARTHOLO. Ne fût-il qu'incommodé… Marchez devant, je vous suis.

LE COMTE, *embarrassé.* Monsieur, j'étais chargé…
20 Personne ne peut-il nous entendre ?

BARTHOLO, *à part.* C'est quelque fripon… *(Haut.)* Eh non, monsieur le mystérieux ! parlez sans vous troubler, si vous pouvez.

LE COMTE, *à part.* Maudit vieillard ! *(Haut.)* Don Bazile
25 m'avait chargé de vous apprendre…

BARTHOLO. Parlez haut, je suis sourd d'une oreille.

LE COMTE, *élevant la voix.* Ah ! volontiers. Que le comte Almaviva, qui restait à la grande place…

BARTHOLO, *effrayé.* Parlez bas, parlez bas !

30 **LE COMTE,** *plus haut* … en est délogé ce matin. Comme c'est par moi qu'il a su que le comte Almaviva…

BARTHOLO. Bas ; parlez bas, je vous prie.

LE COMTE, *du même ton* … était en cette ville, et que j'ai découvert que la signora Rosine lui a écrit…

35 **BARTHOLO.** Lui a écrit ? Mon cher ami, parlez plus bas, je vous en conjure ! Tenez, asseyons-nous, et jasons d'amitié[1]. Vous avez découvert, dites-vous, que Rosine…

LE COMTE, *fièrement.* Assurément. Bazile, inquiet pour vous de cette correspondance, m'avait prié de vous montrer
40 sa lettre ; mais la manière dont vous prenez les choses…

BARTHOLO. Eh ! mon Dieu ! je les prends bien. Mais ne vous est-il donc pas possible de parler plus bas ?

LE COMTE. Vous êtes sourd d'une oreille, avez-vous dit.

BARTHOLO. Pardon, pardon, seigneur Alonzo, si vous
45 m'avez trouvé méfiant et dur ; mais je suis tellement entouré

1. **Jasons d'amitié :** parlons comme des amis.

d'intrigants, de pièges... Et puis votre tournure, votre âge, votre air... Pardon, pardon. Eh bien ! vous avez la lettre ?

LE COMTE. À la bonne heure sur ce ton, monsieur ! Mais je crains qu'on ne soit aux écoutes.

50 **BARTHOLO.** Et qui voulez-vous ? Tous mes valets sur les dents[1] ! Rosine enfermée de fureur ! Le diable est entré chez moi. Je vais encore m'assurer... *(Il va ouvrir doucement la porte de Rosine.)*

LE COMTE, *à part.* Je me suis enferré[2] de dépit[3]. Garder la 55 lettre à présent ! Il faudra m'enfuir : autant vaudrait n'être pas venu... La lui montrer... Si je puis en prévenir Rosine, la montrer est un coup de maître.

BARTHOLO *revient sur la pointe du pied.* Elle est assise auprès de sa fenêtre, le dos tourné à la porte, occupée à relire 60 une lettre de son cousin l'officier, que j'avais décachetée... Voyons donc la sienne.

LE COMTE *lui remet la lettre de Rosine.* La voici. *(À part.)* C'est ma lettre qu'elle relit.

BARTHOLO *lit. « Depuis que vous m'avez appris votre nom et* 65 *votre état. »* Ah ! la perfide ! c'est bien là sa main.

LE COMTE, *effrayé.* Parlez donc bas à votre tour.

BARTHOLO. Quelle obligation[4], mon cher !...

LE COMTE. Quand tout sera fini, si vous croyez m'en devoir, vous serez le maître[5]. D'après un travail que fait 70 actuellement don Bazile avec un homme de loi...

BARTHOLO. Avec un homme de loi, pour mon mariage ?

---

1. **Sur les dents :** épuisés de fatigue.
2. **Enferré :** pris à mon propre piège.
3. Parce qu'il était vexé de voir qu'il n'arrivait pas à tromper Bartholo.
4. **Quelle obligation :** combien je vous suis obligé (de cette lettre que vous m'avez communiquée).
5. **Vous serez le maître :** vous serez libre de me récompenser ou non.

LE COMTE. Sans doute. Il m'a chargé de vous dire que tout peut être prêt pour demain. Alors, si elle résiste…

BARTHOLO. Elle résistera.

75 **LE COMTE** *veut reprendre la lettre, Bartholo la serre*[1]. Voilà l'instant où je puis vous servir ; nous lui montrerons sa lettre, et s'il le faut *(plus mystérieusement)*, j'irai jusqu'à lui dire que je la tiens d'une femme à qui le comte l'a sacrifiée[2]. Vous sentez que le trouble, la honte, le dépit, peuvent la
80 porter sur-le-champ…

BARTHOLO, *riant.* De la calomnie ! Mon cher ami, je vois bien maintenant que vous venez de la part de Bazile !… Mais pour que ceci n'eût pas l'air concerté, ne serait-il pas bon qu'elle vous connût d'avance ?

85 **LE COMTE** *réprime un grand mouvement de joie.* C'était assez l'avis de don Bazile. Mais comment faire ? Il est tard… au peu de temps qui reste…

BARTHOLO. Je dirai que vous venez en sa place. Ne lui donnerez-vous pas bien une leçon ?

90 **LE COMTE.** Il n'y a rien que je ne fasse pour vous plaire. Mais prenez garde que toutes ces histoires de maîtres supposés sont de vieilles finesses, des moyens de comédie. Si elle va se douter ?…

BARTHOLO. Présenté par moi, quelle apparence[3] ? Vous
95 avez plus l'air d'un amant déguisé que d'un ami officieux[4].

LE COMTE. Oui ? Vous croyez donc que mon air peut aider à la tromperie ?

BARTHOLO. Je le donne au plus fin à deviner. Elle est ce soir d'une humeur horrible. Mais quand elle ne ferait que

1. **Serre :** range.
2. Soit le Comte a remis la lettre, pour montrer qu'il n'aimait pas Rosine ; soit il a sacrifié Rosine, c'est-à-dire choisi de la quitter, de ne plus lui faire la cour.
3. **Quelle apparence :** quelle vraisemblance, quel risque y a-t-il qu'elle se doute.
4. **Officieux :** prêt à rendre service, obligeant.

SITUER

Le Comte est de retour, portant le même costume que Bazile, cette soutanelle qui leur donne un air d'homme d'Église. Ce nouveau déguisement du Comte ramène la gaieté après la tension des affrontements entre Bartholo et sa pupille, mais Almaviva parviendra-t-il enfin à voir Rosine ?

RÉFLÉCHIR

STRUCTURE : où la lettre de Rosine reparaît...

1. D'où vient l'idée de ce déguisement en bachelier ? Est-il plus habile et crédible que le précédent ? Relevez des répliques précises.

2. Déguisé pour la seconde fois, mais pas grimé, le Comte n'est pourtant pas reconnu : est-ce vraisemblable ? Qu'est-ce qui entre donc en jeu ici ?

3. La conduite de l'action : montrez les différents mouvements de cette scène, en notant et commentant les répliques qui font évoluer la situation.

4. Bartholo finit par prendre l'initiative : qu'attend-il de la leçon de chant ?

5. Un plan tortueux : que voulait obtenir le Comte ? A-t-il pu suivre son plan ? De quoi dépend la suite ?

REGISTRES ET TONALITÉS : exercices vocaux

6. Sur quel ton « entendez-vous » les premières répliques d'Almaviva ? Quelle attitude accompagne ce ton ?

7. Relevez et explicitez la remarque de Bartholo sur la calomnie : en quoi joue-t-elle le rôle d'une didascalie ?

8. Les effets de voix sont-ils les mêmes que dans la scène du soldat ivre ? Vous les relèverez et les commenterez, sans négliger les apartés.

9. En quoi les gestes soutiennent-ils le comique verbal ?

PERSONNAGES : l'amant entre dans la place

10. Pourquoi Bartholo, au début, veut-il absolument aller voir Bazile ?

11. Bartholo cette fois se laisse prendre : montrez comment Beaumarchais rend vraisemblable, chez un homme aussi méfiant, cette soudaine naïveté. En est-il plus sympathique pour autant ?

12. Le Comte semble parfois jouer avec le feu : relevez et commentez la réplique la plus significative de ce comportement ludique. Qui se cache ici derrière le Comte ?

THÈMES : ambiguïté du jeu

13. Le Comte a visiblement plaisir à jouer la comédie. À quoi le voit-on ? Quelles relations verriez-vous entre les difficultés rencontrées et son amour pour Rosine ?

14. Relevez et commentez quelques répliques à double entente. Quels sont leurs destinataires ? En quoi le comique s'en trouve-t-il transformé ?

15. Quelles fonctions attribuez-vous au monologue de la scène 3 ?

ÉCRIRE

16. Imaginez un autre déguisement pour le Comte et racontez sa confrontation avec Bartholo vue par les yeux de Figaro. Au terme de la ruse, l'amant doit entrer dans la place, comme dans la scène écrite par Beaumarchais.

DIRE

17. Imaginez une scène où Figaro donne au Comte des conseils pour lui faire adopter un comportement conforme à son déguisement et à la situation. Écrivez ce dialogue et les didascalies nécessaires.

100 vous voir... Son clavecin est dans ce cabinet. Amusez-vous en l'attendant ; je vais faire l'impossible pour l'amener.

LE COMTE. Gardez-vous bien de lui parler de la lettre.

BARTHOLO. Avant l'instant décisif ? Elle perdrait tout son effet. Il ne faut pas me dire deux fois les choses ; il ne faut 105 pas me les dire deux fois.

(Il s'en va.)

SCÈNE 3. LE COMTE, *seul.*

Me voilà sauvé. Ouf ! Que ce diable d'homme est rude à manier ! Figaro le connaît bien. Je me voyais mentir ; cela me donnait un air plat et gauche ; et il a des yeux !... Ma foi, sans l'inspiration subite de la lettre, il faut l'avouer, j'étais 5 éconduit comme un sot. Ô ciel ! on dispute là-dedans. Si elle allait s'obstiner à ne pas venir ! Écoutons... Elle refuse de sortir de chez elle, et j'ai perdu le fruit de ma ruse. *(Il retourne écouter.)* La voici ; ne nous montrons pas d'abord. *(Il entre dans le cabinet.)*

SCÈNE 4. LE COMTE, ROSINE, BARTHOLO.

ROSINE, *avec une colère simulée.* Tout ce que vous direz est inutile, monsieur. J'ai pris mon parti ; je ne veux plus entendre parler de musique.

BARTHOLO. Écoute donc, mon enfant ; c'est le seigneur 5 Alonzo, l'élève et l'ami de don Bazile, choisi par lui pour être un de nos témoins. La musique te calmera, je t'assure.

ROSINE. Oh ! pour cela vous pouvez vous en détacher[1]. Si je chante ce soir !... Où donc est-il ce maître que vous craignez de renvoyer ? Je vais, en deux mots, lui donner son 10 compte, et celui de Bazile. *(Elle aperçoit son amant ; elle fait un cri.)* Ah !...

---

1. **Vous en détacher :** renoncer à cette idée.

BARTHOLO. Qu'avez-vous ?

ROSINE, *les deux mains sur son cœur, avec un grand trouble.* Ah ! mon Dieu, monsieur... Ah ! mon Dieu, monsieur...

BARTHOLO. Elle se trouve encore mal ! Seigneur Alonzo !

ROSINE. Non, je ne me trouve pas mal... mais c'est qu'en me tournant... Ah !...

LE COMTE. Le pied vous a tourné[1], madame ?

ROSINE. Ah ! oui, le pied m'a tourné. Je me suis fait un mal horrible.

LE COMTE. Je m'en suis bien aperçu.

ROSINE, *regardant le Comte.* Le coup m'a porté au cœur.

BARTHOLO. Un siège, un siège. Et pas un fauteuil ici ? *(Il va le chercher.)*

LE COMTE. Ah ! Rosine !

ROSINE. Quelle imprudence !

LE COMTE. J'ai mille choses essentielles à vous dire.

ROSINE. Il ne nous quittera pas.

LE COMTE. Figaro va venir nous aider.

BARTHOLO *apporte un fauteuil.* Tiens, mignonne, assieds-toi. – Il n'y a pas d'apparence, bachelier, qu'elle prenne de leçon ce soir ; ce sera pour un autre jour. Adieu.

ROSINE, *au Comte.* Non, attendez, ma douleur est un peu apaisée. *(À Bartholo.)* Je sens que j'ai eu tort avec vous, monsieur. Je veux vous imiter, en réparant[2] sur-le-champ...

BARTHOLO. Oh ! le bon petit naturel de femme ! Mais, après une pareille émotion, mon enfant, je ne souffrirai pas que tu fasses le moindre effort. Adieu, adieu, bachelier.

ROSINE, *au Comte.* Un moment, de grâce ! *(À Bartholo.)* Je croirai, monsieur, que vous n'aimez pas à m'obliger, si

---

1. **Le pied vous a tourné :** vous vous êtes tordu le pied.
2. **En réparant :** en réparant mes torts.

vous m'empêchez de vous prouver mes regrets en prenant ma leçon.

LE COMTE, *à part, à Bartholo.* Ne la contrariez pas, si vous m'en croyez.

45 BARTHOLO. Voilà qui est fini, mon amoureuse. Je suis si loin de chercher à te déplaire que je veux rester là tout le temps que tu vas étudier.

ROSINE. Non, monsieur. Je sais que la musique n'a nul attrait pour vous.

50 BARTHOLO. Je t'assure que ce soir elle m'enchantera.

ROSINE, *au Comte, à part.* Je suis au supplice.

LE COMTE, *prenant un papier de musique sur le pupitre.* Est-ce là ce que vous voulez chanter, madame ?

ROSINE. Oui, c'est un morceau très agréable de *La Précau-*
55 *tion inutile.*

BARTHOLO. Toujours *La Précaution inutile !*

LE COMTE. C'est ce qu'il y a de plus nouveau aujourd'hui. C'est une image du printemps, d'un genre assez vif. Si madame veut l'essayer...

60 ROSINE, *regardant le Comte.* Avec grand plaisir : un tableau du printemps me ravit ; c'est la jeunesse de la nature. Au sortir de l'hiver, il semble que le cœur acquière un plus haut degré de sensibilité ; comme un esclave, enfermé depuis longtemps, goûte avec plus de plaisir le charme de la liberté
65 qui vient de lui être offerte.

BARTHOLO, *bas au Comte.* Toujours des idées romanesques en tête.

LE COMTE, *bas.* En sentez-vous l'application ?

BARTHOLO. Parbleu ! *(Il va s'asseoir dans le fauteuil qu'a*
70 *occupé Rosine.)*

ROSINE *chante*[1].

Quand dans la plaine,
L'amour ramène
Le printemps
75 *Si chéri des amants,*
Tout reprend l'être,
Son feu pénètre
Dans les fleurs
Et dans les jeunes cœurs.
80 *On voit les troupeaux*
Sortir des hameaux ;
Dans tous les coteaux
Les cris des agneaux
Retentissent ;
85 *Ils bondissent ;*
Tout fermente,
Tout augmente ;
Les brebis paissent
Les fleurs qui naissent ;
90 *Les chiens fidèles*
Veillent sur elles ;
Mais Lindor enflammé
Ne songe guère
Qu'au bonheur d'être aimé
95 *De sa bergère.*

1. Note de l'auteur : « Cette ariette, dans le goût espagnol, fut chantée le premier jour à Paris, malgré les huées, les rumeurs et le train usités au parterre en ces jours de crise et de combat. La timidité de l'actrice l'a depuis empêchée d'oser la redire, et les jeunes rigoristes du théâtre l'ont fort louée de cette réticence. Mais si la dignité de la Comédie-Française y a gagné quelque chose, il faut convenir que *Le Barbier de Séville* y a beaucoup perdu. C'est pourquoi, sur les théâtres où quelque peu de musique ne tirera pas à tant de conséquence, nous invitons tous directeurs à la restituer, tous acteurs à la chanter, tous spectateurs à l'écouter, tous critiques à nous la pardonner en faveur du genre de la pièce et du plaisir que fera le morceau. »

(*Même air.*)

Loin de sa mère
Cette bergère
Va chantant
100 *Où son amant l'attend.*
Par cette ruse,
L'amour l'abuse ;
Mais chanter
Sauve-t-il du danger ?
105 *Les doux chalumeaux*[1]*,*
Les chants des oiseaux,
Ses charmes naissants,
Ses quinze ou seize ans,
Tout l'excite,
110 *Tout l'agite ;*
La pauvrette
S'inquiète.
De sa retraite,
Lindor la guette ;
115 *Elle s'avance ;*
Lindor s'élance ;
Il vient de l'embrasser :
Elle, bien aise,
Feint de se courroucer[2]
120 *Pour qu'on l'apaise.*

(*Petite reprise.*)

Les soupirs,
Les soins, les promesses,
Les vives tendresses,
125 *Les plaisirs,*
Le fin badinage[3]*,*
Sont mis en usage ;

1. **Chalumeaux :** flûtes champêtres.
2. **Se courroucer :** se mettre en colère.
3. **Badinage :** bavardage spirituel et galant.

Et bientôt la bergère
Ne sent plus de colère.
130 *Si quelque jaloux*
Trouble un lien si doux,
Nos amants d'accord
Ont un soin extrême...
De voiler leur transport[1] *;*
135 *Mais quand on s'aime,*
La gêne ajoute encor
Au plaisir même.

(En l'écoutant, Bartholo s'est assoupi. Le Comte, pendant la petite reprise, se hasarde à prendre une main qu'il couvre de baisers. 140 *L'émotion ralentit le chant de Rosine, l'affaiblit, et finit même par lui couper la voix au milieu de la cadence, au mot « extrême ». L'orchestre suit le mouvement de la chanteuse, affaiblit son jeu, et se tait avec elle. L'absence du bruit*[2]*, qui avait endormi Bartholo, le réveille. Le Comte se relève, Rosine et* 145 *l'orchestre reprennent subitement la suite de l'air. Si la petite reprise se répète, le même jeu recommence, etc.)*

LE COMTE. En vérité, c'est un morceau charmant, et madame l'exécute avec une intelligence...

ROSINE. Vous me flattez, seigneur ; la gloire est tout 150 entière au maître.

BARTHOLO, *bâillant.* Moi, je crois que j'ai un peu dormi pendant le morceau charmant. J'ai mes malades. Je vais, je viens, je toupille[3], et sitôt que je m'assieds, mes pauvres jambes... *(Il se lève et pousse le fauteuil.)*

155 **ROSINE,** *bas au Comte.* Figaro ne vient point !

LE COMTE. Filons le temps.

BARTHOLO. Mais, bachelier, je l'ai déjà dit à ce vieux Bazile : est-ce qu'il n'y aurait pas moyen de lui faire étudier

1. **Transport :** élan amoureux.
2. « **Bruit** » n'est pas péjoratif ; on le trouve pour parler de sons agréables.
3. **Je toupille :** je fais la toupie, je tourne en rond.

SITUER

Le Comte s'est introduit dans la place sous le nom d'Alonzo ; c'est Bartholo lui-même qui, en acceptant la leçon de musique pour tromper Rosine, a réuni les deux amants à son insu. Calme et aimable pour la première fois, il fait bonne figure et la scène s'annonce paisible, mais c'est sans compter l'invention des amants.

RÉFLÉCHIR

STRUCTURE : jeux de dupes

1. Le début présente une suite de péripéties éclairs* : pourquoi Rosine commence-t-elle par feindre la colère ? Comment rend-elle vraisemblable son changement d'attitude ensuite ? Repérez et commentez ses phrases à double entente.

2. Bartholo, décidément en confiance, s'endort, puis se prend d'envie de chanter. En quoi cela modifie-t-il l'atmosphère ?

3. Cette scène est très apaisée, après beaucoup d'agitation : quel effet Beaumarchais veut-il produire sur les spectateurs ? Cependant, deux didascalies (pendant chacun des chants) peignent des actions : que pensez-vous du contraste ainsi établi ?

STRATÉGIES : les ruses du Comte et de l'auteur

4. Comment le Comte entretient-il la confiance de Bartholo ? Montrez la complexité de la circulation de la parole entre les trois personnages. Expliquez en particulier l'échange des lignes 66 à 69 (de : « BARTHOLO. Toujours des idées romanesques en tête » à : « BARTHOLO. Parbleu ! »).

5. Comment Beaumarchais s'arrange-t-il pour que le Comte ne puisse parler de la lettre ? Est-ce vraisemblable ? Le spectateur en a-t-il conscience ?

6. Le Comte annonce la venue de Figaro, et Rosine s'impatiente de ne pas le voir venir : pourquoi Beaumarchais retarde-t-il cette arrivée ?

PERSONNAGES : le barbon endormi

7. Bartholo multiplie les mots d'affection et les prévenances à l'égard de Rosine. Que s'est-il donc passé ? Cela jette-t-il une autre lumière sur le personnage ?

8. Beaumarchais, s'exprimant dans un essai sur le drame écrivait : « Je veux que la situation de tous les personnages soit continuellement en opposition avec leurs désirs et le caractère que je leur ai donné. » Montrez comment cela peut s'appliquer à Bartholo dans cette scène.

9. La scène est finalement cruelle pour Bartholo. En quoi son attitude, ses gestes et ses paroles rappellent-ils au spectateur qu'il n'est qu'un vieil homme ?

THÈMES : sur un air de musique

10. *La Précaution inutile* reparaît : comment Beaumarchais la met-il en valeur et se met-il en valeur en même temps ? Comparez en particulier *La Précaution inutile* avec la chanson de Bartholo.

11. Pourquoi peut-on dire que le commentaire de Rosine (l. 60 à 65) constitue une mise en abîme de la pièce ? Qu'ajoute le texte de la chanson à ce commentaire ?

12. Le chant, que Beaumarchais défend dans une longue note (voir note 1, p. 134), ralentit l'action et peut ennuyer : montrez précisément comment l'auteur fait en sorte que l'attention des spectateurs ne s'égare pas.

ÉCRIRE

13. Imaginez le monologue intérieur du Comte pendant le début de la scène, jusqu'au moment où Rosine se met à chanter.

des choses plus gaies que toutes ces grandes arias[1], qui vont
160 en haut, en bas, en roulant, hi, ho, a, a, a, a, et qui me semblent autant d'enterrements ? Là, de ces petits airs qu'on chantait dans ma jeunesse, et que chacun retenait facilement. J'en savais autrefois... Par exemple... *(Pendant la ritournelle[2], il cherche en se grattant la tête et chante en faisant*
165 *claquer ses pouces et dansant des genoux comme les vieillards.)*

Veux-tu, ma Rosinette,
Faire emplette
Du roi des maris ?...

(Au Comte en riant.) Il y a Fanchonnette dans la chanson ;
170 mais j'y ai substitué Rosinette pour la lui rendre plus agréable et la faire cadrer aux circonstances. Ah ! ah ! ah ! ah ! Fort bien ? pas vrai ?

LE COMTE, *riant*. Ah ! ah ! ah ! Oui, tout au mieux.

SCÈNE 5. FIGARO, *dans le fond*, ROSINE, BARTHOLO, LE COMTE.

BARTHOLO *chante*.

Veux-tu, ma Rosinette,
Faire emplette
Du roi des maris ?
5 *Je ne suis point Tircis[3] ;*
Mais la nuit, dans l'ombre,
Je vaux encor mon prix ;
Et quand il fait sombre,
Les plus beaux chats sont gris[4].

1. **Arias** (terme italien) : morceaux chantés par un soliste, accompagnés en général par un seul instrument.
2. **Ritournelle :** courte intervention de l'orchestre entre deux morceaux.
3. **Tircis :** nom traditionnel de berger dans les romans ou les pièces pastorales.
4. Allusion plaisante au proverbe : « La nuit tous les chats sont gris. »

10 *(Il répète la reprise en dansant. Figaro, derrière lui, imite ses mouvements.)*

Je ne suis point Tircis...

(Apercevant Figaro.) Ah ! entrez, monsieur le barbier ; avancez, vous êtes charmant !

15 **FIGARO** *salue.* Monsieur, il est vrai que ma mère me l'a dit autrefois ; mais je suis un peu déformé depuis ce temps-là. *(À part, au comte.)* Bravo, monseigneur ! *(Pendant toute cette scène, le comte fait ce qu'il peut pour parler à Rosine ; mais l'œil inquiet et vigilant du tuteur l'en empêche toujours,* 20 *ce qui forme un jeu muet de tous les acteurs, étranger au débat du docteur et de Figaro.)*

BARTHOLO. Venez-vous purger encore, saigner, droguer, mettre sur le grabat[1] toute ma maison ?

FIGARO. Monsieur, il n'est pas tous les jours fête ; mais sans 25 compter les soins quotidiens, monsieur a pu voir que, lorsqu'ils en ont besoin, mon zèle n'attend pas qu'on lui commande...

BARTHOLO. Votre zèle n'attend pas ! Que direz-vous, monsieur le zélé, à ce malheureux qui bâille et dort tout 30 éveillé ? Et l'autre qui, depuis trois heures, éternue à se faire sauter le crâne et jaillir la cervelle ! Que leur direz-vous ?

FIGARO. Ce que je leur dirai ?

BARTHOLO. Oui !

FIGARO. Je leur dirai... Eh ! parbleu ! je dirai à celui qui éter-35 nue : « Dieu vous bénisse ! » et : « Va te coucher » à celui qui bâille. Ce n'est pas cela, monsieur, qui grossira le mémoire[2].

BARTHOLO. Vraiment non ; mais c'est la saignée et les médicaments qui le grossiraient, si je voulais y entendre[3].

1. **Grabat :** lit de malade.
2. **Mémoire :** facture.
3. **Entendre :** consentir.

Est-ce par zèle aussi que vous avez empaqueté les yeux de
40 ma mule ? et votre cataplasme lui rendra-t-il la vue ?

FIGARO. S'il ne lui rend pas la vue, ce n'est pas cela non plus qui l'empêchera d'y voir.

BARTHOLO. Que je le trouve sur le mémoire !... On n'est pas de cette extravagance là !

45 **FIGARO.** Ma foi, monsieur, les hommes n'ayant guère à choisir qu'entre la sottise et la folie, où je ne vois pas de profit je veux au moins du plaisir ; et vive la joie ! Qui sait si le monde durera encore trois semaines !

BARTHOLO. Vous feriez bien mieux, monsieur le raison-
50 neur, de me payer mes cent écus et les intérêts sans lanterner[1] ; je vous en avertis.

FIGARO. Doutez-vous de ma probité, monsieur ? Vos cent écus ! j'aimerais mieux vous les devoir toute ma vie, que de les nier un seul instant.

55 **BARTHOLO.** Et dites-moi un peu comment la petite Figaro a trouvé les bonbons que vous lui avez portés.

FIGARO. Quels bonbons ? Que voulez-vous dire ?

BARTHOLO. Oui, ces bonbons, dans ce cornet fait avec cette feuille de papier à lettre, ce matin.

60 **FIGARO.** Diable emporte si...

ROSINE, *l'interrompant.* Avez-vous eu soin au moins de les lui donner de ma part, monsieur Figaro ? Je vous l'avais recommandé.

FIGARO. Ah ! ah ! les bonbons de ce matin ? Que je suis
65 bête, moi ! j'avais perdu tout cela de vue... Oh ! excellents, madame, admirables !

BARTHOLO. Excellents ! admirables ! Oui, sans doute, monsieur le barbier, revenez sur vos pas[2] ! Vous faites là un joli métier, monsieur !

---

1. **Sans lanterner :** sans traîner.
2. **Revenez sur vos pas :** revenez sur vos paroles.

70 **FIGARO.** Qu'est-ce qu'il a donc, monsieur ?

BARTHOLO. Et qui vous fera une belle réputation, monsieur !

FIGARO. Je la soutiendrai, monsieur.

BARTHOLO. Dites que vous la supporterez, monsieur.

FIGARO. Comme il vous plaira, monsieur.

75 **BARTHOLO.** Vous le prenez bien haut, monsieur ! Sachez que quand je dispute[1] avec un fat[2], je ne lui cède jamais.

FIGARO *lui tourne le dos.* Nous différons en cela, monsieur ; moi, je lui cède toujours.

BARTHOLO. Hein ! qu'est-ce qu'il dit donc, bachelier ?

80 **FIGARO.** C'est que vous croyez avoir affaire à quelque barbier de village, et qui ne sait manier que le rasoir ? Apprenez, monsieur, que j'ai travaillé de la plume à Madrid, et que sans les envieux...

BARTHOLO. Eh ! que n'y restiez-vous, sans venir ici changer
85 de profession ?

FIGARO. On fait comme on peut. Mettez-vous à ma place.

BARTHOLO. Me mettre à votre place ! Ah ! parbleu, je dirais de belles sottises !

FIGARO. Monsieur, vous ne commencez pas trop mal ; je
90 m'en rapporte à votre confrère qui est là rêvassant.

LE COMTE, *revenant à lui.* Je... je ne suis pas le confrère de monsieur.

FIGARO. Non ? Vous voyant ici à consulter[3], j'ai pensé que vous poursuiviez le même objet[4].

1. **Je dispute :** je discute.
2. **Fat :** sot prétentieux, imbu de soi.
3. **Consulter :** réfléchir.
4. **Vous poursuiviez le même objet :** vous cherchiez à résoudre le même problème ; ou vous recherchiez la même femme.

95 **BARTHOLO**, *en colère*. Enfin, quel sujet vous amène ? Y a-t-il quelque lettre à remettre encore ce soir à madame ? Parlez, faut-il que je me retire ?

FIGARO. Comme vous rudoyez le pauvre monde ! Eh ! parbleu monsieur, je viens vous raser, voilà tout : n'est-ce pas 100 aujourd'hui votre jour ?

BARTHOLO. Vous reviendrez tantôt.

FIGARO. Ah ! oui, revenir ! Toute la garnison prend médecine[1] demain matin, j'en ai obtenu l'entreprise par mes protections. Jugez donc comme j'ai du temps à 105 perdre ! Monsieur passe-t-il chez lui ?

BARTHOLO. Non, monsieur ne passe point chez lui. Eh ! mais… qui empêche qu'on ne me rase ici ?

ROSINE, *avec dédain*. Vous êtes honnête ! Et pourquoi pas dans mon appartement ?

110 **BARTHOLO.** Tu te fâches ! Pardon, mon enfant, tu vas achever de prendre ta leçon ; c'est pour ne pas perdre un instant le plaisir de t'entendre.

FIGARO, *bas au Comte*. On ne le tirera pas d'ici ! *(Haut.)* Allons, L'Éveillé ! La Jeunesse, le bassin, de l'eau, tout ce 115 qu'il faut à monsieur.

BARTHOLO. Sans doute, appelez-les ! Fatigués, harassés, moulus de votre façon[2], n'a-t-il pas fallu les faire coucher !

FIGARO. Eh bien ! j'irai tout chercher. N'est-ce pas dans votre chambre ? *(Bas au Comte.)* Je vais l'attirer dehors.

120 **BARTHOLO** *détache son trousseau de clefs, et dit par réflexion*. Non, non, j'y vais moi-même. *(Bas au Comte en s'en allant.)* Ayez les yeux sur eux, je vous prie.

---

1. **Prend médecine :** prend une purge.
2. **Moulus de votre façon :** brisés, maltraités par votre façon de faire, par votre traitement.

SITUER

La chanson continue, mais le ton change et l'action, quasi immobilisée, semble reprendre son cours. C'est que Figaro, longtemps absent, est enfin revenu : Bartholo, stimulé par sa présence, se ressaisit et l'affronte.

RÉFLÉCHIR

DRAMATURGIE : enchaînements et suspens

1. La chanson de Bartholo enjambe les deux scènes : pour quelle raison ? Est-ce seulement pour faire entrer Figaro ?

2. Caractérisez le contraste entre les deux chansons. Dans *Le Misanthrope* de Molière se déroule une séquence très similaire (acte I, scène 2), que Beaumarchais imite ostensiblement : quels sont les effets visés par la reprise et les transformations qu'elle subit ?

3. Depuis le début de la scène précédente, une parole est en suspens. Comment l'auteur s'arrange-t-il pour la retarder encore ?

STRUCTURE : une joute serrée

4. Bartholo danse au début ; montrez que la joute oratoire qui suit est une autre forme de danse. Quelle place y tiennent les formules générales ?

5. Le débat est rondement entamé par les reproches du docteur. Vous marquerez les étapes de la lutte verbale en soulignant les transitions. Sur quoi repose l'essentiel du comique verbal ? Quelle(s) explication(s) pouvez-vous donner de cette vivacité, du point de vue de l'action dramatique et de l'exigence générique ?

6. Pour quelle raison Rosine intervient-elle dans la discussion ?

PERSONNAGES : le barbier dans ses œuvres

7. Beaumarchais attire d'emblée l'attention sur Figaro : comment le met-il en valeur et donne-t-il le ton de la scène ? Expliquez la remarque : « BARTHOLO. [...] avancez, vous êtes charmant ! » (l. 14) et la réponse de Figaro.

8. Quel est, selon vous, le plan de Figaro ? Comment le met-il à exécution ? Montre-t-il l'habileté dont il s'est vanté au début de la pièce ?

9. Figaro interpelle le Comte : « Je m'en rapporte à votre confrère qui est là rêvassant » (l. 89-90). Est-il normal que le Comte rêvasse ? Commentez cet échange et la chute : « j'ai pensé que vous poursuiviez le même objet » (l. 93-94).

10. Les deux amoureux sont-ils en retrait ? Pourquoi ?

11. Pourquoi le docteur, qui a grande confiance en Almaviva-Alonzo et aucune confiance en Figaro, épie-t-il en permanence Rosine et le Comte ? A-t-il pour autant retrouvé toute sa lucidité ?

ÉCRIRE

12. Imaginez les déplacements et la gestuelle des personnages pour remplir le programme général fixé par l'auteur dans la didascalie initiale.

SCÈNE 6. FIGARO, LE COMTE, ROSINE.

FIGARO. Ah ! que nous l'avons manqué belle[1] ! il allait me donner le trousseau. La clef de la jalousie n'y est-elle pas ?

ROSINE. C'est la plus neuve de toutes.

SCÈNE 7. BARTHOLO, FIGARO, LE COMTE, ROSINE.

BARTHOLO, *revenant, et à part.* Bon ! je ne sais ce que je fais de laisser ici ce maudit barbier. *(À Figaro.)* Tenez. *(Il lui donne le trousseau.)* Dans mon cabinet, sous mon bureau ; mais ne touchez à rien.

5 **FIGARO.** La peste ! il y ferait bon, méfiant comme vous êtes ! *(À part, en s'en allant.)* Voyez comme le ciel protège l'innocence !

SCÈNE 8. BARTHOLO, LE COMTE, ROSINE.

BARTHOLO, *bas au Comte.* C'est le drôle[2] qui a porté la lettre au comte.

LE COMTE, *bas.* Il m'a l'air d'un fripon.

BARTHOLO. Il ne m'attrapera plus.

5 **LE COMTE.** Je crois qu'à cet égard le plus fort est fait.

BARTHOLO. Tout considéré, j'ai pensé qu'il était plus prudent de l'envoyer dans ma chambre que de le laisser avec elle.

LE COMTE. Ils n'auraient pas dit un mot que je n'eusse été
10 en tiers.

---

1. **Nous l'avons manqué belle :** nous avons manqué une belle occasion. Le sens actuel vient d'une antiphrase : nous avons failli avoir un bel accident.
2. **Drôle :** homme prêt à tout, bon compagnon de débauche ; peut être pris péjorativement : homme sans scrupules.

ROSINE. Il est bien poli, messieurs, de parler bas sans cesse ! Et ma leçon ? *(Ici l'on entend un bruit, comme de la vaisselle renversée.)*

BARTHOLO, *criant.* Qu'est-ce que j'entends donc ! Le 15 cruel barbier aura tout laissé tomber par l'escalier, et les plus belles pièces de mon nécessaire[1] !... *(Il court dehors.)*

SCÈNE 9. LE COMTE, ROSINE.

LE COMTE. Profitons du moment que l'intelligence[2] de Figaro nous ménage. Accordez-moi ce soir, je vous en conjure, madame, un moment d'entretien indispensable pour vous soustraire à l'esclavage où vous allez tomber.

5 **ROSINE.** Ah ! Lindor !

LE COMTE. Je puis monter à votre jalousie, et quant à la lettre que j'ai reçue de vous ce matin, je me suis vu forcé...

SCÈNE 10. ROSINE, BARTHOLO, FIGARO, LE COMTE.

BARTHOLO. Je ne m'étais pas trompé ; tout est brisé, fracassé.

FIGARO. Voyez le grand malheur pour tant de train[3] ! On ne voit goutte sur l'escalier. *(Il montre la clef au Comte.)* 5 Moi, en montant j'ai accroché une clef...

BARTHOLO. On prend garde à ce qu'on fait. Accrocher une clef ! L'habile homme !

FIGARO. Ma foi, monsieur, cherchez-en un plus subtil.

1. **Nécessaire :** ensemble des objets nécessaires pour des soins ou une activité, le plus souvent rangés dans un étui ou une boîte spéciale. On parle toujours de « nécessaire de toilette ».
2. **Intelligence :** complicité.
3. **Tant de train :** tant de hâte.

SCÈNE 11. LES ACTEURS PRÉCÉDENTS, DON BAZILE.

ROSINE, *effrayée, et à part.* Don Bazile !...

LE COMTE, *à part.* Juste ciel !

FIGARO, *à part.* C'est le diable !

BARTHOLO *va au-devant de lui.* Ah ! Bazile, mon ami, soyez le bien rétabli[1]. Votre accident n'a donc point eu de suites ? En vérité, le seigneur Alonzo m'avait fort effrayé sur votre état ; demandez-lui, je partais pour vous aller voir, et s'il ne m'avait point retenu...

BAZILE, *étonné.* Le seigneur Alonzo ?...

FIGARO *frappe du pied.* Eh quoi ! toujours des accrocs ? Deux heures pour une méchante barbe... Chienne de pratique[2] !

BAZILE, *regardant tout le monde.* Me ferez-vous bien le plaisir de me dire, messieurs ?...

FIGARO. Vous lui parlerez quand je serai parti.

BAZILE. Mais encore faudrait-il...

LE COMTE. Il faudrait vous taire, Bazile. Croyez-vous apprendre à monsieur quelque chose qu'il ignore ? Je lui ai raconté que vous m'aviez chargé de venir donner une leçon de musique à votre place.

BAZILE, *plus étonné.* La leçon de musique !... Alonzo !...

ROSINE, *à part, à Bazile.* Eh ! taisez-vous.

BAZILE. Elle aussi !

LE COMTE, *à Bartholo.* Dites-lui donc tout bas que nous en sommes convenus.

BARTHOLO, *à Bazile, à part.* N'allez pas nous démentir, Bazile, en disant qu'il n'est pas votre élève, vous gâteriez tout.

1. **Soyez le bien rétabli :** je vous souhaite d'être bien rétabli.
2. **La pratique :** la clientèle ; **une pratique :** un client.

BAZILE. Ah ! ah !

BARTHOLO, *haut.* En vérité, Bazile, on n'a pas plus de talent que votre élève.

BAZILE, *stupéfait.* Que mon élève !... *(Bas.)* Je venais pour vous dire que le comte est déménagé.

BARTHOLO, *bas.* Je le sais, taisez-vous.

BAZILE, *bas.* Qui vous l'a dit ?

BARTHOLO, *bas.* Lui, apparemment !

LE COMTE, *bas.* Moi, sans doute[1] : écoutez seulement.

ROSINE, *bas à Bazile.* Est-il si difficile de vous taire ?

FIGARO, *bas à Bazile.* Hum ! Grand escogriffe[2] ! Il est sourd !

BAZILE, *à part.* Qui diable est-ce donc qu'on trompe ici ? Tout le monde est dans le secret !

BARTHOLO, *haut.* Eh bien, Bazile, votre homme de loi ?...

FIGARO. Vous avez toute la soirée pour parler de l'homme de loi.

BARTHOLO, *à Bazile.* Un mot ; dites-moi seulement si vous êtes content de l'homme de loi.

BAZILE, *effaré.* De l'homme de loi ?

LE COMTE, *souriant.* Vous ne l'avez pas vu, l'homme de loi ?

BAZILE, *impatienté.* Eh ! non, je ne l'ai pas vu, l'homme de loi.

LE COMTE, *à Bartholo, à part.* Voulez-vous donc qu'il s'explique ici devant elle ? Renvoyez-le.

BARTHOLO, *bas au Comte.* Vous avez raison. *(À Bazile.)* Mais quel mal vous a donc pris si subitement ?

BAZILE, *en colère.* Je ne vous entends pas.

1. **Sans doute :** sans aucun doute.
2. **Escogriffe :** homme grand et mal bâti, d'allure dégingandée.

SITUER

L'arrivée inattendue de Bazile surprend tout le monde et il est accueilli avec des sentiments divers : alors que Bartholo se réjouit, les autres se liguent pour le faire ressortir. C'est un ballet étourdissant de paroles et de gestes, mais on frôle à chaque instant la catastrophe.

RÉFLÉCHIR

DRAMATURGIE : le triomphe de l'embrouille

1. En quoi peut-on parler ici de coup de théâtre* ? Pourquoi cette arrivée de Bazile surprend-elle à ce point ? Quelle menace fait-il peser sur le Comte ?

2. Montrez comment progresse la scène de l'entrée de Bazile à sa sortie. Que s'agit-il de faire et pourquoi ?

3. Pourquoi peut-on parler de quiproquo* dans cette scène ? Qui est la victime de l'embrouille* ?

REGISTRES ET TONALITÉS : un comique débridé

4. Montrez la continuité de registre de cette scène avec les précédentes.

5. Beaumarchais se félicite dans la *Lettre modérée* du succès de cette « scène de stupéfaction de Bazile » qui « a tant réjoui les spectateurs ». Quels sont les ressorts du comique ? Vous étudierez aussi bien les paroles que les jeux de scène.

6. Montrez comment les différents personnages contribuent au comique, chacun à leur tour. Y a-t-il un meneur ? Vous examinerez les relances de la discussion pour répondre à cette question. Certaines répliques du Comte et de Figaro sont à double sens : lesquelles ?

7. Ne pourrait-on pas prolonger et faire rebondir la conversation ? À quel type de pièce comique renvoie cette scène ? Ce type de comédie convient-il à la dignité de personnages comme le grand seigneur Almaviva et la jeune et noble Rosine ?

PERSONNAGES : la dupe trompée et contente

8. Par quels sentiments successifs Bazile passe-t-il ? Est-il une simple marionnette ? Une de ses répliques résume bien la scène : laquelle ?

9. Bartholo joue, après son accueil chaleureux du début, le même jeu que les autres. Comment le Comte réussit-il à le ranger de son côté ? Quel effet cela produit-il ?

MISE EN SCÈNE : un ballet étourdissant

10. Est-il vraisemblable que Bartholo ne voie pas le trouble des trois autres ? Comment le metteur en scène doit-il s'y prendre pour le faire passer ?

11. Les mouvements sont ici multiples : en suivant les indications des didascalies vous essaierez de noter les déplacements nécessaires à la réussite de la scène.

THÈMES : à trompeur, trompeur et demi

12. Bazile et le Comte sont vêtus d'un costume chargé de valeur symbolique : or l'un corrompt avec une bourse et l'autre se laisse corrompre. Quelle est l'intention de Beaumarchais ?

13. Bartholo et son agent d'exécution sont bernés : la morale est-elle sauve ? Qu'est-ce qui rend supportable ce jeu de dupes ?

ÉCRIRE

14. À quelqu'un qui critique la facilité et la vulgarité de la comédie, comme les journalistes que Beaumarchais éreinte dans la *Lettre modérée*, vous répondrez de manière argumentée, en vous fondant sur cette scène, que l'auteur lui-même considère comme particulièrement réussie.

55 **LE COMTE** *lui met, à part, une bourse dans la main.* Oui, monsieur vous demande ce que vous venez faire ici, dans l'état d'indisposition où vous êtes.

FIGARO. Il est pâle comme un mort !

BAZILE. Ah ! je comprends…

60 **LE COMTE.** Allez vous coucher, mon cher Bazile : vous n'êtes pas bien, et vous nous faites mourir de frayeur. Allez vous coucher.

FIGARO. Il a la physionomie toute renversée. Allez vous coucher.

65 **BARTHOLO.** D'honneur[1], il sent la fièvre d'une lieue. Allez vous coucher.

ROSINE. Pourquoi donc êtes-vous sorti ? On dit que cela se gagne. Allez vous coucher.

BAZILE, *au dernier étonnement.* Que j'aille me coucher !

70 **TOUS LES ACTEURS ENSEMBLE.** Eh ! sans doute.

BAZILE, *les regardant tous.* En effet, messieurs, je crois que je ne ferai pas mal de me retirer ; je sens que je ne suis pas ici dans mon assiette[2] ordinaire.

BARTHOLO. À demain, toujours, si vous êtes mieux !

75 **LE COMTE.** Bazile, je serai chez vous de très bonne heure.

FIGARO. Croyez-moi, tenez-vous bien chaudement dans votre lit.

ROSINE. Bonsoir, monsieur Bazile.

BAZILE, *à part.* Diable emporte si j'y comprends rien ! et
80 sans cette bourse…

TOUS. Bonsoir, Bazile, bonsoir.

BAZILE, *en s'en allant.* Eh bien, bonsoir donc, bonsoir.

(Ils l'accompagnent tous en riant.)

---

1. **D'honneur :** sur mon honneur, parole d'honneur.
2. **Mon assiette :** mon état.

SCÈNE 12. LES ACTEURS PRÉCÉDENTS, *excepté* BAZILE.

BARTHOLO, *d'un ton important.* Cet homme-là n'est pas bien du tout.

ROSINE. Il a les yeux égarés.

LE COMTE. Le grand air l'aura saisi.

5 **FIGARO.** Avez-vous vu comme il parlait tout seul ? Ce que c'est que de nous ! *(À Bartholo.)* Ah çà, vous décidez-vous, cette fois ? *(Il lui pousse un fauteuil très loin du Comte et lui présente le linge[1].)*

LE COMTE. Avant de finir, madame, je dois vous dire un 10 mot essentiel au progrès de l'art que j'ai l'honneur de vous enseigner. *(Il s'approche, et lui parle bas à l'oreille.)*

BARTHOLO, *à Figaro.* Eh mais ! il semble que vous le fassiez exprès de vous approcher, et de vous mettre devant moi pour m'empêcher de voir...

15 **LE COMTE**, *bas à Rosine.* Nous avons la clef de la jalousie, et nous serons ici à minuit.

FIGARO *passe le linge au cou de Bartholo.* Quoi voir ? Si c'était une leçon de danse, on vous passerait[2] d'y regarder ; mais du chant !... Aïe, aïe !

20 **BARTHOLO.** Qu'est-ce que c'est ?

FIGARO. Je ne sais ce qui m'est entré dans l'œil. *(Il rapproche sa tête.)*

BARTHOLO. Ne frottez donc pas.

FIGARO. C'est le gauche. Voudriez-vous me faire le plaisir 25 d'y souffler un peu fort ? *(Bartholo prend la tête de Figaro, regarde par-dessus, le pousse violemment et va derrière les amants écouter leur conversation.)*

1. Pour le raser.
2. **Passerait :** permettrait.

LE COMTE, *bas à Rosine.* Et quant à votre lettre, je me suis trouvé tantôt dans tel embarras pour rester ici…

FIGARO, *de loin pour avertir.* Hem !… hem…

LE COMTE. Désolé de voir encore mon déguisement inutile…

BARTHOLO, *passant entre eux deux.* Votre déguisement inutile !

ROSINE, *effrayée.* Ah !…

BARTHOLO. Fort bien, madame, ne vous gênez pas. Comment ! sous mes yeux mêmes, en ma présence, on m'ose outrager de la sorte !

LE COMTE. Qu'avez-vous donc, seigneur ?

BARTHOLO. Perfide Alonzo !

LE COMTE. Seigneur Bartholo, si vous avez souvent des lubies comme celle dont le hasard me rend témoin, je ne suis plus étonné de l'éloignement que mademoiselle a pour devenir votre femme.

ROSINE. Sa femme ! Moi ! Passer mes jours auprès d'un vieux jaloux, qui, pour tout bonheur, offre à ma jeunesse un esclavage abominable !

BARTHOLO. Ah ! qu'est-ce que j'entends !

ROSINE. Oui, je le dis tout haut : je donnerai mon cœur et ma main à celui qui pourra m'arracher de cette horrible prison, où ma personne et mon bien sont retenus contre toutes les lois.

(Rosine sort.)

SCÈNE 13. BARTHOLO, FIGARO, LE COMTE.

BARTHOLO. La colère me suffoque.

LE COMTE. En effet, seigneur, il est difficile qu'une jeune femme…

FIGARO. Oui, une jeune femme et un grand âge, voilà ce qui trouble la tête d'un vieillard.

BARTHOLO. Comment ! lorsque je les prends sur le fait ! Maudit barbier ! il me prend des envies…

FIGARO. Je me retire, il est fou.

LE COMTE. Et moi aussi ; d'honneur, il est fou.

FIGARO. Il est fou, il est fou.

(Ils sortent.)

SCÈNE 14. BARTHOLO, *seul, les poursuit.*

Je suis fou ! Infâmes suborneurs[1], émissaires du diable, dont vous faites ici l'office, et qui puisse vous emporter tous… Je suis fou !… Je les ai vus comme je vois ce pupitre… et me soutenir effrontément !… Ah ! Il n'y a que Bazile qui puisse m'expliquer ceci. Oui, envoyons-le chercher. Holà ! quelqu'un… Ah ! j'oublie que je n'ai personne… Un voisin, le premier venu, n'importe. Il y a de quoi perdre l'esprit ! il y a de quoi perdre l'esprit !

(Pendant l'entracte le théâtre s'obscurcit ; on entend un bruit d'orage, et l'orchestre joue celui qui est gravé dans le recueil de la musique du Barbier.*)*

1. **Suborneurs :** trompeurs, séducteurs. Se dit de quelqu'un qui, par la corruption ou des manœuvres frauduleuses, en conduit un autre hors du droit chemin.

SITUER

Tout semble s'arranger pour les amoureux après la sortie de Bazile : Figaro va raser Bartholo, pendant que la leçon de musique reprend. Or, voici un nouveau coup de théâtre, qui retourne la situation. L'acte s'achève alors dans la confusion de Bartholo.

RÉFLÉCHIR

DRAMATURGIE : l'art du renversement

1. Comment Beaumarchais amène-t-il la découverte des amants ? Y a-t-il des raisons pour que Bartholo ait des soupçons ? Montrez, en étudiant le dialogue entre Bartholo et Figaro, ainsi que les gestes de ce dernier, comment l'auteur dissimule l'artifice de ce renversement.

2. Le Comte ne parvient toujours pas à parler de la lettre. Il est interrompu au moment où il commence. Or, au début de la scène, une didascalie précise : « *Il s'approche et lui parle bas à l'oreille.* » Qu'a-t-il donc bien pu lui dire ? Quel est l'intérêt de ce jeu de scène ?

3. Dans ces trois scènes qui voient la déconfiture de Bartholo, Rosine, Figaro et le Comte sortent par deux fois. Quel est l'effet produit par cet abandon de Bartholo à lui-même ?

4. Dans la scène 13, qu'est-ce qui justifie l'idée que Bartholo soit fou ?

REGISTRES ET TONALITÉS : un saut périlleux

5. La première réplique de la scène 12 est dite « *d'un ton important* » : pourquoi ? Montrez comment le comique de la scène précédente est prolongé dans ce début.

6. Étudiez les changements de ton dans la scène 12. Dans quel registre se termine-t-elle ?

7. Le dialogue, une fois Rosine sortie, se maintient-il dans la même tonalité ? Quelles consignes de jeu donneriez-vous aux acteurs pour jouer la scène 13 ?

8. Commentez la didascalie finale de l'acte.

PERSONNAGES : où chacun reprend sa place

9. À quel moment le Comte abandonne-t-il son rôle de bachelier ? Relevez la réplique significative qui le marque et étudiez-en le langage.

10. Que pensez-vous de la réaction de Rosine ? Pourquoi Beaumarchais lui fait-il adopter ce ton ? À qui parle-t-elle ?

11. Pourquoi Figaro ne dit-il plus rien dans la dernière partie de la scène 12 ?

12. Étudiez précisément le monologue de Bartholo, scène 14 : rythme, ton, vocabulaire. À qui s'adresse-t-il ? Quels gestes lui prêtez-vous ? L'idée que vous vous faisiez du personnage se trouve-t-elle modifiée ? Quel intérêt y-a-t-il à terminer l'acte sur ce monologue ?

THÈMES : « il est fou, il est fou... »

13. Bazile est « malade », un peu délirant peut-être, comme le suggère Figaro dans la scène 12, Bartholo est « fou ». Faut-il accorder de l'importance à ce thème de la folie qui parcourt les trois scènes ou n'y voir qu'une ressource comique ? Que pourrait signifier le thème de la folie dans cette pièce ?

DRAMATURGIE : un mécanisme d'horlogerie bien réglé

L'acte III rebondit de scène en scène. Tous les acteurs sont même réunis dans une scène bouffonne qui se trouve être le sommet de l'acte et, si l'on en croit Beaumarchais, un des sommets de l'œuvre. Mais à la fin, brutalement, quand on pouvait croire tout arrangé, surgit le coup de théâtre qui laisse les spectateurs dans l'expectative.

1. Observez les entrées et les sorties des personnages : quelles conclusions pouvez-vous en tirer du point de vue de la construction de l'acte ?

2. Pourquoi les trois complices se permettent-ils de défier Bartholo, alors que leur machination a été découverte ? Quelles sont, du point de vue de l'action, les scènes essentielles ?

3. Quelles sont les attentes des spectateurs à la fin de cet acte ?

REGISTRES ET TONALITÉS : un feu d'artifice comique

Le comique domine incontestablement l'acte III : jeux de scène en tous genres, déguisements, bons mots s'enchaînent sans relâche.

4. Relevez et classez les différentes sortes de comique qui apparaissent au cours de l'acte. Commentez cette variété.

5. Quels sont les temps forts du comique dans cet acte ? Qui mettent-ils en valeur ? Ont-ils une signification particulière ?

6. Même si l'on admet qu'il est rare qu'une comédie observe une stricte vraisemblance, n'y a-t-il pas ici un excès d'invraisemblance ? Quel effet le ballet des personnages, les jeux de scènes, la musique, tous les procédés utilisés produisent-ils sur les spectateurs ? et sur Bartholo ?

PERSONNAGES : les deux rivaux en présence

C'est Bartholo qui ouvre et qui clôt l'acte, comme Rosine l'avait fait pour le précédent. En proie à la fureur, il ne parvient pas à contrebalancer l'habileté du Comte. L'acte repose plus que jamais sur leur affrontement, avec Figaro comme maître d'ouvrage.

7. Vous confronterez les deux monologues du barbon pour mettre en évidence l'état d'esprit du personnage. Dans les deux cas, est-il conforme à ce que le spectateur attend de lui, en fonction du type théâtral auquel il renvoie ?

8. Peut-on pour autant penser que l'acte III est celui de Bartholo ? Le Comte n'est-il pas lui aussi mis en valeur ? Que pensez-vous de son personnage, des rôles que Beaumarchais lui fait jouer ? Là encore, remplit-il les conditions d'un « jeune amoureux » typique ?

9. En quoi Figaro est-il indispensable ?

THÈMES : la clef des champs

Rosine avait appelé Bartholo son Argus (acte II, scène 1) : cet acte, qui montre combien il est difficile d'enfermer quelqu'un, établit par le rire la liberté comme valeur essentielle.

10. Quels sont les meilleurs moyens pour déjouer la surveillance et détourner les soupçons du tyran ?

11. La musique est essentielle dans cet acte : quel rôle joue-t-elle dans la libération de Rosine ? La chanson de Bartholo n'a-t-elle pas aussi quelque chose à voir avec la liberté ?

ACTE IV

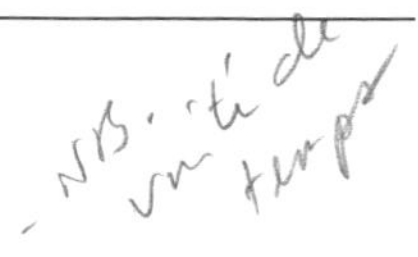

Le théâtre est obscur.

SCÈNE PREMIÈRE. BARTHOLO, DON BAZILE, *une lanterne de papier à la main.*

BARTHOLO. Comment, Bazile, vous ne le connaissez pas ! Ce que vous dites est-il possible ?

BAZILE. Vous m'interrogeriez cent fois, que je vous ferais toujours la même réponse. S'il vous a remis la lettre de
5 Rosine, c'est sans doute un des émissaires du comte. Mais, à la magnificence du présent qu'il m'a fait, il se pourrait que ce fût le comte lui-même.

BARTHOLO. Quelle apparence[1] ? Mais, à propos de ce présent, eh ! pourquoi l'avez-vous reçu ?

10 **BAZILE.** Vous aviez l'air d'accord ; je n'y entendais rien ; et dans les cas difficiles à juger, une bourse d'or me paraît toujours un argument sans réplique. Et puis, comme dit le proverbe, ce qui est bon à prendre...

BARTHOLO. J'entends[2], est bon...

15 **BAZILE.** À garder[3].

BARTHOLO, *surpris.* Ah ! ah !

BAZILE. Oui, j'ai arrangé comme cela plusieurs petits proverbes avec des variations. Mais allons au fait ; à quoi vous arrêtez-vous ?

20 **BARTHOLO.** En ma place, Bazile, ne feriez-vous pas les derniers efforts pour la posséder ?

BAZILE. Ma foi non, docteur. En toute espèce de biens, posséder est peu de chose ; c'est jouir qui rend heureux :

1. **Apparence :** vraisemblance.
2. **J'entends :** je comprends.
3. Le proverbe est en fait « ce qui est bon à prendre est bon à rendre ». On retrouve ce goût des détournements de proverbes dans *Le Mariage de Figaro.*

mon avis est qu'épouser une femme dont on n'est point
25 aimé, c'est s'exposer...

BARTHOLO. Vous craindriez les accidents ?

BAZILE. Hé, hé, monsieur... on en voit beaucoup cette année. Je ne ferais point violence à son cœur.

BARTHOLO. Votre valet[1], Bazile. Il vaut mieux qu'elle
30 pleure de m'avoir, que moi je meure de ne l'avoir pas...

BAZILE. Il y va de la vie ? Épousez, docteur, épousez.

BARTHOLO. Aussi ferai-je, et cette nuit même.

BAZILE. Adieu donc. Souvenez-vous, en parlant à la pupille, de les rendre tous[2] plus noirs que l'enfer.

35 **BARTHOLO.** Vous avez raison.

BAZILE. La calomnie, docteur, la calomnie ! Il faut toujours en venir là.

BARTHOLO. Voici la lettre de Rosine, que cet Alonzo m'a remise, et il m'a montré, sans le vouloir, l'usage que j'en dois
40 faire auprès d'elle.

BAZILE. Adieu, nous serons tous ici à quatre heures[3].

BARTHOLO. Pourquoi pas plus tôt ?

BAZILE. Impossible, le notaire est retenu.

BARTHOLO. Pour un mariage ?

45 **BAZILE.** Oui, chez le barbier Figaro ; c'est sa nièce qu'il marie.

BARTHOLO. Sa nièce ? Il n'en a pas.

BAZILE. Voilà ce qu'ils ont dit au notaire.

BARTHOLO. Ce drôle est du complot... Que diable !...

45 **BAZILE.** Est-ce que vous penseriez ?...

1. Raccourci pour « Je suis votre valet », expression qui marque qu'on n'est pas d'accord avec quelqu'un en lui signifiant ironiquement son respect.
2. **Tous :** tous les hommes, tous les galants.
3. Du matin.

SITUER

L'acte IV commence dans une atmosphère de conspiration, pendant que l'orage gronde au dehors. Tout se dénouera dans l'appartement de Rosine. Bartholo rentre avec Bazile qu'il voulait envoyer chercher à la fin de l'acte précédent : il faut comprendre et réagir.

RÉFLÉCHIR

GENRES : glissement vers le drame

1. Quel est l'intérêt des notations sur le temps et l'heure ? Quels autres éléments contribuent à établir l'atmosphère particulière de ce début d'acte ?

2. La discussion sur le bien-fondé du mariage semble retarder l'action : quel est son intérêt dramaturgique ?

3. Pourquoi faire évoquer à Bazile la possibilité qu'Alonzo soit le Comte lui-même, puisque Bartholo ne s'y arrête même pas ?

4. Montrez comment toutes les « précautions » (notez que le mot est employé dans la scène) sont prises pour la réussite de l'entreprise. Quels éléments permettent cependant de deviner des pistes de résolution satisfaisante pour les amoureux ?

PERSONNAGES : deux rusés compères

5. « Il vaut mieux qu'elle pleure de m'avoir, que moi je meure de ne l'avoir pas » (l. 30-31) . derrière la formulation axiologique (énonçant ce qui est bien, juste), qu'est-ce qui est ici en jeu ? L'état d'esprit de Bartholo s'est bien modifié depuis la fin de l'acte III : comment l'expliquer ?

6. Le proverbe modifié par Bazile se rapporte à la bourse qu'il a acceptée du Comte : s'applique-t-il seulement à lui ?

7. Les réflexions de Bazile sont surprenantes dans sa bouche. Sur quel ton le feriez-vous parler ? À quel moment revient-il à son caractère ?

8. À partir du moment où la décision est confirmée, comment se développe le dialogue entre Bartholo et Bazile ? Qu'est-ce qui, dans le style, met en évidence leur complicité ?

THÈMES : chacun pour soi

9. Analysez précisément les répliques des lignes 22 à 31. Cette philosophie ne conviendrait-elle pas mieux à Figaro ? Pourquoi ?

10. Que pensez-vous de cette opposition entre « possession » et « jouissance » ? À quels autres domaines peut-on l'appliquer ? Dans quelle mesure constitue-t-elle un élément de critique sociale ?

11. On trouve dans le langage de Bazile, plusieurs expressions en rapport avec l'enfer : relevez les et essayez de les relier au thème de la calomnie et à l'ensemble du personnage.

ÉCRIRE

12. Cherchez plusieurs proverbes que vous détournerez en prenant modèle sur Bazile. Il faut naturellement que le résultat soit non seulement amusant mais porteur de sens dans un contexte que vous préciserez sommairement.

Pour vous aider, voici un autre proverbe avec lequel Beaumarchais joue dans *Le Mariage de Figaro* : « Tant va la cruche à l'eau qu'à la fin elle se casse » devient : « Tant va la cruche à l'eau qu'à la fin elle s'emplit ». Le sens ici est grivois, puisqu'il s'agit de dire ce à quoi s'expose une fille légère.

BARTHOLO. Ma foi, ces gens-là sont si alertes[1] ! Tenez, mon ami, je ne suis pas tranquille. Retournez chez le notaire. Qu'il vienne ici sur-le-champ avec vous.

BAZILE. Il pleut, il fait un temps du diable ; mais rien ne
50 m'arrête pour vous servir. Que faites-vous donc ?

BARTHOLO. Je vous reconduis : n'ont-ils pas fait estropier tout mon monde par ce Figaro ! Je suis seul ici.

BAZILE. J'ai ma lanterne.

BARTHOLO. Tenez, Bazile, voilà mon passe-partout ; je
55 vous attends, je veille et vienne qui voudra, hors le notaire et vous, personne n'entrera de la nuit.

BAZILE. Avec ces précautions, vous êtes sûr de votre fait.

SCÈNE 2. ROSINE, *seule, sortant de sa chambre.*

Il me semblait avoir entendu parler. Il est minuit sonné ; Lindor ne vient point ! Ce mauvais temps même était propre à le favoriser. Sûr de ne rencontrer personne… Ah ! Lindor ! si vous m'aviez trompée !… Quel bruit entends-je ?…
5 Dieux ! c'est mon tuteur. Rentrons.

SCÈNE 3. ROSINE, BARTHOLO.

BARTHOLO *rentre avec de la lumière.* Ah ! Rosine, puisque vous n'êtes pas encore rentrée dans votre appartement…

ROSINE. Je vais me retirer.

BARTHOLO. Par le temps affreux qu'il fait, vous ne repo-
5 serez pas, et j'ai des choses très pressées à vous dire.

ROSINE. Que voulez-vous, monsieur ? N'est-ce donc pas assez d'être tourmentée le jour ?

1. **Alertes :** prompts à agir.

BARTHOLO. Rosine, écoutez-moi.

ROSINE. Demain je vous entendrai.

10 **BARTHOLO.** Un moment, de grâce !

ROSINE, *à part.* S'il allait venir !

BARTHOLO *lui montre sa lettre.* Connaissez-vous cette lettre ?

ROSINE *la reconnaît.* Ah ! grands dieux !

15 **BARTHOLO.** Mon intention, Rosine, n'est point de vous faire de reproches : à votre âge, on peut s'égarer ; mais je suis votre ami ; écoutez-moi.

ROSINE. Je n'en puis plus.

BARTHOLO. Cette lettre que vous avez écrite au comte
20 Almaviva...

ROSINE, *étonnée.* Au comte Almaviva ?

BARTHOLO. Voyez quel homme affreux est ce comte : aussitôt qu'il l'a reçue, il en a fait trophée[1]. Je la tiens d'une femme à qui il l'a sacrifiée.

25 **ROSINE.** Le comte Almaviva !

BARTHOLO. Vous avez peine à vous persuader cette horreur. L'inexpérience, Rosine, rend votre sexe confiant et crédule ; mais apprenez dans quel piège on vous attirait. Cette femme m'a fait donner avis de tout, apparemment
30 pour écarter une rivale aussi dangereuse que vous. J'en frémis ! Le plus abominable complot entre Almaviva, Figaro et cet Alonzo, cet élève supposé de Bazile qui porte un autre nom, et n'est que le vil agent du comte, allait vous entraîner dans un abîme dont rien n'eût pu vous tirer.

1. **Il en a fait trophée :** il s'en est vanté publiquement. Le *trophée* était dans l'Antiquité l'armure du vaincu que le vainqueur suspendait à un arbre en signe de triomphe. Bartholo essaie de faire croire à Rosine qu'elle n'est qu'une conquête dont le Comte se vante.

SITUER

Une courte apparition de Rosine fait monter la tension, d'autant plus que la scène est obscure pendant ce temps. Bartholo la surprend et en profite pour réaliser son plan. La fameuse lettre reparaît. Tout peut basculer.

RÉFLÉCHIR

DRAMATURGIE : un nœud* bien serré

1. Étudiez la composition de cette scène en marquant ses articulations. La péripétie est-elle une surprise pour les spectateurs ? À quoi tient son effet ?

2. Les spectateurs sont venus voir une comédie ; ils savent que tout se terminera bien. D'où vient alors la tension dramatique de la scène ? Relevez le mot qui en marque l'acmè*.

3. Apparemment, Bartholo ne peut plus échouer : il a appris que la clef de la jalousie est entre les mains des comploteurs. Pourtant Beaumarchais prépare le coup de théâtre final : quelles sont les erreurs de Bartholo ?

STRATÉGIES : où Bartholo triomphe

4. Montrez comment l'évolution psychologique des deux personnages s'inverse au fur et à mesure du déroulement de la discussion.

5. Le ton de Bartholo pendant toute cette scène est-il celui que l'on pouvait attendre ? Comment l'expliquer ? Commentez le passage au tutoiement : le moment, la signification pour Rosine.

6. Étudiez précisément le récit (réparti sur plusieurs répliques) de Bartholo expliquant comment la lettre se trouve entre ses mains. Montrez en quoi les interruptions de Rosine orientent ce récit.

7. Parvient-il à contenir son sentiment de triomphe jusqu'à la fin devant Rosine ? Que dire de sa dernière réplique en sa présence ? et du dernier mot : « À la fin je la tiens » ?

PERSONNAGES : l'orage intérieur

8. Bartholo rappelle au début le « temps affreux qu'il fait ». Est-ce innocent de la part de Beaumarchais ? Rosine est précipitée dans un état de confusion affreux que le Comte, lui, ne connaîtra pas. Comment expliquez cette différence de traitement ?

9. Relevez dans les répliques de la jeune fille les mots qui ont une tonalité tragique. En particulier expliquez et commentez cette exclamation : « Ah, je m'en punis assez ! »

10. Deux monologues de Rosine encadrent cette scène : comparez-les. Quelle information importante pour l'action est donnée dans le second ?

THÈMES : un grand seigneur méchant homme ?

11. Quelle image du noble comte Almaviva est donnée dans cette scène ? Quel fait de civilisation peut expliquer que ce soit crédible et que Rosine soit si aisément convaincue ?

12. Qu'est-ce qui, sur le plan social, explique le plaisir que prend Bartholo à détailler la trahison du Comte ?

ÉCRIRE

13. À la fin de la scène, Bartholo est parti s'embusquer : il est très content de lui. Imaginez ce qu'il se raconte à lui-même pendant ce temps d'attente.

ROSINE, *accablée.* Quelle horreur !... quoi ! Lindor !... quoi ! ce jeune homme !

BARTHOLO, *à part.* Ah ! c'est Lindor.

ROSINE. C'est pour le comte Almaviva... C'est pour un autre...

BARTHOLO. Voilà ce qu'on m'a dit en me remettant votre lettre.

ROSINE, *outrée.* Ah ! quelle indignité !... Il en sera puni. – Monsieur, vous avez désiré de m'épouser ?

BARTHOLO. Tu connais la vivacité de mes sentiments.

ROSINE. S'il peut vous en rester encore, je suis à vous.

BARTHOLO. Eh bien ! le notaire viendra cette nuit même.

ROSINE. Ce n'est pas tout. Ô ciel ! suis-je assez humiliée !... Apprenez que dans peu le perfide ose entrer par cette jalousie, dont ils ont eu l'art de vous dérober la clef.

BARTHOLO, *regardant au trousseau.* Ah ! les scélérats ! Mon enfant, je ne te quitte plus.

ROSINE, *avec effroi.* Ah ! monsieur ! et s'ils sont armés ?

BARTHOLO. Tu as raison : je perdrais ma vengeance. Monte chez Marceline ; enferme-toi chez elle à double tour. Je vais chercher main-forte, et l'attendre auprès de la maison. Arrêté comme voleur[1], nous aurons le plaisir d'en être à la fois vengés et délivrés ! Et compte que mon amour te dédommagera...

ROSINE, *au désespoir.* Oubliez seulement mon erreur. *(À part.)* Ah ! je m'en punis assez.

BARTHOLO, *s'en allant.* Allons nous embusquer. À la fin je la tiens.

(Il sort.)

1. Se rapporte au complément *en* et non au sujet ; construction incorrecte aujourd'hui.

SCÈNE 4. ROSINE, *seule.*

Son amour me dédommagera !... Malheureuse !... *(Elle tire son mouchoir et s'abandonne aux larmes.)* Que faire ?... Il va venir. Je veux rester et feindre avec lui, pour le contempler un moment dans toute sa noirceur. La bassesse de son
5 procédé sera mon préservatif[1]... Ah ! j'en ai grand besoin. Figure noble, air doux, une voix si tendre !... et ce n'est que le vil agent d'un corrupteur ! Ah ! malheureuse ! Ciel !... on ouvre la jalousie !

(Elle se sauve.)

SCÈNE 5. LE COMTE ; FIGARO, *enveloppé d'un manteau, paraît à la fenêtre.*

FIGARO *parle en dehors.* Quelqu'un s'enfuit ; entrerai-je ?

LE COMTE, *en dehors.* Un homme ?

FIGARO. Non.

LE COMTE. C'est Rosine, que ta figure[2] atroce aura mise en
5 fuite.

FIGARO *saute dans la chambre.* Ma foi, je le crois... Nous voici enfin arrivés, malgré la pluie, la foudre et les éclairs.

LE COMTE, *enveloppé d'un long manteau.* Donne-moi la main. *(Il saute à son tour.)* À nous la victoire !

10 **FIGARO** *jette son manteau.* Nous sommes tout percés. Charmant temps, pour aller en bonne fortune[3] ! Monseigneur, comment trouvez-vous cette nuit ?

LE COMTE. Superbe pour un amant.

FIGARO. Oui, mais pour un confident ?... Et si quelqu'un
15 allait nous surprendre ici ?

1. **Mon préservatif :** ce qui me préservera (de l'amour pour le Comte et de la tentation de lui pardonner).
2. **Figure :** forme extérieure du corps.
3. **Aller en bonne fortune :** aller à un rendez-vous galant.

LE COMTE. N'es-tu pas avec moi ? J'ai bien une autre inquiétude : c'est de la déterminer à quitter sur-le-champ la maison du tuteur.

FIGARO. Vous avez pour vous trois passions toutes-puissantes
20 sur le beau sexe : l'amour, la haine et la crainte.

LE COMTE *regarde dans l'obscurité.* Comment lui annoncer brusquement que le notaire l'attend chez toi pour nous unir ? Elle trouvera mon projet bien hardi : elle va me nommer audacieux.

25 **FIGARO.** Si elle vous nomme audacieux, vous l'appellerez cruelle. Les femmes aiment beaucoup qu'on les appelle cruelles. Au surplus, si son amour est tel que vous le désirez, vous lui direz qui vous êtes ; elle ne doutera plus de vos sentiments.

SCÈNE 6. LE COMTE, ROSINE, FIGARO

(Figaro allume toutes les bougies qui sont sur la table.)

LE COMTE. La voici. Ma belle Rosine !...

ROSINE *d'un ton très composé*[1]. Je commençais, monsieur, à craindre que vous ne vinssiez pas.

LE COMTE. Charmante inquiétude !... Mademoiselle, il ne
5 me convient point d'abuser des circonstances pour vous proposer de partager le sort d'un infortuné ; mais quelque asile que vous choisissiez, je jure mon honneur...

ROSINE. Monsieur, si le don de ma main n'avait pas dû suivre à l'instant celui de mon cœur, vous ne seriez pas ici.
10 Que la nécessité justifie à vos yeux ce que cette entrevue a d'irrégulier !

1. **Composé :** étudié, travaillé. On parle pour les acteurs d'un *rôle de composition* quand ils jouent un personnage qui va contre leur personnalité ou leur physique.

LE COMTE. Vous, Rosine ! la compagne d'un malheureux ! sans fortune, sans naissance !...

ROSINE. La naissance, la fortune ! Laissons là les jeux du
15 hasard[1] et si vous m'assurez que vos intentions sont pures...

LE COMTE, *à ses pieds.* Ah ! Rosine ! je vous adore !...

ROSINE, *indignée.* Arrêtez, malheureux !... vous osez profaner[2] !... Tu m'adores !... Va ! tu n'es plus dangereux pour moi ; j'attendais ce mot pour te détester. Mais avant
20 de t'abandonner au remords qui t'attend *(en pleurant)*, apprends que je t'aimais ; apprends que je faisais mon bonheur de partager ton mauvais sort. Misérable Lindor ! j'allais tout quitter pour te suivre. Mais le lâche abus que tu as fait de mes bontés, et l'indignité de cet affreux
25 comte Almaviva, à qui tu me vendais, ont fait rentrer dans mes mains ce témoignage de ma faiblesse. Connais-tu cette lettre ?

LE COMTE, *vivement.* Que votre tuteur vous a remise ?

ROSINE, *fièrement.* Oui, je lui en ai l'obligation.

30 **LE COMTE.** Dieux ! que je suis heureux ! Il la tient de moi. Dans mon embarras, hier, je m'en suis servi pour arracher sa confiance et je n'ai pu trouver l'instant de vous en informer. Ah ! Rosine, il est donc vrai que vous m'aimez véritablement !

FIGARO. Monseigneur, vous cherchiez une femme qui vous
35 aimât pour vous-même...

ROSINE. Monseigneur !... Que dit-il ?

LE COMTE, *jetant son large manteau, paraît en habit magnifique.* Ô la plus aimée des femmes ! il n'est plus temps de vous abuser : l'heureux homme que vous voyez à vos

---

1. Rosine veut dire que la condition sociale, en particulier la noblesse (la naissance) et la fortune, ne sont que le fait du hasard et ne méritent pas d'être pris en considération en face du mérite.
2. **Profaner** : violer le respect dû à quelqu'un ou à quelque chose d'admirable ; ici l'amour.

SITUER

Contrairement aux instructions de Bartholo, Rosine est restée dans la pièce dont elle n'est sortie qu'à l'arrivée du Comte et de Figaro. Ceux-ci discutent de la suite des événements. Elle n'a plus qu'à paraître.

RÉFLÉCHIR

DRAMATURGIE : un coup de théâtre éclatant

1. Relevez les indications importantes pour la mise en scène qui sont données dans la scène 5 et dans le début de la scène 6 ? Quelle atmosphère est ainsi créée ?

2. Rosine était restée, disait-elle, pour confondre « le vil agent d'un corrupteur » : montrez, au vu de ses premières répliques et des didascalies qui les précèdent, comment elle exécute ce programme.

3. Comment réagit le Comte à ces paroles ? Est-il dans le ton ? Pourquoi ne dit-il pas à Rosine, dès qu'elle lui remet la lettre, qu'il est Almaviva ?

4. Beaumarchais met soigneusement en valeur la péripétie qui retourne la situation : relevez et commentez les moyens employés. Peut-on déjà parler de dénouement* ? Quel est l'effet du double rebondissement final ?

GENRES : le moment romanesque

5. Étudiez les variations des termes employés par le Comte au début : « ma belle Rosine », « mademoiselle », « Rosine ». Pourquoi se qualifie-t-il d'« infortuné » et insiste-t-il sur cette infortune ?

6. Variations du côté de Rosine : vous étudierez les appellatifs qu'elle emploie et les variations de personne (vouvoiement, tutoiement) dans son discours.

7. Que pensez-vous du dévoilement du Comte ? De quel genre littéraire pouvez-vous rapprocher le procédé ?

8. En quoi peut-on parler d'une scène romanesque ?

PERSONNAGES : le triomphe de l'amour

9. Étudiez précisément la déclaration indignée de Rosine : « Arrêtez, malheureux... » : le ton, le rythme des paroles, les termes employés. Comment se manifeste la sincérité de son amour ? Quel effet sur les spectateurs Beaumarchais vise-t-il ?

10. Rosine se retrouve deux fois entre les bras du Comte : à quels moments ? Pourquoi ne pas montrer tout simplement une étreinte amoureuse ?

11. Pourquoi Beaumarchais fait-il rappeler par Figaro le fait que le grand seigneur voulait être aimé pour lui même ? Cela contredit-il l'ostentation de la pose et du costume d'Almaviva ?

THÈMES : « la douce émotion de la joie »

12. Pourquoi, au moment où Rosine s'évanouit, le Comte interpelle-t-il Figaro ? Que penser de la réponse de celui-ci ?

13. Quel est l'intérêt de parler de punition en ce moment de joie ? et surtout de se justifier par une phrase généralisante : « le plus affreux supplice [...] pour aimer » ?

14. Le dernier échange de répliques concerne Bartholo : que traduit la différence d'attitude entre les deux personnages ?

DIRE

15. Figaro raconte et commente, en rentrant chez lui, la scène à laquelle il vient d'assister.

40 pieds n'est point Lindor ; je suis le comte Almaviva, qui meurt d'amour et vous cherche en vain depuis six mois.

ROSINE *tombe dans les bras du Comte.* Ah !…

LE COMTE, *effrayé.* Figaro !

FIGARO. Point d'inquiétude, monseigneur : la douce
45 émotion de la joie n'a jamais de suites fâcheuses ; la voilà, la voilà qui reprend ses sens. Morbleu[1] ! qu'elle est belle !

ROSINE. Ah ! Lindor !… Ah ! monsieur ! que je suis coupable ! j'allais me donner cette nuit même à mon tuteur.

50 **LE COMTE.** Vous, Rosine !

ROSINE. Ne voyez que ma punition ! J'aurais passé ma vie à vous détester. Ah ! Lindor ! le plus affreux supplice n'est-il pas de haïr, quand on sent qu'on est faite pour aimer ?

FIGARO *regarde à la fenêtre.* Monseigneur, le retour[2] est
55 fermé ; l'échelle est enlevée.

LE COMTE. Enlevée !

ROSINE, *troublée.* Oui, c'est moi… c'est le docteur. Voilà le fruit de ma crédulité. Il m'a trompée. J'ai tout avoué, tout trahi : il sait que vous êtes ici, et va venir avec main-forte.

60 **FIGARO** *regarde encore.* Monseigneur ! on ouvre la porte de la rue.

ROSINE, *courant dans les bras du Comte avec frayeur.* Ah ! Lindor !…

LE COMTE, *avec fermeté.* Rosine, vous m'aimez. Je ne
65 crains personne ; et vous serez ma femme. J'aurai donc le plaisir de punir à mon gré l'odieux vieillard !…

ROSINE. Non, non ; grâce pour lui, cher Lindor ! Mon cœur est si plein que la vengeance ne peut y trouver place.

---

1. **Morbleu :** par la mort de Dieu (juron).
2. **Le retour :** la voie du retour (métonymie).

SCÈNE 7. LE NOTAIRE, DON BAZILE, LES ACTEURS PRÉCÉDENTS.

FIGARO. Monseigneur, c'est notre notaire.

LE COMTE. Et l'ami Bazile avec lui !

BAZILE. Ah ! qu'est-ce que j'aperçois ?

FIGARO. Eh ! par quel hasard, notre ami ?...

BAZILE. Par quel accident, messieurs ?...

LE NOTAIRE. Sont-ce là les futurs conjoints ?

LE COMTE. Oui, monsieur. Vous deviez unir la signora Rosine et moi cette nuit chez le barbier Figaro ; mais nous avons préféré cette maison pour des raisons que vous saurez. Avez-vous notre contrat ?

LE NOTAIRE. J'ai donc l'honneur de parler à Son Excellence monsieur le comte Almaviva ?

FIGARO. Précisément.

BAZILE, *à part.* Si c'est pour cela qu'il m'a donné le passe-partout...

LE NOTAIRE. C'est que j'ai deux contrats de mariage, monseigneur. Ne confondons point : voici le vôtre ; et c'est ici celui du seigneur Bartholo avec la signora... Rosine aussi ? Les demoiselles apparemment sont deux sœurs qui portent le même nom.

LE COMTE. Signons toujours. Don Bazile voudra bien nous servir de second témoin. *(Ils signent.)*

BAZILE. Mais, Votre Excellence..., je ne comprends pas...

LE COMTE. Mon maître Bazile, un rien vous embarrasse, et tout vous étonne.

BAZILE. Monseigneur... Mais si le docteur...

LE COMTE, *lui jetant une bourse.* Vous faites l'enfant ! Signez donc vite.

BAZILE, *étonné.* Ah ! ah !...

FIGARO. Où donc est la difficulté de signer ?

BAZILE, *pesant la bourse.* Il n'y en a plus. Mais c'est que moi, quand j'ai donné ma parole une fois, il faut des motifs d'un grand poids…

(Il signe.)

SCÈNE 8. BARTHOLO, UN ALCADE[1], DES ALGUAZILS[2], DES VALETS *avec des flambeaux et* LES ACTEURS PRÉCÉDENTS.

BARTHOLO *voit le Comte baiser la main de Rosine et Figaro qui embrasse grotesquement don Bazile ; il crie en prenant le notaire à la gorge.* Rosine avec ces fripons ! Arrêtez tout le monde. J'en tiens un au collet.

5 **LE NOTAIRE.** C'est votre notaire.

BAZILE. C'est votre notaire. Vous moquez-vous ?

BARTHOLO. Ah ! don Bazile ! eh ! comment êtes-vous ici ?

BAZILE. Mais plutôt vous, comment n'y êtes-vous pas ?

L'ALCADE, *montrant Figaro.* Un moment ! je connais
10 celui-ci. Que viens-tu faire en cette maison, à des heures indues ?

FIGARO. Heure indue ? Monsieur voit bien qu'il est aussi près du matin que du soir. D'ailleurs, je suis de la compagnie de Son Excellence monseigneur le comte Almaviva.

15 **BARTHOLO.** Almaviva !

L'ALCADE. Ce ne sont donc pas des voleurs ?

BARTHOLO. Laissons cela. Partout ailleurs, monsieur le comte, je suis le serviteur de Votre Excellence ; mais vous sentez que la supériorité du rang est ici sans force. Ayez, s'il
20 vous plaît, la bonté de vous retirer.

1. **Alcade :** juge de paix en Espagne.
2. **Alguazils :** gendarmes dans le même pays.

LE COMTE. Oui, le rang doit être ici sans force ; mais ce qui en a beaucoup est la préférence que mademoiselle vient de m'accorder sur vous, en se donnant à moi volontairement.

BARTHOLO. Que dit-il, Rosine ?

25 **ROSINE.** Il dit vrai. D'où naît votre étonnement ? Ne devais-je pas, cette nuit même, être vengée d'un trompeur ? Je le suis.

BAZILE. Quand je vous disais que c'était le comte lui-même, docteur ?

30 **BARTHOLO.** Que m'importe à moi ? Plaisant mariage ! Où sont les témoins ?

LE NOTAIRE. Il n'y manque rien. Je suis assisté de ces deux messieurs.

BARTHOLO. Comment, Bazile ! vous avez signé ?

35 **BAZILE.** Que voulez-vous ! Ce diable d'homme a toujours ses poches pleines d'arguments irrésistibles.

BARTHOLO. Je me moque de ses arguments. J'userai de mon autorité.

LE COMTE. Vous l'avez perdue en en abusant.

40 **BARTHOLO.** La demoiselle est mineure.

FIGARO. Elle vient de s'émanciper[1].

BARTHOLO. Qui te parle à toi, maître fripon ?

LE COMTE. Mademoiselle est noble et belle ; je suis homme de qualité, jeune et riche ; elle est ma femme ; à ce titre qui
45 nous honore également, prétend-on me la disputer ?

BARTHOLO. Jamais on ne l'ôtera de mes mains.

LE COMTE. Elle n'est plus en votre pouvoir. Je la mets sous l'autorité des lois ; et monsieur, que vous avez amené vous-même, la protégera contre la violence que vous voulez lui

1. **S'émanciper :** échapper à l'autorité des parents ou tuteurs quand on est mineur ; le mariage est une cause automatique d'émancipation.

SITUER

Émus et attendris par l'amour des deux jeunes gens, les spectateurs sont ramenés dans le feu de l'action. Bartholo n'a pas dit son dernier mot et Bazile avait promis de faire diligence : quel sera le nouvel obstacle à surmonter ?

RÉFLÉCHIR

GENRES : la comédie reprend ses droits

1. Pourquoi Bartholo, ayant enlevé l'échelle, n'est-il pas là pour accueillir Bazile et le notaire ? Retrouvez l'indication qui l'explique et montrez comment Beaumarchais remet ensuite les choses au clair. Est-ce vraisemblable ?

2. L'atmosphère de ces deux scènes est complètement différente : quels sont les éléments qui y contribuent ? Commentez notamment les didascalies initiales de la scène 8.

3. Toutes deux commencent par un moment d'étonnement des personnages. Comment se distribuent et s'organisent les répliques ?

4. Dégagez les différents mouvements de la scène 8. Comment l'intérêt et le rire sont-ils relancés ?

5. La scène 8 est la dernière confrontation entre le Comte et Bartholo : qu'y a-t-il de nouveau ? Comment Bartholo réagit-il devant le grand seigneur ? Commentez précisément l'échange à trois (l. 37-42, de : « BARTHOLO. Je me moque [...] » à : « BARTHOLO. [...] maître fripon ? ») ?

6. Rosine intervient très peu dans cette scène. Pourquoi, à votre avis ?

PERSONNAGES : la déconfiture de Bartholo

7. Quel est le rôle de Bazile dans l'action ? Quel est l'intérêt de ses remarques, qu'elles soient en aparté ou ouvertes ?

8. Par quels états différents passe Bartholo au cours de la scène 8 ? Beaumarchais s'arrange pour qu'il soit ridicule à la fin : comment ? Était-il nécessaire que Figaro se moque ouvertement de lui ?

9. Pourquoi ne s'adresse-t-il qu'une fois à Rosine et ne lui réplique-t-il pas ?

THÈMES : la justice rétablie

10. Avec l'Alcade, Beaumarchais introduit un représentant de la justice. Quel est l'intérêt de cette intervention ? Nuit-elle à la comédie ?

11. Que pensez-vous de la remarque : « Les vrais magistrats sont les soutiens de tous ceux qu'on opprime » ? Qui entend-on ici ?

12. L'étudiant Lindor a bien disparu : pourquoi Beaumarchais met-il en relief la grandeur et la noblesse du Comte ?

13. L'accusation formulée contre Bartholo est-elle confirmée par le reste de la pièce ? À quoi tend-elle ?

14. C'est Figaro qui a le dernier mot : pourquoi ce rappel de *La Précaution inutile* ? Que signifie l'opposition : « faute de soins » / « faute de sens » ?

ÉCRIRE

15. Il y a peu de didascalies dans la scène 8. Vous devez diriger les acteurs : quelles indications leur donnez-vous pour utiliser la foule des personnages présents, sans pour autant que tout devienne confus ? Comment voyez-vous les mouvements, en particulier autour de Bartholo ? Vous rédigerez une fiche en recourant éventuellement à un (ou plusieurs) croquis.

50 faire. Les vrais magistrats sont les soutiens de tous ceux qu'on opprime.

L'ALCADE. Certainement. Et cette inutile résistance au plus honorable mariage indique assez sa frayeur sur la mauvaise administration des biens de sa pupille, dont il faudra qu'il 55 rende compte.

LE COMTE. Ah ! qu'il consente à tout, et je ne lui demande rien.

FIGARO. Que la quittance[1] de mes cent écus : ne perdons pas la tête.

60 **BARTHOLO,** *irrité.* Ils étaient tous contre moi ; je me suis fourré la tête dans un guêpier.

BAZILE. Quel guêpier ? Ne pouvant avoir la femme, calculez, docteur, que l'argent vous reste ; et…

BARTHOLO. Eh ! laissez-moi donc en repos, Bazile ! Vous 65 ne songez qu'à l'argent. Je me soucie bien de l'argent, moi ! À la bonne heure, je le garde, mais croyez-vous que ce soit le motif qui me détermine ? *(Il signe.)*

FIGARO, *riant.* Ah ! ah ! ah ! monseigneur ! ils sont de la même famille.

70 **LE NOTAIRE.** Mais, messieurs, je n'y comprends plus rien. Est-ce qu'elles ne sont pas deux demoiselles qui portent le même nom ?

FIGARO. Non, monsieur, elles ne sont qu'une.

BARTHOLO, *se désolant.* Et moi qui leur ai enlevé l'échelle 75 pour que le mariage fût plus sûr ! Ah ! je me suis perdu faute de soins.

FIGARO. Faute de sens. Mais soyons vrais, docteur : quand la jeunesse et l'amour sont d'accord pour tromper un vieillard, tout ce qu'il fait pour l'empêcher peut bien s'appeler à bon 80 droit *La Précaution inutile.*

1. **Quittance :** reçu.

DRAMATURGIE : un dénouement endiablé

Après un acte III long et détendu par la musique, l'action se précipite. Le bruit de l'orage a remplacé les chansons, Bartholo a repris les choses en mains et Rosine risque de se perdre à croire son tuteur. Il faut bien des péripéties pour défaire cet imbroglio*.

1. Relevez et classez (selon qu'ils sont d'ordre psychologique ou matériel) les éléments qui jouent un rôle décisif dans le dénouement.

2. Combien y a-t-il de péripéties dans cet acte ? Comment Beaumarchais les agence-t-il pour que les spectateurs soient tenus en haleine ?

3. Les jeux de lumière : reprenez les indications de l'auteur et commentez l'utilisation de la lumière. Comment se combine-t-elle au bruit ? L'heure est précisée dans la dernière scène : quel est l'intérêt de cette notation ?

4. Le dénouement est conforme aux attentes du genre, mais c'est au prix de la vraisemblance. Comment l'auteur fait-il oublier celle-ci ?

5. Dans ce seul acte la musique est absente : qu'est-ce qui peut en être l'équivalent ?

PERSONNAGES : chacun se révèle

Tout le monde est réuni à la fin pour le mariage : il n'y a plus de zone d'ombre, d'erreur et de déguisement. Tout est dit et même sous la forme d'une leçon. La gaieté de l'ensemble semble bien correspondre à une promesse de bonheur. Pourtant les amoureux l'ont échappé belle !

6. Montrez dans le dernier acte la continuité du caractère de Bartholo. Les erreurs qu'il commet peuvent sembler absurdes, trop évidentes pour qu'on n'y voie pas la main de l'auteur. Ne peut-on cependant les expliquer ?

7. Rosine est quasiment muette dans les deux dernières scènes. Ce silence et les angoisses par lesquelles elle passe au cours de l'acte jettent une ombre sur le personnage. Libérée de Bartholo, a-t-elle acquis la liberté ? Précisez votre réponse à la lumière du *Mariage de Figaro*.

8. Le Comte triomphe, en grand seigneur qu'il est : relevez les manifestations de cette autorité et les réactions des autres.

9. Figaro s'était voulu le maître d'œuvre de toute cette entreprise : a-t-il finalement un rôle si important dans l'action ? En quoi est-il indispensable ? Sur le plan du langage, qu'apportent ses interventions ?

10. Bazile est nécessaire pour le mariage (sans deux témoins, il ne peut se faire et la maison est vide) : il cède à l'argent sans doute. Mais Beaumarchais lui a donné plus de complexité dans cet acte. Comment cette complexité peut-elle infléchir l'interprétation du personnage par l'acteur (allure, ton, gestes...) ?

GENRES : théâtre et satire sociale

11. Les éléments de critique sociale relevés dans les actes précédents sont-ils aussi présents dans le dénouement. Que pensez-vous du rôle de Figaro auprès du Comte ?

12. Le grand seigneur l'emporte sur le bourgeois : cette victoire a-t-elle un sens au plan social ou n'est-ce, selon vous, que la convention théâtrale qui l'emporte ? Comment Beaumarchais s'est-il efforcé de minimiser cet aspect ?

THÈMES : au fil des objets

Nous avons déjà noté l'importance des objets dans *Le Barbier de Séville*. C'est, au théâtre, une tendance du XVIIIe siècle par rapport au précédent, mais Beaumarchais en joue particulièrement : lettre, clefs, échelle, etc. Nous les retrouvons jusqu'au dernier moment.

13. Vous récapitulerez toute l'histoire de la lettre de Rosine au Comte, selon trois axes : sa circulation réelle, ce que prétendent Alonzo d'une part et Bartholo de l'autre, à son propos. Sait-on finalement ce qu'il y avait dans cette lettre ?

14. C'est pour avoir volé une clef que les deux hommes sont entrés dans la place ; c'est pour avoir prêté son passe-partout à Bazile que Bartholo a rendu possible l'entrée du notaire et donc le mariage, au prix d'un mensonge d'ailleurs : que pensez-vous des moyens par lesquels la liberté de Rosine est acquise ?

POINT FINAL ?

STRUCTURE : action simple, intrigue compliquée

Dans la *Lettre modérée,* Beaumarchais résume ainsi sa pièce : « Un vieillard amoureux prétend épouser demain sa pupille ; un jeune amant plus adroit le prévient, et ce jour même en fait sa femme, à la barbe et dans la maison du tuteur. »

1. Montrez comment cette action simple est mise en intrigue, au cours des quatre actes de la pièce. Vous pouvez utiliser un schéma du type : projet / obstacle / tentative pour lever l'obstacle / etc.

2. Dans le résumé de l'auteur, on constate l'absence de Figaro. Comment l'expliquer, alors qu'il donne son titre à la pièce ? N'est-il pas cependant humoristiquement impliqué ?

3. Traditionnellement, la comédie est composée en trois actes, la « grande comédie » en cinq. Ici, Beaumarchais, qui a dû reprendre rapidement sa pièce d'abord en cinq actes, l'a réduite à quatre. Quelles en sont les conséquences du point de vue de la construction ?

4. Le dénouement est très rapide, alors que l'exposition se déroule, selon la tradition, sur un acte entier. Est-ce un défaut ? Quel est l'effet produit par cette hâte ?

REGISTRES ET TONALITÉS : « une comédie fort gaie »

La gaieté est revendiquée par l'auteur dans la *Lettre modérée* et plus tard dans la Préface du *Mariage de Figaro.* Figaro s'en réclame aussi, et le public est généralement d'accord.

5. Vous relèverez et classerez les différentes composantes de cette gaieté, qui ne se confond pas absolument avec le comique, en explicitant cette distinction.

6. On a reproché à Beaumarchais d'avoir eu recours à des procédés de farce* (voir « Lectures du *Barbier de Séville* », p. 252). Quelles scènes (ou éventuellement parties de scène) vous semblent relever de la farce ? Nuisent-elles à l'unité d'ensemble ? Pensez-vous qu'à notre époque le public puisse être gêné par cette intrusion d'un comique moins relevé ?

7. Beaumarchais imaginait la transformation de sa pièce en drame dans la *Lettre modérée.* En relisant ce passage (voir p. 42), vous vous demanderez s'il est convaincant : suffirait-il d'ajouter une fin émouvante pour modifier l'esprit de l'œuvre ? Que faudrait-il changer pour que cette intrigue devienne réellement « *dramique* » ?

PERSONNAGES : des personnages nouveaux sur de vieux modèles

Les personnages sont empruntés à la comédie traditionnelle, même si Beaumarchais les renouvelle en partie (voir « Une œuvre de son temps ? », p. 202-205). Il transforme surtout le personnage du valet en en faisant Figaro.

8. Vous étudierez comment, à partir de la présentation qui en est faite dans l'exposition, les personnages développent leurs potentialités. Y a-t-il des surprises par rapport aux attentes suscitées ?

9. Figaro se présente en particulier comme capable de tout résoudre, de tout organiser. Est-ce vantardise ou réalité ? Est-il véritablement, selon vous, au centre de la pièce ? Si vous deviez la jouer, est-ce le rôle qui vous semblerait le plus riche, le plus susceptible de mettre l'acteur en valeur ?

10. À part à la fin, les différences de classes sociales se font-elles sentir dans le langage et les relations entre les personnages ? Vous ferez une réponse argumentée et en tirerez les conséquences.

11. Les metteurs en scène font parfois le choix de gommer toute couleur locale : costumes et décors deviennent alors intemporels (même s'il faut garder une guitare ! mais ce n'est pas un instrument uniquement espagnol). Manque-t-on dans ce cas quelque chose de l'esprit de la pièce ?

L'UNIVERS
DE L'ŒUVRE

Dossier documentaire
et pédagogique

LE TEXTE ET SES IMAGES

ALMAVIVA, SON VALET ET SA DUPE (P. 2-3)

1. Quel moment du début de la pièce est illustré dans le document 1 ? quelle réplique précise ?

2. Commentez le costume et l'attitude des deux personnages (document 1). Que révèlent-ils de leur statut ? de leurs relations ?

3. Dans le document 2, commentez les attitudes, les gestes et les mimiques des trois personnages.

4. Document 2 : au fond, on voit un paravent ; que suggère et connote cet accessoire ?

INTÉRIEUR / EXTÉRIEUR (P. 4-5)

5. Relevez précisément les éléments du décor. Comment apparaît le boudoir de Rosine ?

6. Que penser du contraste entre les deux éléments architecturaux ? et entre les attitudes des personnages ?

7. Commentez l'éclairage de la scène.

ROSINE DANS TOUS SES ÉTATS (P. 6-7)

8. Trois Rosine : qu'ont-elles de commun ?

9. Commentez, dans le document 4, les mimiques et le jeu des regards.

10. Qu'exprime le visage de Bartholo dans le document 5 ?

LE COSTUME ET LE RÔLE (P. 8-9)

11. À la vue de cet Almaviva (document 7), quelle idée vous faites-vous de l'interprétation de la pièce par le metteur en scène ?

12. Quelle image de Bartholo apparaît dans le document 8 ? Commentez en particulier l'expression du visage. Quel est l'intérêt de la grande ceinture ?

LA SCÈNE DE MUSIQUE (P. 10-11)

13. Comparez les trois décors : lequel vous paraît le plus intéressant et pourquoi ? Commentez en particulier le contraste entre la banquette (document 9) et les grands fauteuils (documents 10 et 11).

14. Dans le document 9, Bartholo s'est endormi appuyé sur le Comte : que pensez-vous de ce choix du metteur en scène ? Comment Bartholo apparaît-il physiquement ? Comparez-le aux autres acteurs dans le même rôle (voir documents 2, 3, 4 et 12).

15. Dans le document 9, la fenêtre est large et n'a pas de grille : le texte dit le contraire. Quel est l'effet produit ?

16. Dans le document 10, que manifeste le choix de faire baiser la main de Rosine par Almaviva en passant le bras devant Bartholo endormi ?

17. Dans le document 11, c'est le moment du dévoilement de l'intrigue entre le prétendu Alonzo et Rosine : étudiez les regards des différents personnages. Quel est le point de convergence de ces regards ? Commentez.

CONSPIRATIONS (P. 12-13)

18. Étudiez les jeux d'ombre et de lumière dans les deux documents. Quel sens leur donnez-vous ?

19. Dans le document 12, il s'agit de la tirade de la calomnie : qu'expriment les visages et les gestes ?

20. Selon vous, quelle scène le document 13 illustre-t-il ? Que pouvez-vous dire des regards ?

LE FINALE ? (P. 14-15)

21. Identifiez les personnages. Qui est absent ? À quel moment de la pièce situeriez-vous cette scène ? Pourquoi ?

22. Commentez la disposition des personnages et particulièrement l'attitude de Bazile. Comment apparaît Figaro ? Quel rôle joue-t-il ?

LE BARBIER DE SÉVILLE (P. 16)

23. Comparez ce Figaro avec celui du document 11 et avec la description donnée par Beaumarchais (p. 62-63). Commentez.

24. Quels aspects du personnage, et de la pièce, sont ici mis en valeur ?

QUAND BEAUMARCHAIS ÉCRIVAIT...

Le plaisir du théâtre

QUI ALLAIT AU THÉÂTRE ?

On sait par d'innombrables témoignages que le public du XVIIIe siècle a aimé le théâtre et fréquenté assidûment les salles de spectacle. Ce qui ne signifie pas que le public est unifié, que tous les genres rencontrent le même succès et ont la même assistance. Si, dans les théâtres officiels, on rencontre des spectateurs de diverses conditions sociales, le prix des places, qui, sans être excessif, a augmenté dans la deuxième moitié du siècle, limite l'accès au spectacle. En revanche, le **théâtre de foire** (d'abord joué deux fois par an, à la foire de Saint-Germain l'hiver et à celle de Saint-Laurent l'été), connaît une fréquentation beaucoup plus populaire, même si l'aristocratie ne le dédaigne pas. En se fixant dans des salles, les troupes du théâtre de foire, qui resteront plus libres dans leurs programmes que les troupes « sérieuses », augmenteront encore leur fréquentation et attireront des écrivains importants.

Le **goût du théâtre est très vif dans l'aristocratie** : non seulement le roi, les princes, les grands seigneurs protègent des troupes et soutiennent des comédiens, mais, comme au XVIIe siècle, ils font aussi représenter des pièces à la cour et dans les hôtels particuliers, jouant parfois eux-mêmes lors de ces représentations privées ; ainsi, Marie-Antoinette, au château de Trianon, a incarné Rosine dans *Le Barbier de Séville*, avec un des frères du roi dans le rôle de Figaro. On va même jusqu'à aménager dans les châteaux, les résidences campagnardes, une grande salle pour des représentations (Voltaire, lui-même auteur dramatique, tenait à avoir son théâtre et montait volontiers sur les planches). Les **parades** de Beaumarchais étaient destinées à ce public aristocratique : ces œuvres brèves, très libres de ton, souvent gaillardes, plaisaient particulièrement dans le cadre privé. Le théâtre est donc, avec la conversation et les jeux de société, un élément essentiel de la vie mondaine.

Bien entendu les **genres sérieux** sont également très appréciés. La tragédie est florissante (alors que la postérité sera très sévère pour la production tragique du temps). On apprécie le spectaculaire, et les auteurs tragiques hésitent beaucoup moins que ceux de la fin du siècle précédent à montrer la violence sur scène. Mais à côté de la tragédie que l'on juge de plus en plus coupée des préoccupations du public, le drame bourgeois*, qui veut mettre en scène les problèmes de gens ordinaires dans un temps et un lieu bien précis, fait son apparition. Beaumarchais, qui critique la tragédie classique (« Que me font à moi, paisible sujet d'un État monarchique au XVIIIe siècle, les révolutions d'Athènes et Rome ? »), traduit un sentiment partagé : le public de son temps apprécie la représentation sur scène d'hommes qui lui ressemblent. Lui-même fait jouer *Eugénie* à la Comédie-Française en 1767 et définit dans son *Essai sur le genre dramatique sérieux* ce qu'il appelle « le drame sérieux », qui se situe entre « tragédie héroïque et comédie plaisante ».

LES REPRÉSENTATIONS

Le public, souvent bruyant et même agité au XVIIe siècle, habitué à manifester vigoureusement ses émotions et ses jugements, semble plus calme à partir du milieu du XVIIIe siècle, même si de nombreuses anecdotes montrent encore des réactions que nous ne connaissons plus guère aujourd'hui. Il faut se souvenir que les spectateurs du **parterre***, qui paient les places les moins chères, sont debout (jusqu'en 1782 à la Comédie-Française) et prompts à s'agiter. Une certaine spécialisation des théâtres (par genres) favorise sans doute cet assagissement des spectateurs : on choisit d'aller voir un spectacle selon son goût ou son état d'esprit et il semble qu'une connivence se noue entre les habitués et les troupes de comédiens. Mais tout le monde ne s'en réjouit pas : certains considèrent cette attitude plus respectueuse, plus modérée, comme un signe de froideur. Ainsi Louis-Sébastien Mercier, un dramaturge qui a laissé de nombreux témoignages sur la vie de son temps, se plaint en ces termes :

« Autrefois un enthousiasme incroyable animait [le parterre], et l'effervescence générale donnait aux productions théâtrales un intérêt qu'elles n'ont plus. Aujourd'hui le calme, le silence, l'improbation[1] froide ont succédé au tumulte. »

Pourtant les spectateurs des Lumières montrent leurs émotions avec beaucoup d'intensité et sans fausse pudeur ; de nombreux témoignages attestent que l'on pleure abondamment aux représentations tragiques et dramatiques, hommes et femmes réunis.

Si beaucoup de théâtres offrent encore des salles incommodes, bien plus longues que larges, avec une scène étroite, de plus en plus de théâtres sont construits à l'italienne, en amphithéâtre, et **les conditions de représentation s'améliorent**. Au milieu du siècle, les banquettes installées sur le côté de la scène, qui accueillaient des nobles soucieux de se faire voir et souvent turbulents, sont supprimées : les décors y gagnent beaucoup et les auteurs se soucient davantage des conditions matérielles de la représentation. Ainsi Beaumarchais – on peut comparer avec Molière pour voir à quel point il s'efforce de diriger la mise en scène – précise décors et costumes pour donner une couleur locale à sa pièce. Il est très représentatif de son temps en ce domaine et même plus exigeant que d'autres.

Le **jeu des acteurs** évolue vers plus de naturel ; l'esthétique du drame bourgeois, en visant à abolir la distance entre scène et salle, correspond en cela aux goûts d'un public épris d'illusion. Mais il faut se souvenir qu'il n'y a pas de metteur en scène au sens moderne du terme, ce dont les auteurs se plaignent ; évidemment un Molière, directeur de troupe, acteur et auteur jouait ce rôle au

1. **Improbation :** désapprobation.

siècle précédent, mais le cas est exceptionnel. Beaumarchais se méfie des acteurs et essaie de les diriger en multipliant les didascalies, mais aussi en surveillant de près leur travail, en intervenant dans les répétitions... au risque de se faire mal voir.

La condition d'auteur n'est d'ailleurs pas très enviable, même si elle s'est améliorée. En effet, il n'y a pas de droits d'auteur : quand le pourcentage convenu sur la recette a été payé, l'auteur n'a plus rien à dire et la pièce, si elle a du succès, peut être reprise dans un autre théâtre (en province par exemple) sans qu'il puisse rien y faire : rares sont ceux qui peuvent envisager, même s'ils ont du succès, de vivre de leur plume. En 1777, pour défendre ses droits sur sa pièce, dans un contexte où les auteurs sont presque absolument démunis en face des comédiens, Beaumarchais crée la **Société des auteurs dramatiques** (qui existe toujours), qui aura pour but de négocier les droits des auteurs sur leurs pièces. En 1780, ces droits sont reconnus mais Beaumarchais continuera à batailler et ce n'est qu'en 1791 que l'Assemblée constituante, sur sa proposition, reconnaîtra le droit de propriété littéraire.

LA COMÉDIE AU SIÈCLE DES LUMIÈRES

Au début du siècle, l'influence de Molière, qui a toujours défendu le rire dans la comédie, est encore sensible. Mais bientôt, si on l'admire toujours, on le joue moins, on approuve moins son parti pris de faire rire et de rire de tout. D'autant plus qu'il a été critiqué par Rousseau (en 1758, dans la *Lettre à Monsieur d'Alembert sur les spectacles*) et que beaucoup soutiennent cette critique au nom de la moralité. Le public, qui consent à rire aux spectacles de foire, veut, dans la « grande » comédie, **des sentiments, de l'émotion, de la sensibilité** ; il préfère l'étude nuancée des sentiments, des rapports sociaux, à la caricature, l'esprit à la dérision. Il va même, dans la « comédie larmoyante » jusqu'au paradoxe d'accepter de pleurer dans le cadre d'une comédie. Marivaux, le plus grand des auteurs dramatiques de la première moitié du siècle, sans aller jusqu'à cet excès, crée des comédies où l'étude du sentiment amoureux est mise en scène sous ses formes les plus diverses et les plus subtiles. Il touche à d'autres sujets de société mais ses plus grandes réussites ne se situent pas là. En prononçant l'éloge funèbre de Marivaux, à l'Académie française, d'Alembert lui fait dire ces mots : « J'ai guetté dans le cœur humain toutes les niches où peut se cacher l'amour lorsqu'il craint de se montrer, et chacune de mes comédies a eu pour objet de le faire sortir d'une de ces niches. » Or Beaumarchais s'inscrit contre ce courant « sérieux » de la comédie. Il revient, avec des moyens différents, à l'ambition de Molière : « faire rire les honnêtes gens » (*Critique de l'École des femmes*). Et son succès lui donne raison.

UNE ŒUVRE DE SON TEMPS ?

La littérature, reflet des Lumières

On sait que le XVIIIe siècle est une période de grande fermentation intellectuelle et sociale. De façon plus précise, c'est à partir du milieu du siècle que les idées des « philosophes » se répandent, notamment avec le début de la publication, qui s'étendra sur des années, de l'*Encyclopédie* de Diderot et d'Alembert. Certes, tous les Français n'ont pas la possibilité de lire ces textes, loin de là ; mais, par des cheminements complexes, les idées nouvelles se répandent. Ainsi Beaumarchais (qui n'est pas encore un écrivain connu), en publiant les quatre *Mémoires* contre Goëzman, parvient à soulever l'opinion publique au point que la foule se masse devant le palais de justice le jour du jugement pour attendre le verdict :

« Contre ses juges, Beaumarchais s'adressa au monde entier. Cela ne s'était jamais vu. Sait-on par exemple que ces *Mémoires*, aussitôt traduits dans de nombreuses langues, eurent un retentissement considérable en Amérique où, avant même de jouer un rôle décisif dans la libération des colonies, Beaumarchais fut connu comme le défenseur de toutes les libertés[1] ? »

UNE SOCIÉTÉ EN PLEINE ÉVOLUTION

La société évolue sensiblement, à des vitesses différentes selon les régions et les milieux. La **bourgeoisie** poursuit et accentue son ascension, affirmant nettement ses valeurs de travail, de sérieux, de mérite individuel. De plus en plus, le théâtre reflètera cette mutation de la société avec l'émergence du drame bourgeois (Beaumarchais en écrivant *Les Deux Amis ou le*

1. Frédéric Grendel, *Beaumarchais*, Flammarion, 1973, p. 193.

Négociant de Lyon en 1770 affirme que sa pièce a été écrite « en général pour honorer les gens du Tiers-État[1] »). La classe sociale la plus aisée, les **milieux financiers** en particulier, vit désormais de la même manière que les nobles et aspire à s'intégrer, par des charges anoblissantes, à l'aristocratie, à l'exemple de Beaumarchais lui-même.

Mais revendiquer la reconnaissance et la récompense du mérite contre la naissance est un lieu commun de l'époque, qui s'exprimera avec force dans *Le Mariage de Figaro* (voir « D'autres textes », p. 243 et p. 246).

Il ne faut pas croire cependant que la **noblesse** est fermée aux idées nouvelles : si elle tient fermement à ses privilèges, elle entretient des rapports souvent étroits avec la bourgeoisie éclairée ; les philosophes, issus le plus souvent des professions libérales, fréquentent les mêmes salons que les nobles, se retrouvent souvent dans leurs châteaux, nouent avec eux des liens d'amitié et de familiarité. Certes, il y a parfois des frictions qui rappellent que la naissance n'est pas un vain mot, mais dans l'ensemble on peut dire que la noblesse, sur le plan intellectuel, est loin d'être rétrograde et fermée. On voit ainsi le Comte, dans *Le Barbier*, admettre avec bonne humeur des remarques piquantes de Figaro sur la noblesse. Et surtout le grand seigneur apparaît léger, séduisant, plein de gaieté, d'imagination ; familier et même amical avec son ancien valet, il n'a aucun trait de morgue. Même son dévoilement fastueux à la fin de la pièce lui donne de l'éclat sans ridicule ni rigidité. Beaumarchais éprouve visiblement beaucoup de sympathie pour son personnage.

Cependant la bourgeoisie ne se sent pas reconnue dans l'État à sa juste valeur et réclame des réformes qui lui feraient une place plus importante : elle est ainsi le moteur de la contestation des pouvoirs établis, y compris le pouvoir religieux qui soutient l'ordre ancien. Sans être pour autant « révolutionnaire », Beaumarchais donne avec *Le Mariage de Figaro*, une pièce plus

1. Cité par René Pomeau, *Beaumarchais ou la bizarre destinée*, PUF, coll. « Écrivains », 1987.

virulente, plus contestataire, plus revendicative. La longue tirade de Figaro, les propos de Marceline contre le pouvoir masculin, ceux de la Comtesse sur les libertés que les hommes s'arrogent, la présence des « vassaux » du Comte, tout donne une tonalité différente à la pièce, même si « tout finit par des chansons ».

LE RÈGNE DES « PHILOSOPHES »

La remise en cause des croyances

Les écrivains de l'époque, qui se réclament de l'esprit philosophique comme esprit d'examen, gagnent une notoriété, un prestige qui en font les **maîtres à penser** du temps. Dans l'article « Gens de lettres » des *Questions sur l'Encyclopédie*, Voltaire montre qu'ils veulent avoir une action formatrice sur leurs contemporains, en s'appuyant sur la raison et en s'intéressant à tous les domaines de la vie intellectuelle : « géométrie, philosophie, histoire générale et particulière ». Ils n'hésitent pas à braver le pouvoir, même s'ils préfèrent souvent biaiser pour passer le barrage de la censure (qui peut d'ailleurs être bien moins rigoureuse qu'on ne croit) ; ils connaissent parfois la prison, ce qui apparaît comme une gloire supplémentaire. Les salons, nombreux et puissants, où se débattent les questions les plus variées, où se rencontrent les gens les plus divers, servent de caisse de résonance aux idées nouvelles.

À partir de 1750 commence **l'aventure de l'*Encyclopédie*** dont les maîtres d'œuvre sont Diderot et d'Alembert. Les plus grands écrivains du temps y participent, plus ou moins largement, et le succès en est immense et durable. Le système des articles, avec les renvois qui forment des liens significatifs et des parcours audacieux, fait de cet énorme ouvrage la vitrine des philosophes par excellence.

Les idées nouvelles

Il faut retenir **l'esprit de progrès**, qui n'est pas incompatible avec une nostalgie des origines, d'un âge d'or de l'homme en harmonie avec la nature et qui trouve sa forme dans le mythe du « bon sauvage ». Le progrès s'appuie sur les sciences, dont on se préoccupe beaucoup : sciences de la nature, sciences de l'homme (conception de l'homme, conception de la société, de l'histoire) ; l'esprit d'examen, l'empirisme remplacent les grands systèmes unificateurs. Le progrès de la pensée suppose une rupture avec la pensée religieuse dogmatique : la lutte contre la religion (de façon générale, même si le christianisme, religion de l'Europe, est particulièrement visé) est un des aspects essentiels de la pensée philosophique. Non qu'on élimine forcément l'idée de Dieu, mais le **déisme**, conception d'un Dieu grand horloger, l'emporte très largement, supplantant la croyance aux religions constituées. Par ailleurs, le **matérialisme** qui évacue la divinité, l'idée de l'âme, toute autre vie que la vie terrestre, gagne du terrain. Dans le domaine social, on peut noter que le **goût de la liberté**, de penser, d'agir, de s'exprimer et le **désir d'égalité** qui veut au moins l'abolition des privilèges à défaut de la disparition de toute hiérarchie sociale, se manifestent quasiment partout sous des formes plus ou moins élaborées.

C'est à travers Figaro que se fait jour cet idéal de liberté dans *Le Barbier*. En effet, il est traditionnel dans la comédie que les jeunes gens luttent pour se marier contre tous les obstacles dressés devant eux et qu'un valet leur vienne en aide. Mais justement Figaro n'est pas tout à fait un valet : il a une vie bien remplie, des métiers divers, en rapport avec la littérature. En cela il est bien représentatif de son temps. On le dit même proche de son auteur… En effet, la **littérature** reflète tout naturellement les débats du temps et elle se met souvent à leur service, les philosophes utilisant la fiction romanesque, théâtrale, la poésie même, pour faire passer leurs idées dans le grand public. On connaît les *Contes* de Voltaire, les romans de Diderot. Dans le domaine social et politique en particulier, les **voyages imaginaires** (d'étrangers en France, de Français à l'étranger) permettent, par la confrontation avec d'autres sociétés, de critiquer la sienne propre et de proposer d'autres modèles.

Il est difficile de ranger *Le Barbier de Séville*, dont la portée critique est très modérée, dans la même catégorie que *Les Lettres persanes* de Montesquieu ou *Micromégas* de Voltaire. Pourtant, une fois la part faite de la mode espagnole, on peut penser que l'éloignement donne une portée critique que la pièce n'aurait guère si l'action se passait en France. Paradoxe ? pas vraiment dans la mesure où la fiction de l'étranger fait signe à l'époque du côté de l'esprit critique et appuie en quelque sorte les minces traits satiriques. Une preuve indirecte en est donnée par Beaumarchais dans la *Lettre modérée.*

Il ne faut pas non plus négliger le fait que *Le Barbier* est la première pièce d'une trilogie dont Beaumarchais n'avait sans doute pas le projet à l'époque, mais qu'il a réalisée : or les autres pièces ont des traits critiques, des relations beaucoup plus fortes avec la société française et nous lisons aujourd'hui *Le Barbier* avec la connaissance des autres, surtout *Le Mariage de Figaro.*

LE GOÛT DU PLAISIR ET LA SENSIBILITÉ

Le XVIIIe siècle a la réputation d'un siècle de plaisir : après la mort de Louis XIV, dont la fin de règne avait été marquée par une forme d'austérité morale, on assiste à une véritable **libération des mœurs**. Il est important cependant de marquer les limites de cette réaction : elle concerne essentiellement les milieux urbains, plus particulièrement Paris, et une élite sociale qui a les moyens de mener une vie élégante et oisive. La littérature donne l'impression fausse que la quête du plaisir occupait tous les esprits et que les valeurs traditionnelles et les préoccupations religieuses étaient mises de côté. La vision de Paris que donne Voltaire dans un conte comme *Le Monde comme il va* est à la fois juste et trompeuse, si on veut l'étendre à tout le pays.

Cependant, il est exact que l'on se préoccupe d'aménager la vie terrestre non plus dans la perspective de l'au-delà mais en vue d'en tirer le meilleur parti possible. Les idées des philosophes, leur vision de l'homme, de la société vont dans le sens de la recherche du **bonheur au quotidien** ; ils remettent en question aussi bien l'idée de péché qu'une conception absolue du bien et du mal. Ils refusent, pour beaucoup, la suprématie de la société sur l'individu : la société est faite pour permettre aux hommes d'être heureux dans la plus grande justice possible et de chercher leur intérêt dans la mesure où il ne nuit pas à celui des autres. Ainsi les valeurs morales se déterminent en fonction de critères terrestres et changent selon les lieux, les temps, les circonstances.

Dans la vie quotidienne, la notion de **confort** (venue d'Angleterre) se répand et trouve sa réalisation dans les aménagements intérieurs comme dans la conception des demeures et des jardins. Les plaisirs de la culture artistique sont un ingrédient indispensable à une vie aboutie, comme les raffinements de la conversation et l'élégance de la vie sociale.

En **amour**, les grands idéaux chevaleresques qui avaient encore cours au XVIIIe siècle apparaissent de plus en plus désuets : l'infidélité n'est pas un drame, parce qu'elle est liée à la nature humaine ; chacun évolue, se lasse et cherche de nouveaux objets. Le **libertinage amoureux**, érigé en système par certains, ne nie pas l'amour mais en fait un goût plus qu'une passion et, surtout, plus qu'un absolu. Les romans comme les pièces de théâtre mettent en scène des personnages, masculins et féminins, tout occupés d'une chasse au bonheur qui passe par la multiplication des expériences et des plaisirs. « Le bonheur, considéré comme sentiment, est une suite de plaisirs » (Voltaire, article « Félicité », *Dictionnaire philosophique*).

Il est intéressant de voir qu'Almaviva, au début du *Barbier de Séville*, pense que la jeune femme qu'il poursuit à Séville, après l'avoir vue à Madrid, est mariée. Beaumarchais suggère donc, ce qui n'est pas si fréquent au théâtre, une entreprise de séduction d'une femme mariée. Ce sera démenti par Figaro, mais le Comte est bien présenté comme un libertin et il le redeviendra d'ailleurs dans *Le Mariage de Figaro*. En réalité, dans *Le Sacristain*, première version de la pièce, il s'agit bien d'une histoire d'adultère, fort leste par ailleurs (voir « D'autres textes », p. 240).

Mais en même temps, la **sensibilité** se développe et devient même, dans la seconde moitié du siècle, un maître mot. Il s'agit d'une capacité à ressentir profondément, à s'attendrir devant les spectacles touchants, à cultiver les sentiments et en particulier le sentiment du bien et du devoir accompli. La sensibilité suppose une conscience morale aiguisée, le goût de la vertu, le rejet des valeurs égoïstes et l'attention à autrui. Elle n'est pas forcément incompatible avec le plaisir, loin de là, mais elle lui donne une coloration moins légère, moins brillante.

Dans les drames qu'il a écrits, sur lesquels il a théorisé, Beaumarchais fait la part belle à la sensibilité. Si ces pièces ne remportent pas le succès attendu, ses comédies conservent des aspects romanesques, des scènes où le drame pointe, où l'émotion, même fugacement, se fait jour, que ce soit dans l'indignation de Rosine contre son Argus tyrannique, dans son désespoir à l'idée d'avoir été trompée par un séducteur sans scrupules, dans l'appel à la loi de la fin de la pièce.

L'ESPAGNE, UNE MODE ?

L'attrait de l'Espagne est ancien : Corneille lui a emprunté *Le Cid*, Molière *Dom Juan*, Scarron s'est largement inspiré du roman picaresque dans son *Roman comique* ; le siècle des Lumières ne fait que suivre et amplifier cette tradition. *Don Quichotte* est largement lu et commenté, et Lesage écrit, sur le modèle des romans picaresques, un *Gil Blas de Santillane* (dont le nom espagnol est significatif) qui remporte un vif succès (1715-1735). Le **personnage du *picaro***, jeune homme de naissance basse ou obscure, lancé dans le monde sans protection, sans argent et fermement décidé à faire sa fortune sans toujours y parvenir, pratiquant tous les métiers, entraîné dans toutes les aventures (parfois douteuses), passant par des hauts et des bas, faisant flèche de tout bois, est familier aux hommes du siècle. La revendication sociale d'égalité, de récompense du mérite trouve dans ce personnage un modèle des tribulations infligées au peuple.

Il est clair que **Figaro** trouve une de ses sources dans cette littérature romanesque et l'explication de son nom peut y être cherchée : de *picaro* à Figaro le glissement de deux lettres peut se comprendre, dit-on, parce que le *picaro* fait « la figue » aux puissants, c'est-à-dire les défie et se moque d'eux[1]. En lui donnant une vie agitée, des métiers divers (avec des prétentions intellectuelles), en lui refusant un nom de valet (ce qui le met à part de la tradition comique à laquelle il se rattache pourtant), et aussi en en faisant un personnage récurrent dans une trilogie – même si ce n'est pas son intention initiale –, Beaumarchais crée un personnage original dont l'espagnolisme affiché exhibe la portée sociale et dont le compagnonnage ambigu (ancien valet, complice et quasi-camarade) avec le Comte, Grand d'Espagne et apparemment seigneur inaccessible, se trouve comme justifié par l'exotisme du *picaro*. On se souviendra ici que dans *Dom Juan*, pièce à problèmes par excellence, Molière donnait au valet Sganarelle un statut tout aussi original et insaisissable.

L'Espagne donne aussi la possibilité de créer, en plein XVIIIe siècle, un **personnage féminin** aussi enfermé, aussi menacé que pouvait l'être une Agnès au siècle précédent (avec des nuances sensibles cependant). En effet, tout le théâtre de l'époque montre en France une émancipation des femmes, une liberté de ton, une facilité des mœurs qui font non pas des jeunes filles immorales, mais des jeunes filles décidées et averties (voir les pièces de Marivaux). L'autorité des parents, sans avoir disparu, s'exerce avec plus de douceur et use rarement de contrainte forte, du moins dans la comédie :

« BARTHOLO. Nous ne sommes pas ici en France, où l'on donne toujours raison aux femmes. » (Acte II, scène 15.)

1. Une autre explication, ingénieuse et largement répétée, part du nom de Beaumarchais, Caron, et joue sur la prononciation de l'époque « fi(ls) Caro(n) », formule qui aurait désigné le jeune homme à l'époque où il n'était que le fils de son père, horloger bien connu. Certains, pourtant, constatant la première orthographe du nom « Figuaro », refusent ces hypothèses étymologiques et renoncent à percer le secret du nom.

Le drame offre un tout autre ton. N'oublions pas, en effet, que les conventions théâtrales découpent dans le réel des espaces qu'elles adaptent au projet esthétique d'un temps.

L'Espagne est aussi un « **folklore** » : des vêtements minutieusement décrits (Beaumarchais tient beaucoup à diriger les acteurs, à imposer sa vision de la représentation), un certain type de musique, des traits de civilisation popularisés par les romans picaresques (Beaumarchais utilise des noms espagnols pour les représentants de la loi et de l'autorité). Il est difficile de parler d'exotisme dans la mesure où, depuis un siècle, l'Espagne est présente sur la scène littéraire ; mais un effet de distanciation, de dépaysement, très codé, très raffiné, est mis en œuvre dans *Le Barbier* (voir « Les thèmes », p. 229).

UN RENOUVELLEMENT DE LA COMÉDIE

Tout le monde admet que Beaumarchais a travaillé sa comédie à partir de types et de situations traditionnels, voire usés. Et pourtant, par rapport à la comédie sérieuse de son temps, il introduit une rupture, ce qui a provoqué de vives critiques (voir « Lectures du *Barbier* », p. 251) : il ramène en effet des procédés de farce, organise une intrigue dont la vraisemblance n'est pas la qualité maîtresse dans une Espagne de fantaisie. Mais, dans le même temps, il retravaille les types comiques pour les adapter à son projet et à son temps. Entre convention et innovation, tel se présente *Le Barbier de Séville.*

Le coup de génie : **Figaro, le personnage-clef de l'œuvre.** Il donne son titre, sous forme de périphrase, à la pièce, tout comme il le donnera au *Mariage de Figaro*, la comédie suivante. On a déjà vu des noms de « valet » ou équivalent figurer dans le titre des comédies : *Les Fourberies de Scapin* chez Molière par exemple, mais rarement hors de la farce. Observons que Marivaux, qui fait pourtant une grande place aux valets et servantes, ne leur accorde qu'une fois de figurer dans le titre, dans une de ses premières pièces, *Arlequin poli par l'amour.* Cela donne déjà une idée de l'originalité de Beaumarchais.

Par ailleurs, il fait de Figaro autre chose qu'un valet, bien qu'il en ait le rôle traditionnel dans la comédie : machinateur et adjuvant au service des jeunes amoureux. Il a été valet du Comte dans le passé ; il le redeviendra dans la comédie suivante pour ne plus cesser de l'être (le drame final de la trilogie le montre vieilli au service du Comte). Mais entre-temps il a vécu, fait différents métiers, en particulier dans le domaine littéraire et même dramatique (confrère de Beaumarchais ?), et se trouve maintenant **barbier**. Ce choix est étrange, sans aucun correspondant dans la comédie française, italienne ou espagnole : métier peu respecté, mais complexe puisqu'il s'agit non seulement de raser, mais aussi de soigner comme apothicaire et même d'intervenir comme chirurgien. Il est un peu le confrère du docteur Bartholo, chez qui il est appelé selon ses différentes compétences ; il est fier de sa devise qui met en évidence l'alliance des qualités manuelles et intellectuelles : *consilio manuque*. Il est commun de lire un rapprochement avec son auteur qui certes ne fut pas barbier, mais horloger, qui ne fut pas un raté puisqu'il eut de belles charges et la protection de la famille royale avant même que son procès et ses comédies ne lui apportent la célébrité, mais qui connut des échecs dans son élévation sociale et se trouva plusieurs fois au bord de la faillite.

Figaro, ***picaro***, la relation est tentante et indéniable : le personnage, espagnol de surcroît, est parent de ces nombreux héros romanesques à la mode dans toute l'Europe depuis le XVIe siècle et qui courent sur des chemins périlleux vers la fortune ou au moins vers la reconnaissance sociale. Mais son caractère essentiel, à côté de la rouerie inséparable du valet de comédie, est **la gaieté** dont il se vante et fait un mode de vie : « Je me presse de rire de tout, de peur d'être obligé d'en pleurer » (I, 2). Gaieté sans rancœur, en tout cas dans *Le Barbier*, ironique, cynique parfois (mais rarement) et emportant tout : par là il est vraiment différent des valets de comédie, plus grinçants, utilisant leur ruse et leur habileté comme source de pouvoir et de revanche sociale (voir dans « D'autres textes », p. 236, le personnage de Trivelin et la pièce de Lesage *Turcaret*, au tournant des XVIIe et XVIIIe siècles).

Si les autres personnages sont moins puissamment conçus, ils n'entrent pas pour autant dans le moule que la tradition leur imposait. Le **barbon** est plus subtil que d'habitude ; sans lui ressembler vraiment, il rejoint dans une certaine complexité l'Arnolphe de *L'École des femmes.* Non content d'être avide, tuteur abusif, tyran d'une pupille dont la jeunesse l'attire, il se fait contempteur du monde moderne, figure du passé qui essaie d'empêcher le présent d'advenir, même dans la musique. Méfiant et naïf (non seulement pour les besoins de l'intrigue, mais aussi à cause de l'aveuglement propre au désir), machinateur redoutable, qui a failli convaincre Rosine, il acquiert une vraie présence. On comprend que Beaumarchais s'amuse, dans *Le Mariage de Figaro*, à en faire le père de Figaro !

Les deux jeunes amoureux ont bien des traits attendus, mais ils sont aussi personnalisés. **Rosine,** bien souvent excédée, tient tête à Bartholo : elle a de la présence d'esprit (trop parfois au gré des commentateurs qui doutent de sa moralité), des ruses, de l'esprit de suite. Moins ignorante que l'Agnès de Molière qui est sans doute son modèle le plus évident, elle mène habilement sa barque, coopérant aussi bien avec Figaro qu'avec Lindor déguisé ou non, et ne se laisse pas démonter par les péripéties que lui ménage l'auteur. Il faut toute l'émotion du dernier acte, quand elle se croit trompée par le Comte, pour l'affaiblir et lui rendre une innocence dont on aurait pu la croire peu pourvue. En cela elle est bien une fille de son temps où les femmes ont dans la société une place éminente.

Le **jeune premier**, le **comte Almaviva**, est lui aussi peu conventionnel : d'abord il est Grand d'Espagne, pas simplement chevalier ou baron... et à ce titre, il n'a aucune place dans la comédie farcesque. Il devrait, selon les conventions de la « grande » comédie, se maintenir dans les bornes de la stricte décence (on peut le voir chez Molière, qui non seulement ne met pas en scène de grands seigneurs, sauf peut-être l'Alceste du *Misanthrope*, qui est fort sérieux, mais ne fait jamais verser ses jeunes nobles dans la bouffonnerie). Or, Beaumarchais fait mimer au Comte l'ivresse, chanter des chansons douteuses, se moquer gaillardement du vieux Bartholo. Il va même jusqu'à lui attribuer une camaraderie bien étonnante avec son ancien valet devenu barbier : le Comte accepte les saillies de Figaro, le félicite de ses bons mots et le traite avec familiarité. Dans *Le Mariage de Figaro*, si Almaviva a gagné en autorité et en prestance, il ne s'en retrouve pas moins rival de son propre valet. La relation étrange entre ces deux personnages signale, plus que tous les traits critiques, une évolution sociale majeure, dont on trouve l'équivalent en prose dans *Jacques le fataliste et son maître* de Diderot.

FORMES ET LANGAGES

La comédie selon Beaumarchais : du rythme, du brio, de l'esprit

Beaumarchais n'a certes pas tout dit sur sa pièce, mais les critiques ayant été sévères, et lui-même mettant aisément la main à la plume pour se défendre (il vient de gagner une réputation de polémiste habile avec ses quatre *Mémoires* contre Goëzman), il écrit une longue préface en forme de lettre adressée à ses détracteurs.

Il se présente dans la position modeste de l'auteur incliné devant le public souverain, ou de l'acteur qui le représente. Cette vieille tradition de la *captatio benevolentiae*[1] s'était conservée dans le théâtre populaire et en particulier dans les parades. Les baladins dans les foires se montraient ainsi devant leur baraque ou au balcon pour attirer les spectateurs. Aussi la *Lettre modérée* est-elle encore une représentation : la mise en spectacle des talents et des intentions de l'auteur. Il est bon d'y prêter attention pour rendre compte de la pièce.

Beaumarchais considère le drame comme le genre supérieur, celui qui permet de serrer au plus près la vérité humaine (parce qu'il peint les hommes véritablement, sans le détour de la mythologie ou de l'histoire lointaine) ; la comédie plaisante n'a pas la même profondeur : elle n'a pas à se préoccuper au même titre de vraisemblance et de cohérence. Alors que le drame, genre tout à fait nouveau, doit inventer ses lois et ses ressorts, la comédie a une longue tradition derrière elle. Sur le sujet bien connu « Comment l'esprit vient aux filles », les XVIIe et

1. ***Captatio benevolentiae*** : l'art d'attirer la bienveillance de l'auditeur ou du lecteur.

XVIIIe siècles ont abondamment brodé[1]. L'horizon d'attente des spectateurs est bien établi, et Beaumarchais ne faillira pas à la tradition : le tuteur amoureux et jaloux sera bien entendu dupé et le mariage espéré aura lieu. Tout est dans la manière d'y arriver[2].

« IL A RÉSULTÉ BEAUCOUP DE MOUVEMENT DANS LA PIÈCE[3]... »

Le respect des unités* classiques

De fait, la construction du *Barbier* obéit à une volonté d'efficacité dramatique : il ne s'agit pas d'inventer, mais de faire « mousser » de vieux procédés, des intrigues traditionnelles, pour créer un objet nouveau, qui surprenne, en ce temps où la vieille gaieté est comme suspecte sur les théâtres « sérieux » et renvoyée au populaire. La critique a d'ailleurs eu ceci de bon qu'en obligeant Beaumarchais à resserrer sa pièce, à élaguer les passages gratuits, elle l'a conduit à plus d'efficacité dramatique.

Beaumarchais se coule dans le **moule classique des unités** : tout se déroule en une journée, du matin au milieu de la nuit. Il se fait même un plaisir de souligner les différents moments et utilise le temps comme facteur de dramatisation : Bartholo, pour être plus tranquille, décide d'avancer son mariage, prévu pour le lendemain, au jour même. Et le partage du lieu entre la rue, au premier acte, et la maison de Bartholo, dans les trois autres, n'a rien qui aille vraiment contre l'unité de lieu. On admettait au

1. À partir d'une nouvelle de Scarron, romancier et dramaturge du milieu du XVIIe siècle, une série de pièces travaillent le thème de « la précaution inutile », de l'amant déguisé, de la jeune ignorante qui dupe un gardien plus ou moins malin, plus ou moins brutal.
2. Le sujet du *Mariage de Figaro* est, lui, beaucoup plus original, beaucoup plus audacieux et même explosif : qu'un valet soit rival de son maître, grand seigneur, pour la possession du cœur et des faveurs d'une belle, qu'il l'emporte (avec la complicité active des femmes) et que le maître soit obligé de s'agenouiller devant son épouse en présence de tous ses « vassaux », cela pouvait se dire à la rigueur dans un roman, mais pas au théâtre.
3. *Lettre modérée*, voir p. 43.

XVIIe siècle qu'une ville ou un quartier puisse, dans une comédie, constituer un lieu unique[1]. La représentation de la rue ou de la place figure d'ailleurs l'espace de liberté par rapport à ce « fort[2] » qu'est la maison de Bartholo. La première lettre qui y est jetée est comme l'appel d'un prisonnier. Par son mariage avec le Comte, Rosine obtiendra le droit de sortir dans la rue par la porte. Mais il aura fallu qu'il entre dans la maison par la fenêtre, grâce à une échelle, autre moyen de communication. Le dernier acte prépare cette sortie : les personnages (sauf Rosine) entrent et sortent. Le Comte et Figaro manquent d'être coincés à l'intérieur, le cauteleux Bazile se transforme en libérateur. Cependant, Beaumarchais **élargit l'espace-temps** en donnant à ses personnages un passé : Figaro est revenu à Séville, le lieu de sa naissance, au terme de tribulations dont il fait un récit au Comte ; celui-ci a quitté Madrid et la cour, où il a un statut brillant, pour suivre la jeune Rosine. Il y a ainsi un riche arrière-plan, qu'il n'exploite pas vraiment dans cette pièce, mais dont il suggère dans sa *Lettre* le développement, qu'il réalisera dans les deux autres pièces de la trilogie (même si l'on admet généralement qu'il n'en a pas encore l'idée à ce moment). Le monde de la comédie s'insère ainsi dans un monde « réel », ce qui en augmente l'effet.

Une construction symétrique

Les premier et dernier actes sont nettement moins longs que les deux actes centraux qui développent toutes les possibilités des ruses et des déguisements.

L'**exposition** est rapide, efficace et sans temps mort. L'auteur y distribue habilement information et action : dans les deux premières scènes le Comte et Figaro sont présentés, l'un rôdant sous la fenêtre d'une dame dont il est épris, l'autre composant de la musique dans la rue en se rendant à sa boutique de barbier. Leur reconnaissance donne du dynamisme à ces deux scènes : leur association, pourtant traditionnelle – le valet aide le

1. C'est le cas déjà dans *L'École des femmes* de Molière.
2. L'expression se trouve dans la *Lettre modérée*.

jeune maître à conquérir l'objet de ses vœux –, est ainsi elle-même une action, pas une simple donnée de la comédie. Puis apparaissent la demoiselle et son tuteur : leur position élevée concrétise la difficulté de l'action à entreprendre, mais l'envoi du papier et le motif de *La Précaution inutile* lancent l'action avant même qu'on apprenne qui sont ces deux personnages et quelle relation ils entretiennent. La fin de l'acte est consacrée à la préparation de l'entreprise de séduction et de libération : le spectateur en sait assez pour imaginer la suite, pas assez pour n'être pas surpris. Chemin faisant, la présentation de Figaro s'est achevée tout naturellement, quand il a fallu apprendre qu'il avait ses entrées chez le tuteur.

Le **dénouement** est tout aussi rapide. En réalité, il n'occupe qu'une partie du dernier acte, l'auteur ménageant une dernière péripétie, la plus dramatique, dans les premières scènes de l'acte. Mais on peut admettre qu'au sens large le dénouement occupe tout l'acte : la révélation que Lindor agit pour le comte Almaviva n'est littéralement pas un mensonge, et constitue, même si Rosine le prend au tragique faute d'une unique information que l'auteur s'est bien gardé de faire délivrer, la première étape d'une reconnaissance heureuse.

Toute l'**action** se développe donc dans les deux actes centraux, autour des deux travestissements du Comte, qui se superposent à son déguisement initial en Lindor, l'étudiant. Cette action est extrêmement rapide et mouvementée, selon le programme établi par Figaro :

« FIGARO, *vivement.* Moi, j'entre ici, où, par la force de mon art, je vais d'un seul coup de baguette, endormir la vigilance, éveiller l'amour, égarer la jalousie, fourvoyer l'intrigue, et renverser tous les obstacles. » (Acte I, scène 6, l. 84-87.)

Boniment de magicien qui nous introduit dans une atmosphère de conte, où la vraisemblance importe peu. En fait, les plans de Figaro ne sont pas aussi bons qu'il le dit : le barbon a une exemption de logement et le soldat, loin d'être accueilli, doit décamper ; le musicien envoyé par Bazile se heurte à une telle méfiance qu'il doit improviser, avec difficulté, et recourt à un moyen extrême, la remise de la lettre qui met Rosine entre les mains de son tuteur. Maladresses de l'auteur ? Excès d'adresse au contraire : il se plaît à ménager des rebondissements, à surprendre le spectateur, qui, nous l'avons vu, connaît déjà le schéma de la pièce, la fameuse *Précaution inutile*, qui est comme le leitmotiv[1] de la comédie.

Les entrées et sorties des personnages, les jeux de cache-cache, la circulation des lettres, tout contribue au dynamisme de l'action qui ne se repose guère. Il y a bien des monologues, stratégiquement placés, en particulier en début et en fin d'acte, mais ils ne sont pas longs, ne ralentissent pas le mouvement. Nous verrons que les dialogues, même quand ils paraissent gratuits, c'est-à-dire quand ils ne font pas avancer l'action, contribuent cependant à la vivacité de l'ensemble, en transposant dans la parole un mouvement symétrique à celui de l'intrigue.

« ... ET LA NÉCESSITÉ D'Y DONNER PLUS DE RESSORT AUX INTRIGANTS[2] »

Le goût de l'embrouille

Jacques Scherer cite une phrase de Beaumarchais :

« Ce qui met, selon moi, de l'intérêt jusqu'au dernier mot, dans une pièce, est l'accumulement successif de tous les genres d'inquiétude que l'auteur sait verser dans l'âme du spectateur pour l'en sortir après de manière inattendue[3]. »

Certes, Beaumarchais écrivait ces mots à propos de *La Mère coupable*, et l'inquiétude n'est pas le sentiment dominant que suscite *Le Barbier de Séville*, une comédie, mais « cette notion

1. **Leitmotiv :** terme emprunté à l'allemand ; se dit d'un motif récurrent, d'un thème qui, dans une partition musicale, représente un personnage ou un état d'âme ; par extension, en littérature, désigne une phrase ou une expression qui reparaît régulièrement de façon significative.
2. *Lettre modérée*, suite de la phrase citée plus haut, voir p. 43.
3. Lettre à M. Martineau, du 14 messidor, an V, citée par Jacques Scherer, *La Dramaturgie de Beaumarchais*, Nizet, 1994, p. 143.

“d’accumulement” est extrêmement intéressante, car elle révèle une conception quantitative de l’intrigue, sinon de l’écriture. C’est là une clef, pour qui veut comprendre l’esthétique de Beaumarchais[1] ».

L’imbroglio dont Beaumarchais est très fier, résulte de ce procédé d’« accumulement ». En effet, il ne se contente pas de faire agir l’amoureux de Rosine et son maître de jeu, Figaro : **tout le monde a sa propre intrigue** en route. Rosine, avant même que le Comte ne se soit déclaré, a envoyé la lettre, simplement parce qu’elle l’a vu sous ses fenêtres et le considère comme un libérateur possible ; Bartholo combine ses plans pour hâter un mariage qui va contre toute honnêteté : tuteur, il a joué avec les biens de sa pupille ; prétendant, il veut l’épouser contre son gré ; bourgeois, il prétend à la main d’une noble qu’il enferme pour l’empêcher de se défendre.

Figaro, qui doit de l’argent à Bartholo, n’est pas mécontent d’alléger sa dette en soignant son personnel (sans raison) ; il réclamera d’ailleurs à la fin qu’on efface cette dette. Bazile lui-même, s’il n’a pas d’autre intérêt apparent dans cette affaire que d’ordre financier, introduit, par sa tirade sur la calomnie, un air de mal, un soupçon d’intrigue généralisée sur toute la société.

Dans pareil entassement d’intrigues, il n’y a rien d’étonnant à ce que **les personnages eux-mêmes se perdent** : quand Rosine, obligée de livrer un rude combat pour cacher la lettre de Lindor et feignant l’évanouissement, prend enfin connaissance de la lettre, il est trop tard : l’opportunité est passée. Elle applique pourtant la consigne, mais c’est à contretemps, puisqu’elle refuse une leçon de musique au moment où il faudrait l’accepter. Le Comte, revenu sous un nouveau déguisement, doit improviser devant un Bartholo plus malin que prévu, mais cette improvisation le met en situation de faiblesse en face de Rosine. Bazile, qui avait affirmé être absent toute la journée, revient à l’improviste et manque de tout perdre. Pour rétablir la

1. Gabriel Conesa, *La Trilogie de Beaumarchais*, PUF, 1985, p. 147.

situation, Beaumarchais met en jeu toute sa verve dans la scène 11 de l'acte III : il faut bien cela pour masquer l'invraisemblance absolue d'une situation où Bartholo chasse son homme de confiance pour se fier à ses ennemis. Qu'il se sente devenir fou au moment où il comprend avoir été joué n'a rien d'étonnant dans ces conditions. Le terme d'« inquiétude » apparaissait dans la lettre de Beaumarchais citée précédemment : il est sans doute trop fort, mais les moments d'émotion sont bien présents parce que les rebondissements de l'action font peser sur les personnages une pression constante.

Hasard et péripéties

Ainsi s'explique le **rythme des actes centraux** : à partir du moment où le Comte veut entrer dans la place, le motif du jeu, du théâtre, envahit tout l'espace et construit comme une sorte de deuxième scène ou tout s'entrelace. Les changements de personnages entre les scènes sont nombreux dans l'acte II, et dans l'acte III l'alternance est sensible entre des scènes à plusieurs et les scènes à deux, voire un personnage (voir « La structure du *Barbier de Séville* », p. 219). Les péripéties se multiplient : or, selon Jacques Scherer, « la création de la surprise est la fonction essentielle de la péripétie[1] ».

Le goût de Beaumarchais pour les péripéties est inséparable de son esthétique de l'accumulation et de son désir de faire passer le spectateur par les états les plus divers avant de résoudre le problème. Mais il a si bien embrouillé les choses qu'il ne peut guère s'en tirer qu'en exploitant allègrement la **ressource du hasard** (qui est une ficelle de théâtre). Tous les dramaturges en usent, dans la comédie comme dans la tragédie : la reconnaissance, considérée dès l'Antiquité comme une des formes les plus satisfaisantes de dénouement, repose le plus souvent sur le hasard. Mais Beaumarchais en fait un usage permanent :

« Ce même hasard a donné fort à propos à Figaro, ancien serviteur du comte Almaviva, ses entrées dans la maison de celle

1. Jacques Scherer, *La Dramaturgie classique en France*, Nizet, 1950, p. 90.

dont le Comte est épris, la belle Rosine. Il se plaît aussi à faire opportunément se rencontrer Almaviva et son ancien valet, dans une rue de Séville, sous les fenêtre de Rosine[1]. »

Et tout se poursuit de la même façon jusqu'au dénouement. Le hasard est bien le complice de Beaumarchais, comme un personnage à part entière qui se met à son service, le Figaro du dramaturge, qui vient tout arranger quand à la fin il pourrait risquer de ne plus se sortir lui-même de son « imbroille ». D'ailleurs, il s'en amuse et désamorce la critique qui lui reprocherait cette facilité :

« LE COMTE. [...] Il n'est rien que je ne fasse pour vous plaire. Mais prenez garde que toutes ces histoires de maîtres supposés sont de vieilles finesses, des moyens de comédie. » (Acte III, scène 2, l. 90-92.)

Le rappel par Figaro de *La Précaution inutile* en morale de la pièce souligne bien la théâtralité assumée de l'ensemble :

« [...] quand la jeunesse et l'amour sont d'accord pour tromper un vieillard, tout ce qu'il fait pour l'empêcher peut bien s'appeler à bon droit *La Précaution inutile.* » (Acte IV, scène 8, l. 77-80.)

Peu importe les moyens si tout se tient. Mais encore faut-il que le spectateur se laisse entraîner.

« QUELQUE CHOSE DE BEAU, DE BRILLANT, DE SCINTILLANT[2] »

Le naturel

Le brio du style concourt beaucoup au naturel. Beaumarchais emporte son dialogue au même rythme que ses actions :

1. Violaine Géraud, *Beaumarchais, l'aventure d'une écriture*, Champion, 1999, p. 113.
2. *Le Barbier de Séville*, acte I, scène 2, l. 24-25.

d'ailleurs les péripéties sont souvent inséparables des échanges verbaux qui les préparent.

Son exigence première est le **naturel**, qui correspond à l'esthétique de l'époque, et en particulier à celle du drame. Que celui-ci y atteigne moins que la comédie est un autre problème. Or le naturel implique que, sur le modèle de la vie, tout ne soit pas uniformément triste ou joyeux : les émotions se mêlent. Certes Beaumarchais revendique bien dans la *Lettre modérée* la gaieté, comme Figaro dans la pièce, mais les personnages qu'il met en scène ayant une certaine dignité sociale comme le comte Almaviva et Rosine peuvent s'exprimer avec une certaine recherche, une élévation de ton : cela est sensible quand Rosine débat avec Bartholo. Son indignation et sa peine s'expriment sur un ton grave :

« Mon excuse est dans mon malheur : seule, enfermée, en butte à la persécution d'un homme odieux, est-ce un crime de tenter à sortir de l'esclavage ? » (Acte I, scène 3, l. 36-38.)

Même quand Bartholo l'accuse à juste titre de mentir, en se défendant, elle exprime un grief bien réel :

« Si c'est jalousie, elle m'insulte ; s'il s'agit de l'abus d'une autorité usurpée, j'en suis plus révoltée encore[1]. » (Acte II, scène 15, l. 36-37.)

Enfin, quand elle se croit trahie par Lindor, elle a des accents et un langage de drame :

« Ce n'est pas tout. Ô ciel ! suis-je assez humiliée !... » (Acte IV, scène 3, l. 47-48.)

Mais ces moments sont rares : Rosine aussi bien que Lindor sont sur le même plan que Figaro. Leur **parole est vive et efficace**, les échanges rapides. Beaumarchais évite les tirades : même quand Figaro raconte sa vie, les commentaires du Comte animent le récit, le transforment en un véritable dialogue, qui égratigne d'ailleurs les pouvoirs et les nobles eux-mêmes. Le passage le

1. Voir la suite du dialogue.

plus long, qui raconte l'échec des tentatives littéraires de Figaro et son retour au bercail, est très théâtral, jouant des hyperboles, accumulations, jeux de mots, ruptures, contrastes, pour se terminer par une chute comiquement respectueuse :

« C'est mon bon ange, Excellence [...] Votre Excellence en tout ce qu'il lui plaira de m'ordonner. » (Acte I, scène 2, l. 138-158.)

Les **quelques monologues** sont eux aussi brefs, coupés : Beaumarchais évite toute rhétorique* et travaille dans le sens du naturel, comme s'il s'agissait d'un vrai dialogue avec soi-même ou de l'expression de sentiments, d'émotions dans leur immédiateté :

« Me voilà sauvé. Ouf ! Que ce diable d'homme est rude à manier ! Figaro le connaît bien. Je me voyais mentir ; cela me donnait un air plat et gauche ; et il a des yeux !... Ma foi, sans l'inspiration subite de la lettre, il faut l'avouer, j'étais éconduit comme un sot. Ô ciel ! on dispute là-dedans. Si elle allait s'obstiner à ne pas venir ! Écoutons... Elle refuse de sortir de chez elle, et j'ai perdu le fruit de ma ruse. (*Il retourne écouter.*) La voici ; ne nous montrons pas d'abord. (*Il entre dans le cabinet.*) » (Acte III, scène 3, l. 1-9.)

L'**art du portrait**, chez Figaro, est remarquable ; quelques images, pas de grandes phrases, avec des mots qui portent, le tout concentré en quelques formules :

« C'est un beau, gros, court, jeune vieillard, gris pommelé, rusé, rasé, blasé, qui guette et furète et gronde et geint tout à la fois. » (Acte I, scène 4, l. 42-44.)

« Figurez-vous la plus jolie petite mignonne, douce, tendre, accorte et fraîche, agaçant l'appétit, pied furtif, taille adroite, élancée, bras dodus, bouche rosée, et des mains ! des joues ! des dents ! des yeux !... » (Acte II, scène 2, l. 33-37.)

Des échanges serrés

C'est le **dialogue** surtout qui est étincelant : Beaumarchais use de moyens très élaborés et efficaces pour **raccourcir et accélérer les échanges.**

– Ellipses de termes que l'interlocuteur restitue :

« ROSINE. [...] Je crains seulement que, rebuté par les difficultés...
FIGARO. Oui, quelque feu follet. Souvenez-vous, madame, que le feu qui éteint une lumière allume un brasier, et que nous sommes ce brasier-là. » (Acte II, scène 2, l. 86-90.)

– Phrases réduites à l'essentiel, dans une circulation rapide de la parole :

« FIGARO. Brutal, avare, amoureux et jaloux à l'excès de sa pupille, qui le hait à la mort.
LE COMTE. Ainsi, ses moyens de plaire sont...
FIGARO. Nuls.
LE COMTE. Tant mieux. Sa probité ?
FIGARO. Tout juste autant qu'il en faut pour n'être point pendu.
LE COMTE. Tant mieux. Punir un fripon en se rendant heureux...
FIGARO. C'est faire à la fois le bien public et particulier : chef-d'œuvre de morale, en vérité, monseigneur ! » (Acte I, scène 4, l. 46-56.)

– Combats verbaux où les mots fusent comme des projectiles :

« BARTHOLO. [...] Vous faites là un joli métier, monsieur !
FIGARO. Qu'est-ce qu'il a donc, monsieur ?
BARTHOLO. Et qui vous fera une belle réputation, monsieur !
FIGARO. Je la soutiendrai, monsieur !
BARTHOLO. Dites que vous la supporterez, monsieur.
FIGARO. Comme il vous plaira, monsieur.
BARTHOLO. Vous le prenez de bien haut, monsieur ! Sachez que quand je dispute avec un fat, je ne lui cède jamais.

FIGARO *lui tourne le dos.* Nous différons en cela, monsieur ; moi je lui cède toujours. » (Acte III, scène 5, l. 68-78.)

Les **jeux de mots** sont trop nombreux pour être relevés. Ils reposent sur des procédés très divers : renversements inattendus, rapprochements incongrus, sonorités, mots à double entente. En voici quelques exemples :

– Jeux sur le nom du docteur Bartholo par Lindor en soldat ivre.

– Compliments à Rosine :

« LE COMTE. Vous avez raison ; il déraisonne, lui ; mais nous sommes raisonnables, nous ! Moi poli et vous jolie... enfin suffit. La vérité, c'est que je ne veux avoir affaire qu'à vous dans la maison. » (Acte II, scène 14, l. 4-7.)

– Déclarations d'amour :

« BARTHOLO. [...] Si tu pouvais m'aimer ! ah, comme tu serais heureuse !
ROSINE, *baissant les yeux.* Si vous pouviez me plaire, ah ! comme je vous aimerais !
BARTHOLO. Je te plairai, je te plairai ; quand je te dis que je te plairai ! [...] » (Acte II, scène 15, l. 126-131.)

– Dissimulation de la vérité :

« FIGARO. [...] (*Il montre la clef au Comte.*) Moi, en montant, j'ai accroché une clef...
BARTHOLO. On prend garde à ce qu'on fait. Accrocher une clef ! l'habile homme !
FIGARO. Ma foi, monsieur, cherchez-en un plus subtil. » (Acte III, scène 10, l. 4-8)

Cependant les jeux ne sont pas tout. Beaumarchais aime les formules qui font sens.

« QUI EUT L'AIR D'UNE PENSÉE[1] »

De nombreuses phrases sont construites en forme de **vérités générales ou de maximes**. C'est un genre très en vogue à l'époque classique et le théâtre en est un grand pourvoyeur (tragédie aussi bien que comédie). N'oublions pas que des recueils de maximes remportent de grands succès et que dans une société mondaine, où l'élégance de la parole est une valeur, la formulation expressive et brillante de la pensée est très appréciée :

« Aux vertus qu'on exige dans un domestique, Votre Excellence connaît-elle beaucoup de maîtres qui fussent dignes d'être valets ? » (Acte I, scène 2, l. 108-110.)

« Quand on cède à la peur du mal, on ressent déjà le mal de la peur. » (Acte II, scène 2, l. 58-59.)

« Vous avez pour vous trois passions toutes-puissantes sur le beau sexe : l'amour, la haine, et la crainte. » (Acte IV, scène 5, l. 19-20.)

« [...] en amour le cœur n'est pas difficile sur les productions de l'esprit. » (Acte I, scène 6, l. 24-25.)

On remarque que le mérite de ces formules revient à Figaro. C'est normal puisqu'il est en position d'observateur. Mais surtout, il est le représentant de l'auteur. Curieusement, seul Bazile, qui joue avec les proverbes, rivalise avec lui. Serait-il un Figaro amer, sans générosité ni gaieté ? On peut se le demander.

Ainsi, le rire, dans *Le Barbier* comme dans la seconde comédie de Beaumarchais, prend une couleur nouvelle par rapport à la comédie classique, moliéresque par exemple : les spectateurs ne rient plus seulement des personnages, ils rient aussi avec eux, dans une gaieté partagée :

« Le rire naît déjà sur la scène, grâce à l'humour de Figaro qui porte sur le monde un regard propre à en révéler les aspects insolites ou incohérents[2]. »

---

1. *Le Barbier de Séville,* acte I, scène 2, l. 25.
2. Gabriel Conesa, *La Trilogie de Beaumarchais, op. cit.*, p. 173.

LA STRUCTURE DU *BARBIER DE SÉVILLE*

ACTES	LIEUX	SCÈNES	PERSONNAGES	ACTION
ACTE I	Une rue de Séville où toutes les croisées sont grillagées.	1	Le Comte monologue	Le comte Almaviva, un grand seigneur, guette une femme à sa fenêtre. Il l'a vue à Madrid et suivie à Séville. Il veut se faire aimer pour lui-même.
		2	Figaro Le Comte (d'abord caché)	Figaro compose une chanson. Le Comte reconnaît en lui son ancien valet et lui fait raconter sa vie agitée.
		3	Bartholo Rosine à la fenêtre Le Comte et Figaro cachés	Rosine qui tient un papier à la main le fait tomber. Pendant que Bartholo disparaît pour aller le chercher, elle fait signe au Comte de le ramasser.
		4	Le Comte Figaro	Le Comte lit la lettre à haute voix. Figaro apprend ce qu'il fait à Séville et promet son aide dans la maison de Bartholo dont il est le barbier. Ils mettent au point un plan.
		5	Bartholo monologue Le Comte et Figaro cachés	Bartholo soupçonne quelque chose et veut hâter son mariage avec Rosine.
		6	Le Comte Figaro	Pour obéir à la lettre, le Comte chante son identité (il se présente comme un étudiant pauvre : Lindor) et son amour. Rosine répond sans se montrer. L'action est lancée. Ils se séparent.
ACTE II	Dans l'appartement de Rosine. Une fenêtre au fond est grillagée : la fameuse jalousie.	1	Rosine monologue en écrivant	Rosine profite d'un moment de rare solitude pour écrire (on ne sait quoi) à Lindor.
		2	Rosine Figaro	Figaro déclare à Rosine qu'elle est aimée d'un jeune étudiant et se fait remettre la lettre qu'elle vient d'écrire. Il se cache en entendant arriver Bartholo.
		3	Rosine seule	Rosine exprime son inquiétude.
		4	Bartholo Rosine	Bartholo arrive, furieux que Figaro ait mis tout ses domestiques au lit en prétendant les soigner. Il attaque violemment Rosine qui se défend vigoureusement.
		5	Bartholo seul	Bartholo appelle ses valets en hurlant.
		6	Bartholo L'Éveillé	Le valet bâille et ne peut répondre aux questions que Bartholo pose sur Figaro.
		7	Bartholo L'Éveillé, La Jeunesse	Bartholo presse les deux valets, épuisés et balbutiants, mais n'obtient rien.

ACTES	LIEUX	SCÈNES	PERSONNAGES	ACTION
ACTE II (SUITE)		8	Bartholo Bazile Figaro caché	Bazile informe Bartholo de la présence en ville du Comte qui poursuit Rosine. Pour s'en défaire, il conseille la calomnie. Bartholo préfère hâter son mariage.
		9	Figaro seul	Figaro dit qu'il ouvrira au Comte la porte fermée par Bartholo et se moque de Bazile.
		10	Rosine Figaro	Figaro annonce à Rosine le projet de son tuteur et lui promet son aide.
		11	Bartholo Rosine	Bartholo presse Rosine de questions sur la lettre qu'elle aurait écrite et l'oblige à mentir.
		12	Le Comte Bartholo Rosine	Le Comte arrive en uniforme de cavalier et l'air ivre. En chantant, il essaie de se faire reconnaître de Rosine et de lui donner une lettre. En vain.
		13	Le Comte Bartholo	Le Comte et Bartholo s'affrontent en paroles. Le ton monte.
		14	Le Comte Bartholo Rosine	Rosine feint de venir en aide à Bartholo. Le Comte montre son billet de logement, mais Bartholo est exempté. La ruse a échoué. Il réussit à faire passer une lettre à Rosine.
		15	Bartholo Rosine	Bartholo fait une scène violente à Rosine pour avoir la lettre. Elle se défend et profite d'une courte absence du tuteur pour l'échanger avec une autre lettre. Feignant l'évanouissement, elle le laisse la prendre : il se trouve tout déconfit. Restée seule, elle lit la lettre, mais trop tard.
ACTE III	Toujours dans l'appartement de Rosine. L'acte III succède immédiatement à l'acte II.	1	Bartholo seul	Bartholo se plaint de la mauvaise humeur de Rosine.
		2	Bartholo Le Comte déguisé en étudiant	Le Comte, sous le nom d'Alonzo, prétend être envoyé par Bazile malade pour donner sa leçon de musique à Rosine. Devant la méfiance de Bartholo, il se sent obligé de lui remettre la lettre envoyée par Rosine. Bartholo veut que la leçon ait lieu.
		3	Le Comte seul	Le Comte croit avoir mal joué et tout gâché.
		4	Le Comte Rosine Bartholo	Quand elle reconnaît le Comte, Rosine accepte la leçon. Ils chantent leur amour à travers *La Précaution inutile*. Bartholo s'endort et au réveil entreprend de chanter lui-même.
		5	Les mêmes Figaro	Pendant que Bartholo chante, Figaro arrive et se voit reprocher ses soins à la maisonnée. Mais il veut raser Bartholo : celui-ci sort chercher le matériel.
		6	Figaro Le Comte, Rosine	Figaro demande à Rosine quelle est la clef de la jalousie.

ACTES	LIEUX	SCÈNES	PERSONNAGES	ACTION
ACTE III (SUITE)		7	Les mêmes Bartholo	Retour brutal de Bartholo qui craint Figaro. Celui-ci ira donc chercher les affaires.
		8	Bartholo Le Comte, Rosine	Bartholo dit au Comte qu'il se méfie de Figaro. Mais un grand bruit à l'extérieur le fait sortir.
		9	Le Comte Rosine	Le Comte annonce sa venue le soir même à la fenêtre de Rosine. Il n'a pas le temps de lui dire qu'il a remis sa lettre à Bartholo.
		10	Rosine, Bartholo Figaro, Le Comte	Figaro signale au Comte, par des mots à double entente, qu'il a subtilisé la clef de la jalousie.
		11	Les mêmes Bazile	Pour éviter la catastrophe, tous les personnages se liguent pour renvoyer Bazile, qui ne comprend rien mais renonce à s'expliquer en recevant une bourse du Comte.
		12	Bartholo Figaro Le Comte Rosine	Figaro rase Bartholo. Le Comte essaie alors de parler à Rosine ; mais Bartholo veille et les surprend. Il comprend qu'il est trompé et se fâche. Les deux amants le prennent de haut.
		13	Les mêmes sauf Rosine	Le Comte et Figaro abandonnent, en le traitant de fou, un Bartholo furieux.
		14	Bartholo	Bartholo sort convoquer Bazile.
ACTE IV	Toujours dans l'appartement de Rosine. C'est la nuit. La scène est très sombre : une seule bougie, sauf à la fin où on apporte des flambeaux. On entend le bruit de l'orage.	1	Bartholo Bazile	Bazile veut que Bartholo renonce au mariage. Celui-ci refuse et l'envoie chercher le notaire en lui confiant son passe-partout.
		2	Rosine seule	Rosine redoute que son amant ne vienne pas.
		3	Rosine Bartholo	Bartholo dévoile la lettre et affirme à Rosine qu'elle a été trompée : Lindor lui faisait la cour pour le compte d'un grand seigneur. Indignée, elle accepte le mariage. Bartholo sort chercher des secours.
		4	Rosine seule	Rosine se lamente et décide de rester pour assister à la déconfiture de Lindor.
		5	Le Comte Figaro entrant par la fenêtre	Le Comte craint que Rosine ne recule devant un mariage immédiat, car il s'agit de s'enfuir chez Figaro où attend le notaire.
		6	Le Comte Figaro Rosine	Aux déclarations d'amour du Comte, Rosine répond, émue par l'indignation. Il lui révèle qui il est et elle se désole d'avoir accepté d'épouser Bartholo. L'échelle a été enlevée. Ils sont enfermés.
		7	Les mêmes Le notaire	Le notaire est convié à unir Rosine et le Comte. Il ne comprend pas très bien mais obéit. Bazile et Figaro seront témoins.
		8	Les mêmes Bartholo avec une troupe de policiers et un juge de paix	Bartholo veut faire arrêter tout le monde. Le Comte se nomme mais ne cède pas. Seule la révélation du mariage l'oblige à se résigner. Figaro conclut sur *La Précaution inutile*.

LES THÈMES

LES JEUX DE L'AUTORITÉ

C'est **Bartholo** qui dans la pièce incarne l'autorité. En effet, dans tous les rapports humains, il use et abuse de son pouvoir. **Maître de maison**, il traite ses valets comme des êtres sans conscience, qui ne peuvent entrer en discussion avec lui :

« LA JEUNESSE, *éternuant.* Eh ! mais, monsieur, y a-t-il..., y a-t-il de la justice ?...
BARTHOLO. De la justice ! C'est bon entre vous autres, misérables, la justice ! Je suis votre maître, moi, pour avoir toujours raison.
LA JEUNESSE, *éternuant.* Mais, pardi, quand une chose est vraie...
BARTHOLO. Quand une chose est vraie ! Si je ne veux pas qu'elle soit vraie, je prétends bien qu'elle ne soit pas vraie. Il n'y aurait qu'à permettre à tous ces faquins-là d'avoir raison, vous verriez bientôt ce que deviendrait l'autorité. » (Acte II, scène 7, l. 12-22.)

Tuteur, il semble bien qu'il ait détourné les biens de sa pupille et qu'il veuille cacher ses malversations. Le mariage dès lors est un moyen d'échapper à la reddition de compte ; Beaumarchais le fait dire à l'Alcade, dans la dernière scène, avec tout le poids de la parole officielle :

« Et cette inutile résistance au plus honorable mariage indique assez sa frayeur sur la mauvaise administration des biens de sa pupille, dont il faudra qu'il rende compte. » (Acte IV, scène 8, l. 52-55.)

En l'occurrence, chez le tuteur, **le désir** vient rendre encore plus trouble cette autorité parentale. C'est Bazile encore qui permet à Bartholo d'exprimer cette violence brutale du désir (IV, 1).

Il exprime plusieurs fois une **méfiance à l'égard de la nouveauté**, quelle qu'elle soit, qui indique sa crainte de voir le monde changer et l'ordre établi, qui fonde son autorité, évoluer. Il est intéressant de voir le médecin refuser, parmi d'autres choses, des traitements nouveaux (I, 3). Bien que l'usage du quinquina ne soit pas vraiment nouveau, il est confondu dans un même refus avec l'inoculation, ancêtre de la vaccination. Il est significatif de voir Beaumarchais admirer Louis XVI qui, tout récemment monté sur le trône, se fait inoculer la variole :

« Il paraît inouï qu'un jeune roi, et Français, ce qui suppose une grande prévention contre cette pratique salutaire, se soit déterminé aussi courageusement et aussi vite[1]. »

D'ailleurs, Beaumarchais fait assumer à Bartholo cet abus d'autorité, en lui prêtant un cynisme que les personnages tyranniques de Molière avaient aussi :

« ROSINE. De quel droit, s'il vous plaît ?
BARTHOLO. Du droit le plus universellement reconnu, celui du plus fort. » (Acte II, scène 15, l. 65-67.)

Si, à la fin, il s'incline devant le grand seigneur, il persiste à vouloir lui disputer Rosine, **au mépris des lois** : il fait comme si le mariage n'était pas légal, il nie l'émancipation de fait qu'il induit, il prétend mettre en jeu la force publique. Il ne cède que contraint et de mauvaise grâce. Il est intéressant pourtant de noter une réplique du *Barbier* en cinq actes, supprimée ensuite, qui donnait à Bartholo à la fin une lucidité amère : « Je me rends parce qu'il est clair qu'elle m'aurait trompé toute sa vie. » C'était bien comprendre les limites de son autorité.

Mais Bartholo n'est pas la seule autorité mise en scène ; **le Comte** a une autorité de grand seigneur qui se dévoile à la fin, mais il la subordonne à **la loi** qu'il rappelle solennellement à Bartholo :

1. Cité par Frédéric Grendel, *Beaumarchais*, *op. cit.*, p. 238.

« LE COMTE. Elle n'est plus en votre pouvoir. Je la mets sous l'autorité des lois ; et monsieur[1], que vous avez amené vous-même, la protégera contre la violence que vous voulez lui faire. Les vrais magistrats sont les soutiens de tous ceux qu'on opprime. » (Acte IV, scène 8, l. 47-51.)

En effet, Bartholo a introduit lui-même, dans son aveuglement, ce qui le dépasse : l'Alcade, la force publique qu'il ne peut manipuler à son profit. **Rosine** elle-même n'est pas dépourvue d'autorité : capable de tenir tête à Bartholo, elle accepte d'épouser le Comte sans l'autorisation de son tuteur et donc de revendiquer par le mariage une liberté de choix qui lui était déniée. C'est bien ce que rappelle l'échange suivant :

« BARTHOLO. Je me moque de ses arguments. J'userai de mon autorité.
LE COMTE. Vous l'avez perdue en en abusant.
BARTHOLO. Mademoiselle est mineure.
FIGARO. Elle vient de s'émanciper. » (Acte IV, scène 8, l. 37-41.)

Il convient de ne pas oublier l'autorité de **l'auteur**, grand ordonnateur de la comédie : il délègue certains de ses pouvoirs à Figaro, comme son représentant dans la pièce, mais il en use aussi largement pour son propre compte, par la désinvolture de certaines actions (voir la circulation de la lettre de Rosine, les sorties fort à propos de Bartholo qui permettent de résoudre certaines difficultés, mais contredisent le caractère qu'il lui a prêté), par les mots qu'il se permet en direction du public. On a souvent parlé pour *Le Barbier*, comme pour *Le Mariage de Figaro*, de **mécanisme d'horlogerie**, en rappelant le premier métier de Beaumarchais et ses dons en ce domaine : curieusement – c'est-à-dire sans nécessité interne –, le Comte à l'ouverture de la pièce « *tire sa montre en se promenant* » (I, 1) ; et il commence à parler d'heure : « Le jour est moins avancé que je ne croyais. L'heure à laquelle elle a coutume de se montrer derrière sa jalousie est encore éloignée. » N'est-ce pas comme un clin d'œil de l'auteur, affirmant sa présence et son autorité ?

1. Il s'agit de l'Alcade.

LA CRITIQUE SOCIALE

On crédite souvent Beaumarchais du mérite d'annoncer la Révolution avec son Figaro. Si, pour des raisons de circonstances, on peut le dire du *Mariage de Figaro*, il n'en va pas de même du *Barbier*. Il suffit de comparer les quelques pointes de Figaro contre les nobles avec le passage cité de *La Double Inconstance* de Marivaux (voir « D'autres textes », p. 244) pour se rendre compte de la modération de Beaumarchais.

Dans les premières scènes, la rencontre entre le Comte et Figaro donne lieu à quelques échanges assez vifs sur **la hiérarchie sociale** ; certaines formules sont mêmes devenues communes :

« FIGARO. [...] persuadé qu'un grand nous fait assez de bien quand il ne nous fait pas de mal.
[...]
FIGARO. Aux vertus qu'on exige dans un domestique, Votre Excellence connaît-elle beaucoup de maîtres qui fussent dignes d'être valets ? » (Acte I, scène 2, l. 101-110.)

Mais on remarque à propos de cette dernière formule que le Comte l'apprécie comme un bon mot et non comme une attaque : « LE COMTE, *riant.* Pas mal. » Toute charge satirique est ainsi habilement, mais peut-être aussi faussement, désamorcée.

Les **attaques contre les médecins**, dans la bouche de Figaro ou du Comte (II, 13 : la chanson du Comte et son commentaire), sont si courantes dans la comédie (voir Molière, *Le Médecin malgré lui, Le Malade imaginaire*) qu'on ne peut leur trouver de signification particulière. Le docteur est d'ailleurs un personnage traditionnel de la Comédie-Italienne.

L'habit quasiment ecclésiastique de Bazile peut laisser croire à une **attaque contre l'Église**. Si elle existe, elle demeure fort légère et presque invisible. En effet, quand Figaro le présente, il ne dit rien qui égratignerait l'Église ou la religion :

« FIGARO. Un pauvre hère qui montre la musique à sa pupille, infatué de son art, friponneau, besoigneux, à genoux devant un écu, et dont il sera facile de venir à bout, Monseigneur... » (Acte I, scène 6, l. 7-10.)

La tirade de la calomnie évoque sans doute Tartuffe, et donc le faux dévot, mais elle ne met rien en jeu qui ne soit de toute époque et de toute société.

La vie racontée par Figaro peut paraître plus significative d'une **revendication sociale** que ces critiques ponctuelles. Il montre ses tentatives pour s'élever dans l'échelle sociale, par son mérite et sans aucune malhonnêteté (comparer avec le récit de Trivelin dans *La Fausse Suivante* de Marivaux, « D'autres textes », p. 236), et ses échecs répétés. L'absence de soutien, les mœurs des différents milieux (en particulier littéraires), les difficultés de la lutte pour la vie, composent un tableau morose même s'il est gaiement exprimé. Qu'on y voie le reflet des vicissitudes de la vie de l'auteur n'a rien d'étonnant, mais il faut reconnaître que la critique se fait plus générale. Tout homme qui tente, à partir d'une condition modeste, de se faire une place au soleil, pourrait souscrire à ces mots de Figaro :

« [...] accueilli dans une ville, emprisonné dans l'autre, et partout supérieur aux événements ; loué par ceux-ci, blâmé par ceux-là ; aidant au bon temps, supportant le mauvais ; me moquant des sots, bravant les méchants ; riant de ma misère et faisant la barbe à tout le monde [...]. » (Acte I, scène 2, l. 144-148.)

Il y aura beaucoup plus de violence et d'attaques précises dans *Le Mariage de Figaro*, qui présentera un tableau négatif d'une société où le mérite est toujours battu en brèche.

LIBERTÉ ET TYRANNIE

La revendication de liberté, essentiellement amoureuse, contre la volonté de ceux, parents en particulier, société en général, qui font peser leur pouvoir sur les jeunes gens, est un des sujets les plus anciens, les plus traditionnels de la comédie ; celle-ci, en effet, tourne généralement autour d'un mariage traversé d'obstacles et se termine par son accomplissement.

Le Barbier de Séville ne déroge pas à cette règle. Se trouvent ainsi mises en jeu plusieurs formes d'oppression, de tyrannie et donc de libération :

– **Oppression exercée par ceux qui détiennent une autorité légale** et en abusent : Bartholo est le tuteur de Rosine, responsable de ses biens, de son éducation. Et il veut s'approprier et les biens et la personne de Rosine, niant ainsi son autonomie d'adulte. C'est une variante bien connue du vieux schéma comique : le père abusif qui veut marier ses enfants selon son propre intérêt. Même Bazile, son agent, le lui dit :

« BAZILE. Oui, mais vous avez lésiné sur les frais ; et, dans l'harmonie du bon ordre, un mariage inégal, un jugement inique, un passe-droit évident sont des dissonances qu'on doit toujours préparer et sauver par l'accord parfait de l'or. » (Acte II, scène 8, l. 51-54.)

– **Oppression des femmes par les hommes**. Le motif de la « jalousie », fenêtre grillée comme dans une prison, scande toute la pièce :

« ROSINE. Faites mieux ; murez mes fenêtres tout d'un coup. D'une prison à un cachot la différence est si peu de chose ! » (Acte II, scène 4, l. 31-32.)

À propos de la lecture des lettres d'autrui, Rosine s'indigne que Bartholo invoque l'état conjugal pour la justifier :

« ROSINE. C'est qu'il est inouï qu'on se permette d'ouvrir les lettres de quelqu'un.
BARTHOLO. De sa femme ?
ROSINE. Je ne la suis pas encore. Mais pourquoi lui donnerait-on la préférence d'une indignité qu'on ne fait à personne ? » (Acte II, scène 15, l. 43-48.)

– **Oppression des jeunes par les vieux**. Le seul passage de *La Précaution inutile* qui soit chanté évoque le printemps et il est commenté par Rosine dans des termes significatifs (III, 4). Elle résume ses griefs à la fin de l'acte III, assumant sa révolte :

« Passer mes jours auprès d'un vieux jaloux, qui, pour tout bonheur, offre à ma jeunesse un esclavage abominable ! » (Acte III, scène 12, l. 45-47.)

L'**amour**, selon un vieux schéma comique (illustré par Molière dans *L'École des femmes*), est l'occasion pour Rosine de sa libération. Elle prend en main sa propre destinée par un coup de force – la lettre envoyée par la fenêtre – et elle justifie les libertés qu'elle s'autorise avec la morale par la tyrannie à laquelle elle est soumise (II, 1).

Mais c'est surtout Figaro, par sa verve et son activité, qui incarne l'**esprit de liberté**. Il parle certes plus qu'il n'agit (même si en dérobant la clef, il est un rouage indispensable de l'intrigue) : mais c'est par sa présence, son énergie, sa capacité à rebondir qu'il entraîne les autres.

LES DÉGUISEMENTS

Ils sont traditionnels dans la comédie : tous les auteurs – notamment Molière (*Dom Juan, Le Malade imaginaire, L'Avare, Le Bourgeois gentilhomme*, etc.) – en ont fait grand usage ; Marivaux les utilise abondamment (voir « D'autres textes », p. 247). La farce repose bien souvent sur le ressort du déguisement et elle se fait sentir dans l'invraisemblance habituelle du procédé : les personnages déguisés sont le plus souvent reconnaissables, ils ne se griment guère et les spectateurs ne sont jamais dupés. La convention joue ici pleinement : on le voit bien dans *Le Barbier*, où l'on se demande comment Bartholo, qui n'est pas si bête, se laisse prendre au jeu du prétendu Alonzo. Le travestissement en soldat de la part d'un noble et d'un personnage que Bartholo ne connaît pas encore est plus vraisemblable, mais accentue justement l'irréalisme du déguisement suivant.

Il convient de noter par ailleurs que, sous le nom de Lindor, le Comte est « déguisé » pendant la plus grande partie de la pièce : jeu non sur l'apparence, mais sur l'identité, qui provoque la péripétie la plus émouvante de la pièce, quand Rosine croit avoir été trompée par son amoureux. Dès le début, le grand manteau brun, le chapeau rabattu sur le visage signalent son désir de se cacher, ce qu'il explique par le fait qu'il poursuit à Séville une femme qu'il croit mariée ; par ailleurs il s'agit pour lui d'être aimé pour lui-même et non comme Grand d'Espagne. Figaro apparaissant à la scène 5 de l'acte IV *« enveloppé d'un manteau »* parodie en quelque sorte le Comte, jouant les mystérieux, mais provoquant la moquerie :

« LE COMTE. C'est Rosine que ta figure atroce aura mise en fuite. » (Acte IV, scène 5, l. 4-5.)

L'ESPAGNE

Beaumarchais insiste beaucoup sur les **costumes** dans la liste liminaire des personnages. Il tient à ce que l'**espagnolisme** soit respecté, le considérant comme partie intégrante de l'œuvre et pas comme un simple enjolivement. Les metteurs en scène peuvent ne pas en tenir compte, mais il convient de prendre en considération cet aspect dans la lecture et l'interprétation de l'œuvre. Il en va de même pour les noms de l'Alcade et des alguazils. Beaumarchais aurait pu tout aussi bien, dans la mesure où ils sont peu présents et guère interpellés, ne pas s'en préoccuper : le jeu sur les noms est une forme d'exotisme à l'usage des lecteurs plus que des spectateurs. Cette préoccupation de couleur locale est une nouveauté par rapport à l'usage classique. La **fenêtre grillée**, dite « jalousie », joue le même rôle. Elle est traditionnelle dans les représentations de l'Espagne et renvoie lointainement aux sérails des pays de l'Orient.

L'Espagne est aussi présente dans le dialogue même : Figaro remarque que sans **guitare** le Comte ne paraîtrait pas sévillan, **Séville** fonctionnant comme indice d'une « hyper-hispanité », à côté de Madrid, capitale plus ouverte aux influences extérieures. Évoquant sa vie, il énumère des provinces espagnoles (I, 2). L'appellation « signora », même fautive, puisque italienne, est signe d'un autre rapport aux femmes, d'autres mœurs. L'allusion à la France faite par Bartholo, pour dénoncer une forme de laxisme envers les femmes, souligne ironiquement pour les spectateurs français la fiction espagnole.

La transformation du Comte qui, dans la scène 6 de l'acte IV, « *jetant son large manteau* », « *paraît en habit magnifique* », renvoie à toute une imagerie des **nobles espagnols**, plus brillants encore, plus imposants que les Français : si, habituellement, ils manifestent une arrogance en rapport avec leur apparence, ici, Beaumarchais, soucieux de créer un jeune premier sympathique, n'a conservé de l'image traditionnelle que la splendeur de l'habit et, dans la scène 8, la noblesse de la parole.

LA MUSIQUE

On sait que Beaumarchais avait d'abord écrit *Le Barbier* sous forme d'opéra dont il avait aussi composé la musique. Il s'en explique dans la *Lettre modérée* : il fait des reproches à l'opéra de son temps et prétend que l'intérêt s'épuise aux éternelles répétitions d'airs. Mais il affirme en même temps : « Moi qui ai toujours chéri la musique sans inconstance et même sans infidélité [...]. » Nous savons qu'effectivement il était un excellent musicien et que ce talent l'amena à Versailles, où il devient maître de musique de Mesdames, filles de Louis XV :

« Or, si j'ose dire, Beaumarchais connaissait la musique, il en composait et jouait à ravir de plusieurs instruments. Alors, il inventa une pédale pour les harpes, la même dont on use toujours. Mesdames, qui s'ennuyaient à périr, voulurent tâter de cette harpe miraculeuse. Beaumarchais apporta son instrument, le laissa dans l'appartement de Mme Adélaïde. Comme il jouait aussi de la viole, de la guimbarde, de la flûte et même du tambourin, il devint en un tournemain le professeur préféré, le chef d'orchestre exclusif et le compagnon favori de Loque [1], Coche, Graille et Chiffe [2]. »

Dans trois des quatre actes de la pièce, la musique est présente : au début, Figaro est l'auteur-compositeur d'une chanson qui en quelque sorte lui sert d'emblème, même si elle ne fait pas son portrait (rien ne le caractérise comme buveur dans la pièce) : gaieté et insouciance. Puis le Comte use de la musique selon la tradition

1. Surnoms des quatre filles de Louis XV.
2. Frédéric Grendel, *Beaumarchais*, *op. cit.*, p. 73.

amoureuse de la sérénade au pied du balcon ; il improvise assez brillamment sur un air de *La Précaution inutile* pour que Figaro soit en admiration. Déguisé en soldat ivre, il chante encore sur des airs connus de l'époque, en jouant du décalage entre la mélodie et le texte. Rosine, elle aussi, chante sa réponse à Lindor sur un air d'opéra-bouffe. Dans le troisième acte, une scène entière (scène 4) est construite autour de l'air de *La Précaution inutile*, par lequel s'expriment l'amour et le désir de Rosine, et qui provoque le jeu de scène amoureux réveillant Bartholo. Il est très intéressant d'abord que cet amour pastoral et raffiné endorme le lourd Bartholo et qu'il s'en plaigne ensuite, réclamant des airs plus gais. Il en donne immédiatement l'exemple, dans une chanson où la pastorale est tournée en ridicule et qu'il adapte à sa propre situation. Cette chanson, en soi plus insignifiante que franchement mauvaise, est cependant exécutée sur le mode burlesque, avec les pas de danse qui l'accompagnent. Bartholo fait le beau et il ne parvient qu'à être ridicule (ce que souligne l'imitation maligne de Figaro). Ajoutons que pendant tout ce temps un orchestre joue : la musique est donc bien présente. Elle le demeurera pendant l'intermède entre l'acte III et l'acte IV et toute une partie de l'acte IV, tant que se font entendre des bruits d'orage. Après le charme de l'air de Rosine, le comique de la chanson de Bartholo, c'est donc une musique inquiétante qui se fait entendre, en correspondance avec les jeux de lumière.

OBJETS ET DÉCORS

À la différence des comédies classiques, la comédie selon Beaumarchais (ce sera aussi vrai dans *Le Mariage de Figaro* et *La Mère coupable*) fait un grand usage d'objets divers qui non seulement apparaissent ponctuellement, comme la **broderie** de Rosine (II, 3), mais circulent et donnent une charge symbolique essentielle à la pièce.

Les **lettres** de Rosine, du Comte, de Rosine à nouveau expriment concrètement à la fois le désir amoureux (comme forme d'échange) et la volonté de libération de Rosine (elles sont écrites et envoyées à l'insu du tuteur). Une lettre en particulier, par son parcours compliqué, contribue au nœud et donc au dénouement : sa circulation, les mystères qui l'entourent, l'énigme même qu'elle représente pour le spectateur, lui donnent un rôle presque de « personnage » ; elle devient comme le substitut symbolique de Rosine elle-même.

Certains objets n'apparaissent pas mais ont une forte présence verbale : ceux qui sont liés à la **profession de Figaro**. Quand celui-ci promet son aide au Comte, il s'explique en mettant en avant son métier :

« FIGARO. De plus, son barbier, son chirurgien, son apothicaire ; il ne se donne pas un coup de rasoir, de lancette ou de piston, qui ne soit de la main de votre serviteur. » (Acte I, scène 4, l. 68-70.)

« FIGARO. [...] Ma boutique à quatre pas d'ici, peinte en bleu, vitrage en plomb, trois palettes en l'air, l'œil dans la main : *Consilio manuque*, FIGARO. » (Acte I, scène 6, l. 102-105.)

Plus loin, quand Figaro immobilise les serviteurs et même la mule de Bartholo, il en est à nouveau question. Comme Bartholo est médecin, il y a entre eux deux une rivalité et une sorte de complémentarité ; le thème de la maladie est bien présent et il surgit en force quand tout le monde se ligue pour renvoyer Bazile chez lui (III, 11), quand Figaro et le Comte font passer Bartholo pour fou, au point qu'il se trouble lui-même.

La **lumière** fait partie du « décor », et le plus souvent il n'en est pas beaucoup question dans une pièce de théâtre. Or, ici, elle joue un rôle particulier : d'abord Rosine (II, 1) utilise un bougeoir allumé, moins pour voir ce qu'elle écrit que pour cacheter sa lettre à Lindor. Elle éteint ce bougeoir révélateur au moment où elle entend Bartholo arriver (II, 3) et en reparle quand Bartholo enquête sur la lettre qu'il pense avoir été écrite : « Je me suis brûlée en chiffonnant autour de cette bougie [...] » (II, 11). Dans tout l'acte V, les effets de lumière sont soulignés : « DON BAZILE, *une lanterne de papier à la main* » (V, 1) ; « BARTHOLO, *avec de la lumière* » (V, 3) ; « *Figaro allume toutes les bougies qui sont sur la table* » (V, 6) ; « DES VALETS *avec des flambeaux* » (V, 8).

On n'est pas tenté, au premier abord, de qualifier d'objet un élément d'architecture comme la fenêtre. Mais l'insistance sur la **jalousie**, les grillages, la fermeture..., encore augmentée par le thème de la **clef**, donnent à ressentir, tout au long de la pièce, l'enfermement de Rosine et l'allure de « château fort » de la maison du docteur Bartholo. Du point de vue de la mise en scène, ces éléments, dont Beaumarchais souligne l'importance, doivent être mis en valeur. En effet, n'oublions pas que les jeunes gens utilisent des moyens discutables (voir les accusations d'immoralité dont Beaumarchais se défend dans la *Lettre modérée*) dont ils doivent être innocentés : faire sentir en permanence aux spectateurs, dans le décor même, dans des objets symboliques, que la vie de Rosine est en jeu, et pas seulement son bonheur amoureux, est un élément essentiel de leur disculpation.

Enfin, il ne faut pas oublier la **guitare** du premier acte que Figaro (I, 2) porte sur le dos en bandoulière pendant qu'il compose, et que le Comte utilise pour chanter son message à Rosine :

« FIGARO. [...] Avec le dos de la main, from, from, from... Chanter sans guitare à Séville ! Vous seriez bientôt reconnu, ma foi, bientôt dépisté ! » (Acte I, scène 6, l. 25.)

Si la chanson du Comte est improvisée, un texte de chanson joue le rôle de fil directeur : *La Précaution inutile*.

LE PLAISIR

La chanson de Figaro donne le ton :

« *Bannissons le chagrin,*
Il nous consume :
Sans le feu du bon vin,
Qui nous rallume,
Réduit à languir,
L'homme, sans plaisir,
Vivrait comme un sot,
Et mourrait bientôt. » (Acte I, scène 2, l. 4-11.)

Il confirme son credo contre Bartholo :

« Ma foi, monsieur, les hommes n'ayant guère à choisir qu'entre la sottise et la folie, où je ne vois pas de profit je veux au moins du plaisir ; et vive la joie ! Qui sait si le monde durera encore dans trois semaines ! » (Acte III, scène 5, l. 45-48.)

Tous les personnages de la pièce cherchent leur plaisir, plus ou moins légitime, plus ou moins égoïste, et le revendiquent comme Figaro, mais avec des nuances. La distinction établie entre « l'ivresse du peuple » et celle des nobles valorise la première : « C'est la bonne, c'est celle du plaisir » (I, 4). L'air de Rosine, qui suit son éloge du printemps, exalte les plaisirs de l'amour : « PETITE REPRISE » (III, 4). Quant à Bartholo, la discussion qui l'oppose à Bazile sur le mariage montre bien l'égoïsme féroce de son plaisir, qu'il veut acquérir contre la volonté expresse de l'autre (IV, 1). Bazile lui-même fait tout céder au plaisir de l'argent.

Curieusement, seul le Comte **oppose le plaisir au bonheur**, dans une déclaration explicite, où il se distingue des autres jeunes nobles :

« Chacun court après le bonheur. Il est pour moi dans le cœur de Rosine… Mais quoi ! suivre une femme à Séville, quand Madrid et la cour offrent de toutes parts des plaisirs si faciles ? Et c'est cela même que je fuis. » (Acte I, scène 1, l. 8-12.)

Attitude qu'il reniera dans *Le Mariage de Figaro*, comme s'il était bien difficile, après tout, de renoncer au libertinage, caractéristique de l'époque.

D'AUTRES TEXTES

Valets et barbons : deux figures de comédie

MOLIÈRE, *LES FOURBERIES DE SCAPIN*, 1671

Serviteur, au secours !

Le jeune Octave se plaint à Scapin, le valet d'un de ses amis, que son père veuille le marier contre son gré.

« OCTAVE. Mon père arrive avec le seigneur Géronte, et ils me veulent marier.
SCAPIN. Hé bien ! qu'y a-t-il là de si funeste ?
OCTAVE. Hélas ! tu ne sais pas la cause de mon inquiétude.
SCAPIN. Non ; mais il ne tiendra qu'à vous que je ne la sache bientôt ; et je suis homme consolatif, homme à m'intéresser aux affaires des jeunes gens.
OCTAVE. Ah ! Scapin, si tu pouvais trouver quelque invention, forger quelque machine, pour me tirer de la peine où je suis, je croirais t'être redevable de plus que de la vie.
SCAPIN. À vous dire la vérité, il y a peu de choses qui me soient impossibles, quand je m'en veux mêler. J'ai sans doute reçu du Ciel un génie assez beau pour toutes les fabriques de ces gentillesses d'esprit, de ces galanteries ingénieuses, à qui le vulgaire ignorant donne le nom de fourberies, et je puis dire sans vanité qu'on n'a guère vu d'homme qui fût plus habile ouvrier de ressorts et d'intrigues, qui ait acquis plus de gloire que moi dans ce noble métier. Mais, ma foi, le mérite est trop maltraité aujourd'hui, et j'ai renoncé à toutes choses depuis certain chagrin d'une affaire qui m'arriva.
OCTAVE. Comment ? Quelle affaire, Scapin ?
SCAPIN. Une aventure où je me brouillai avec la justice.

OCTAVE. La justice !
SCAPIN. Oui, nous eûmes un petit démêlé ensemble.
SYLVESTRE. Toi et la justice ?
SCAPIN. Oui. Elle en usa fort mal avec moi, et je me dépitai de telle sorte contre l'ingratitude du siècle, que je résolus de ne plus rien faire. Baste ! Ne laissez pas de me conter votre aventure. »

MOLIÈRE, *Les Fourberies de Scapin*, acte I, scène 2, 1671.

QUESTIONS

1. Montrez comment Beaumarchais s'est inspiré de Molière dans la relation entre Figaro et le Comte, au début du *Barbier de Séville*.

2. En quoi Figaro est-il plus honorable et sympathique que Scapin ?

MARIVAUX, *LA FAUSSE SUIVANTE*, 1724

Autoportrait

Le valet Trivelin dresse son propre portrait à un autre valet.

«TRIVELIN. Depuis quinze ans que je roule dans le monde, tu sais combien je me suis tourmenté, combien j'ai fait d'efforts pour arriver à un état fixe. J'avais entendu dire que les scrupules nuisaient à la fortune ; je fis trêve avec les miens, pour n'avoir rien à me reprocher. Était-il question d'avoir de l'honneur ? j'en avais. Fallait-il être fourbe ? j'en soupirais, mais j'allais mon train. Je me suis vu quelquefois à mon aise ; mais le moyen d'y rester avec le jeu, le vin et les femmes ? Comment se mettre à l'abri de ces fléaux-là ?
FRONTIN. Cela est vrai.
TRIVELIN. Que te dirai-je enfin ? Tantôt maître, tantôt valet ; toujours prudent, toujours industrieux ; ami des fripons par intérêt, ami des honnêtes gens par goût ; traité poliment sous une figure, menacé d'étrivières sous une autre ; changeant à propos de métier, d'habit, de caractère, de mœurs ; risquant beaucoup, résistant peu ; libertin dans le fond, réglé dans la forme ; démasqué par les

uns, soupçonné par les autres, à la fin équivoque à tout le monde, j'ai tâté de tout ; je dois partout ; mes créanciers sont de deux espèces : les uns ne savent pas que je leur dois ; les autres le savent et le sauront longtemps. J'ai logé partout, sur le pavé, chez l'aubergiste, au cabaret, chez le bourgeois, chez l'homme de qualité, chez moi, chez la justice, qui m'a souvent recueilli dans mes malheurs ; mais ses appartements sont trop tristes, et je n'y faisais que des retraites ; enfin, mon ami, après quinze ans de soins, de travaux et de peines, ce malheureux paquet est tout ce qui me reste ; voilà ce que le monde m'a laissé, l'ingrat ! après ce que j'ai fait pour lui ! tous ses présents, pas une pistole. »

MARIVAUX, *La Fausse Suivante*, acte I, scène 1, 1724.

QUESTIONS

1. Quel est le ton du personnage ?

2. Comparez sa vie avec celle de Figaro. Quelle est la différence essentielle entre les deux valets ?

MOLIÈRE, *L'ÉCOLE DES FEMMES*, 1662

Épouser un barbon

Arnolphe donne une leçon sur le mariage à sa pupille ignorante, qu'il veut épouser.

« ARNOLPHE, *assis.*

[...]
Le mariage, Agnès, n'est pas un badinage :
À d'austères devoirs le rang de femme engage ;
Et vous n'y montez pas, à ce que je prétends,
Pour être libertine et prendre du bon temps.
Votre sexe n'est là que pour la dépendance :
Du côté de la barbe est la toute-puissance.
Bien qu'on soit deux moitiés de la société,
Ces deux moitiés pourtant n'ont point d'égalité :

L'une est moitié suprême, et l'autre subalterne ;
L'une en tout est soumise à l'autre qui gouverne ;
Et ce que le soldat, dans son devoir instruit,
Montre d'obéissance au chef qui le conduit,
Le valet à son maître, un enfant à son père,
À son supérieur le moindre petit frère,
N'approche point encor de la docilité,
Et de l'obéissance, et de l'humilité,
Et du profond respect où la femme doit être
Pour son mari, son chef, son seigneur, et son maître.
Lorsqu'il jette sur elle un regard sérieux,
Son devoir aussitôt est de baisser les yeux,
Et de n'oser jamais le regard en face,
Que quand d'un doux regard il lui veut faire grâce. »

MOLIÈRE, *L'École des femmes*, acte III, scène 2, v. 695-716, 1662.

QUESTIONS

1. Vous commenterez précisément ce passage. Quelle image Arnolphe donne-t-il du pouvoir masculin ?

2. En quoi Bartholo ressemble-t-il au personnage de Molière ? En quoi est-il différent ?

BEAUMARCHAIS, *LE MARIAGE DE FIGARO*, 1784

La métamorphose du valet

On vient d'apprendre que Figaro est le fils de Marceline, la gouvernante de Bartholo, et de celui-ci, qui n'avait pas voulu l'épouser. Marceline est ravie, alors que Bartholo commence par refuser de reconnaître ce fils qu'il déteste et d'épouser sa mère.

« BARTHOLO, *à Figaro.* Et cherche à présent qui t'adopte. (*Il veut sortir.*)
MARCELINE, *courant prendre Bartholo à bras-le-corps, le ramène.* Arrêtez, docteur, ne sortez pas !

FIGARO, *à part.* Non, tous les sots d'Andalousie sont, je crois, déchaînés contre mon pauvre mariage !
SUZANNE, *à Bartholo.* Bon petit papa, c'est votre fils.
MARCELINE, *à Bartholo.* De l'esprit, des talents, de la figure.
FIGARO, *à Bartholo.* Et qui ne vous a pas coûté une obole.
BARTHOLO. Et les cent écus qu'il m'a pris ?
MARCELINE, *le caressant.* Nous aurons tant de soin de vous, papa !
SUZANNE, *le caressant.* Nous vous aimerons tant, petit papa !
BARTHOLO, *attendri.* Papa ! bon papa ! petit papa ! voilà que je suis plus bête encore que Monsieur, moi. *(Montrant Brid'oison.)* Je me laisse aller comme un enfant. *(Marceline et Suzanne l'embrassent.)* Oh ! non, je n'ai pas dit oui. *(Il se retourne.)* Qu'est donc devenu Monseigneur ?
FIGARO. Courons le joindre ; arrachons-lui son dernier mot. S'il machinait quelque autre intrigue, il faudrait tout recommencer.
TOUS ENSEMBLE. Courons, courons. *(Ils entraînent Bartholo dehors.)* »

Pierre-Augustin CARON DE BEAUMARCHAIS,
Le Mariage de Figaro, acte III, scène 19, 1784.

QUESTIONS

1. Que pensez-vous de cette façon de résoudre l'énigme de la naissance de Figaro ? Beaumarchais ne l'avait-il pas annoncé dans la *Lettre modérée* ?

2. Bartholo s'attendrit : ce coup de théâtre était-il prévisible ?

QUESTIONS D'ENSEMBLE

1. Quel est, à la lumière de ces extraits et du *Barbier*, le type du valet de comédie ?

2. Le barbon est un obstacle traditionnel aux visées des jeunes gens : est-ce sa seule fonction ?

Entre farce et comédie de mœurs au XVIIIe siècle

BEAUMARCHAIS, *LE SACRISTAIN*, VERS 1765

Un intermède en forme de farce

Dans cette œuvre inachevée de Beaumarchais, découverte récemment, on voit la première apparition du sujet du Barbier, *sauf qu'il n'y a pas de barbier, mais un jeune sacristain, Lindor, qui est l'amant de Pauline, la femme du barbon.*

« BARTHOLO. Bonsoir, ma chère Pauline, ma petite femme, mon cœur. Je rentre un peu tard, bien las, bien fatigué. Ne va pas me reprocher une course indispensable : tu sais que je te quitte le moins qu'il m'est possible.
PAULINE, *en bâillant.* Ah mon Dieu oui, je le sais.
BARTHOLO. Tu me fais bâiller, mon enfant. Sentirais-tu déjà les approches du sommeil ?
PAULINE. Je dormais quand vous êtes arrivé.
BARTHOLO. Nous nous retirerons ce soir de bonne heure. Il y a plusieurs nuits que je n'ai fermé l'œil : j'ai entendu des bruits sourds, comme des gémissements, et puis un ferraillement, un tapage de chaînes, des voix terribles qui me glaçaient d'effroi.
PAULINE. Je n'ai rien entendu.
BARTHOLO. Malgré mes frayeurs j'ai respecté ton sommeil. Mais pourtant si c'étaient des esprits, des revenants ? Cette maison appartenait avant moi à un corregidor ou chef de justice, et tu sais que ceux qui abusent de leur vivant de ce ministère ont plus besoin que d'autres de prières après leur mort.
PAULINE, *à part.* C'est peut-être quelque tour de Lindor.
BARTHOLO. Hem ?
PAULINE. Oui... de prières après leur mort. Cette pensée n'est pas dénuée de fondement ; si vous voulez, nous irons ensemble au devin.

BARTHOLO. Oh non, non... Premièrement je ne me soucie pas que tu sortes. Et puis ce sont de si grands fourbes que ces devins !
PAULINE. J'en ai rencontré, je vous assure...
BARTHOLO. Écoute, mon enfant.

(Il chante sur l'air du confiteor.)

Quand ma mère fillette était,
Un devin menteur et profane
Lui prédit qu'elle épouserait
Un assassin à tête d'âne.
Vois comme il faut croire au devin :
Mon père fut un médecin,
le fameux Bartholo, si renommé à Valladolid.

PAULINE. Ce n'est pas là ce qui m'empêcherait d'ajouter foi à leurs prédictions.
BARTHOLO. Autre preuve de leur ignorance : c'est encore ma mère qui m'a conté cela, car elle avait eu comme toi la faiblesse d'y croire.

(Même air.)

Quand elle épousa Bartholo,
Une autre sorcière amenée
Lui prédit qu'elle aurait un veau
Pour tout fruit de cet hyménée.
À leur art ajoutez donc foi !
Ma mère n'eut d'enfant que moi.

PAULINE. Tout cela ne me fait pas changer d'opinion. De mon côté, j'ai des preuves non suspectes de leur profond savoir.

À Madrid quand je demeurais,
Un fameux devin de Castille
Me prédit que je deviendrais
Femme sans cesser d'être fille.
Jusqu'à présent, mon cher époux,
Ment-il ? je m'en rapporte à vous.

BARTHOLO. À cet égard, ma petite, ça viendra. Madrid n'a pas été fait dans un jour. Songe donc qu'il y a à peine sept mois que nous sommes mariés, mon fanfan.
PAULINE. Moi, monsieur, je réponds à vos arguments contre les devins, voilà tout. Ce n'est pas que la vie que je mène soit bien gaie…
BARTHOLO. Elle est honnête et c'est le principal. Le révérend Père Dom Bazile est-il venu te donner ta leçon de musique ?
PAULINE. Quand il se serait présenté, ne m'avez-vous pas enfermée en sortant ?
BARTHOLO. Tu as raison, mon minet. Je suis pourtant fâché de t'avoir fait perdre une leçon.
PAULINE. Vous pouvez vous dispenser de la regretter, monsieur. Quand vous auriez été ici, je ne l'aurais pas prise.
BARTHOLO. Et pourquoi, ma bergère ?
PAULINE. Qu'ai-je besoin de talents ? Pour quoi les acquérir ? devant qui les exercer ? Je suis condamnée à ne voir personne, et je n'ai jamais si bien senti que ce que vous donnez à Dom Bazile est de l'argent perdu. (*On entend heurter à la porte.*) On frappe. Si c'est Dom Bazile, je vous prie de le renvoyer tout à fait : je ne veux plus entendre parler de rien. Un de ces matins je briserai ma harpe et je jetterai toute ma musique au feu. »

Pierre-Augustin CARON DE BEAUMARCHAIS,
Le Sacristain, acte III, scène 2, vers 1765.

QUESTIONS

1. Comparez cette scène avec la scène correspondante du *Barbier de Séville*. Quelles sont les différences ?

2. Quelle scène vous semble la plus amusante ?

BEAUMARCHAIS, *LE MARIAGE DE FIGARO*, 1784

La vie de Figaro

Figaro, qui se croit trahi par Suzanne, qu'il vient d'épouser, repasse sa vie dans un long monologue.

« FIGARO. [...] Las de nourrir un obscur pensionnaire, on me met un jour dans la rue ; et comme il faut dîner, quoiqu'on ne soit plus en prison, je taille encore ma plume, et demande à chacun de quoi il est question : on me dit que, pendant ma retraite économique, il s'est établi dans Madrid un système de liberté sur la vente des productions, qui s'étend même à celles de la presse ; et que, pourvu que je ne parle en mes écrits, ni de l'autorité, ni du culte, ni de la politique, ni de la morale, ni des gens en place, ni des corps en crédit, ni de l'Opéra, ni des autres spectacles, ni de personne qui tienne à quelque chose, je puis tout imprimer librement, sous l'inspection de deux ou trois censeurs. Pour profiter de cette douce liberté, j'annonce un écrit périodique, et, croyant n'aller sur les brisées d'aucun autre, je le nomme *Journal inutile*. Pou-ou ! je vois s'élever contre moi, mille pauvres diables à la feuille ; on me supprime ; et me voilà derechef sans emploi ! – Le désespoir m'allait saisir ; on pense à moi pour une place, mais par malheur j'y étais propre : il fallait un calculateur, ce fut un danseur qui l'obtint. Il ne me restait plus qu'à voler ; je me fais banquier de pharaon : alors, bonnes gens ! je soupe en ville, et les personnes dites *comme il faut* m'ouvrent poliment leur maison, en retenant pour elles les trois quarts du profit. J'aurais bien pu me remonter ; je commençais même à comprendre que pour gagner du bien, le savoir-faire vaut mieux que le savoir. Mais comme chacun pillait autour de moi, en exigeant que je fusse honnête, il fallut bien périr encore. Pour le coup je quittais le monde ; et vingt brasses d'eau m'en allaient séparer, lorsqu'un dieu bienfaisant m'appelle à mon premier état. Je reprends ma trousse et mon cuir anglais ; puis laissant la fumée aux sots qui s'en nourissent, et la honte au milieu du chemin, comme trop lourde à un piéton, je vais rasant de ville en ville, et je vis enfin sans souci. »

Pierre-Augustin CARON DE BEAUMARCHAIS,
Le Mariage de Figaro, acte V, scène 3, 1784.

QUESTION

Comparez ce récit de Figaro à celui qu'il fait au Comte dans *Le Barbier de Séville* (I, 2) ; soyez attentif en particulier à la tonalité.

MARIVAUX, *LA DOUBLE INCONSTANCE*, 1723

Maîtres et valets

Arlequin est un jeune campagnard dont le prince du pays a fait emmener la promise au palais, car il en est tombé amoureux et veut en faire sa femme. Mais comme ce prince n'est pas un tyran, il voudrait bien que les deux jeunes gens consentent à son projet, c'est-à-dire que Silvia l'aime et qu'Arlequin se sépare d'elle. Il vient en parler avec Arlequin. Il faut préciser qu'Arlequin porte un nom traditionnel de valet et qu'en face du prince il est forcément dans la position d'un sujet très inférieur. Cependant il se défend.

« ARLEQUIN, *tristement.* Puisque vous n'avez pas de rancune contre moi, ne permettez pas que j'en aie contre vous. Je ne suis pas digne d'être fâché contre un Prince, je suis trop petit pour cela. Si vous m'affligez, je pleurerai de toute ma force, et puis c'est tout ; cela doit faire compassion à votre puissance ; vous ne voudriez pas avoir une principauté pour le contentement de vous tout seul.
LE PRINCE. Tu te plains donc bien de moi, Arlequin ?
ARLEQUIN. Que voulez-vous, Monseigneur ? J'ai une fille qui m'aime ; vous, vous en avez plein votre maison, et nonobstant vous m'ôtez la mienne. Prenez que je suis pauvre, et que tout mon bien est un liard ; vous qui êtes riche de plus de mille écus, vous vous jetez sur ma pauvreté et vous m'arrachez mon liard ; cela n'est-il pas bien triste ?
LE PRINCE, *à part.* Il a raison, et ses plaintes me touchent.
ARLEQUIN. Je sais bien que vous êtes un bon Prince, tout le monde le dit dans le pays ; il n'y aura que moi qui n'aurai pas le plaisir de le dire comme les autres.
LE PRINCE. Je te prive de Silvia, il est vrai ; mais demande-moi ce que tu voudras ; je t'offre tous les biens que tu pourras souhaiter, et laisse-moi cette seule personne que j'aime.
ARLEQUIN. Ne parlons point de ce marché-là, vous gagneriez trop sur moi. Disons en conscience : si un autre que vous me l'avait prise, est-ce que vous ne me la feriez pas remettre ? Eh

bien ! personne ne me l'a prise que vous ; voyez la belle occasion de montrer que la justice est pour tout le monde !
LE PRINCE, *à part.* Que lui répondre ?
ARLEQUIN. Allons, Monseigneur, dites-vous comme cela : "Faut-il que je retienne le bonheur de ce petit homme parce que j'ai le pouvoir de le garder ? N'est-ce pas à moi à être son protecteur, puisque je suis son maître ? S'en ira t-il sans avoir justice ? N'en aurais-je pas du regret ? Qu'est-ce qui fera mon office de Prince, si je ne le fais pas ! J'ordonne donc que je lui rendrai Silvia."
LE PRINCE. Ne changeras-tu jamais de langage ? Regarde comme j'en agis avec toi. Je pourrais te renvoyer et garder Silvia sans t'écouter ; cependant, malgré l'inclination que j'ai pour elle, malgré ton obstination et le peu de respect que tu me montres, je m'intéresse à ta douleur ; je cherche à la calmer par mes faveurs ; je descends jusqu'à te prier de me céder Silvia de bonne volonté ; tout le monde t'y exhorte, tout le monde te blâme et te donne un exemple de l'ardeur qu'on a de me plaire ; tu es le seul qui résiste. Tu dis que je suis ton Prince : marque-le-moi donc par un peu de docilité.
ARLEQUIN, *toujours triste.* Eh ! Monseigneur, ne vous fiez pas à ces gens qui vous disent que vous avez raison avec moi, car ils vous trompent. Vous prenez cela pour argent comptant ; et puis vous avez beau être bon, vous avez beau être brave homme, c'est autant de perdu, cela ne vous fait point de profit. Sans ces gens-là, vous ne me chercheriez point chicane ; vous ne diriez pas que je vous manque de respect parce que je vous représente mon bon droit. Allez, vous êtes mon Prince, et je vous aime bien ; mais je suis votre sujet, et cela mérite quelque chose. »

MARIVAUX, *La Double Inconstance*, acte III, scène 5, 1723.

QUESTIONS

1. Les propos d'Arlequin correspondent-ils, dans la forme, à ce qu'on attend d'un jeune campagnard ?

2. Quelle est la tonalité du passage ? Dans quel type de pièce l'attendrait-on ?

3. Que pensez-vous de ce dialogue, sur le fond ? Peut-on parler d'audace ?

BEAUMARCHAIS, *LE MARIAGE DE FIGARO*, 1784

Des rapports compliqués

Figaro est maintenant le valet du Comte et va épouser Suzanne, la suivante de la comtesse Rosine. Mais le Comte, amoureux de Suzanne, voudrait bien obtenir ses faveurs. Figaro le sait. La Comtesse aussi. Dans cette scène, le Comte essaie d'apprendre ce que sait Figaro, en lui proposant de l'accompagner en Angleterre où il vient d'être nommé ambassadeur.

« LE COMTE. … Autrefois tu me disais tout.
FIGARO. Et maintenant je ne vous cache rien.
LE COMTE. Combien la Comtesse t'a-t-elle donné pour cette belle association ?
FIGARO. Combien me donnâtes-vous pour la tirer des mains du Docteur ? Tenez, Monseigneur, n'humilions pas l'homme qui nous sert bien, crainte d'en faire un mauvais valet.
LE COMTE. Pourquoi faut-il qu'il y ait toujours du louche en ce que tu fais ?
FIGARO. C'est qu'on en voit partout quand on cherche des torts.
LE COMTE. Une réputation détestable !
FIGARO. Et si je vaux mieux qu'elle ? Y a-t-il beaucoup de seigneurs qui puissent en dire autant ?
LE COMTE. Cent fois je t'ai vu marcher à la fortune, et jamais aller droit.
FIGARO. Comment voulez-vous ? la foule est là ; chacun veut courir, on se presse, on pousse, on coudoie, on renverse, arrive qui peut ; le reste est écrasé. Aussi c'est fait ; pour moi, j'y renonce.
LE COMTE. À la fortune ? *(À part.)* Voici du neuf.
FIGARO, *à part.* À mon tour maintenant. *(Haut.)* Votre excellence m'a gratifié de la conciergerie du château ; c'est un fort joli sort ; à la vérité je ne serai pas le courrier étrenné des nouvelles intéressantes ; mais en revanche, heureux avec ma femme au fond de l'Andalousie…

LE COMTE. Qui t'empêcherait de l'emmener à Londres ?
FIGARO. Il faudrait la quitter si souvent, que j'aurais bientôt du mariage par-dessus la tête.
LE COMTE. Avec du caractère et de l'esprit, tu pourrais un jour t'avancer dans les bureaux.
FIGARO. De l'esprit pour s'avancer ? Monseigneur se rit du mien. Médiocre et rampant, et l'on arrive à tout.
LE COMTE. … Il ne faudrait qu'étudier un peu sous moi la politique.
FIGARO. Je le sais.
LE COMTE. Comme l'anglais : le fond de la langue ! »

Pierre-Augustin CARON DE BEAUMARCHAIS,
Le Mariage de Figaro, acte III, scène 5, 1784.

QUESTIONS

1. Que pouvez-vous dire de l'évolution des rapports entre les deux personnages, à présent que Figaro est redevenu valet ?

2. Le ton est-il le même que dans *Le Barbier de Séville* ?

MARIVAUX, *LE JEU DE L'AMOUR ET DU HASARD*, 1730

La surprise de l'amour

Deux jeunes gens, Silvia et Dorante, que leurs parents veulent marier, décident (chacun de son côté) d'échanger leur place avec leur valet et leur servante respectifs pour étudier l'époux qu'on leur destine avant de prendre leur décision. Ils tombent amoureux l'un de l'autre sous leurs habits de domestiques et ne peuvent évidemment pas le reconnaître. La famille de Silvia, chez qui se déroule la pièce, est au courant du travestissement de Dorante et finit par avertir la jeune fille. Celle-ci se flatte alors de se faire épouser sous son habit de servante.

« DORANTE. Ah ! ma chère Lisette, que viens-je d'entendre ? tes paroles ont un feu qui me pénètre ; je t'adore, je te respecte. Il n'est ni rang, ni naissance, ni fortune qui ne disparaisse devant une âme comme la tienne ; j'aurais honte que mon orgueil tînt contre toi ; et mon cœur et ma main t'appartiennent.
SILVIA. En vérité, ne mériteriez-vous pas que je les prisse, ne faut-il pas être bien généreuse pour vous dissimuler le plaisir qu'ils me font, et croyez-vous que cela puisse durer ?
DORANTE. Vous m'aimez donc ?
SILVIA. Non, non ; mais si vous me le demandez encore, tant pis pour vous.
DORANTE. Vos menaces ne me font point de peur.
SILVIA. Et Mario, vous n'y songez donc plus ?
DORANTE. Non, Lisette ; Mario ne m'alarme plus ; vous ne l'aimez point ; vous ne pouvez plus me tromper ; vous avez le cœur vrai ; vous êtes sensible à ma tendresse, je ne saurais en douter au transport qui m'a pris, j'en suis sûr ; et vous ne sauriez plus m'ôter cette certitude-là.
SILVIA. Oh ! je n'y tâcherai point ; gardez-la ; nous verrons ce que vous en ferez.
DORANTE. Ne consentez-vous pas d'être à moi ?
SILVIA. Quoi ! vous m'épouserez malgré ce que vous êtes, malgré la colère d'un père, malgré votre fortune ?
DORANTE. Mon père me pardonnera dès qu'il vous aura vue ; ma fortune nous suffit à tous deux ; et le mérite vaut bien la naissance : ne disputons point, car je ne changerai jamais.
SILVIA. Il ne changera jamais ! Savez-vous bien que vous me charmez, Dorante ?
DORANTE. Ne gênez donc plus votre tendresse, et laissez-la répondre…
SILVIA. Enfin, j'en suis venue à bout ; vous… vous ne changerez jamais ?
DORANTE. Non, ma chère Lisette.
SILVIA. Que d'amour !

SCÈNE 9. MONSIEUR ORGON, SILVIA, DORANTE, LISETTE, ARLEQUIN, MARIO.

SILVIA. Ah ! mon père, vous avez voulu que je fusse à Dorante ; venez voir votre fille vous obéir avec plus de joie qu'on n'en eut jamais.
DORANTE. Qu'entends-je ! vous, son père, Monsieur ?
SILVIA. Oui, Dorante, la même idée de nous connaître nous est venue à tous deux ; après cela, je n'ai plus rien à vous dire ; vous m'aimez, je n'en saurais douter : mais, à votre tour, jugez de mes sentiments pour vous ; jugez du cas que j'ai fait de votre cœur par la délicatesse avec laquelle j'ai tâché de l'acquérir.
MONSIEUR ORGON. Connaissez-vous cette lettre-là ? Voilà par où j'ai appris votre déguisement, qu'elle n'a pourtant su que par vous.
DORANTE. Je ne saurais vous exprimer mon bonheur, Madame ; mais ce qui m'enchante le plus, ce sont les preuves que je vous ai données de ma tendresse.
MARIO. Dorante me pardonne-t-il la colère où j'ai mis Bourguignon ?
DORANTE. Il ne vous la pardonne pas, il vous en remercie.
ARLEQUIN. De la joie, Madame ! Vous avez perdu votre rang ; mais vous n'êtes point à plaindre, puisque Arlequin vous reste.
LISETTE. Belle consolation ! il n'y a que toi qui gagnes à cela.
ARLEQUIN. Je n'y perds pas : avant notre reconnaissance, votre dot valait mieux que vous ; à présent, vous valez mieux que votre dot. Allons, saute, Marquis ! »

MARIVAUX, *Le Jeu de l'amour et du hasard*,
acte III, scènes 8-9, 1730.

QUESTIONS

1. Ici, le jeune homme s'aperçoit que la jeune fille qu'il s'est décidé à épouser malgré son statut inférieur, est du même milieu que lui. Qu'est-ce que cela change à la tonalité du passage ?

2. Que pensez-vous du procédé de Silvia ?

Sujets de bac

Questions d'ensemble

1. Quel rôle peut jouer la comédie dans une société ? Vous répondrez en vous appuyant sur tous ces textes et sur *Le Barbier*.
2. D'après ces passages, caractérisez la comédie de mœurs.

Commentaire

Vous commenterez le texte de Marivaux (p. 244-245), en vous attachant notamment à l'analyse de l'argumentation d'Arlequin et de la manière dont le Prince y répond. Cela vous conduira à vous interroger sur la relation entre les deux personnages et les sentiments qu'ils expriment.

Dissertation

Le texte théâtral est destiné à la représentation. Comment la suggère-t-il ? Quelle part laisse-t-il à l'initiative du metteur en scène et des acteurs ? Vous répondrez à ces questions en vous appuyant sur les textes du corpus, sur *Le Barbier de Séville* et sur votre expérience de spectateur.

Écriture d'invention

Imaginez la réponse d'Agnès, la jeune fille à qui s'adresse Arnolphe dans l'extrait de *L'École des femmes* (p. 237-238). Vous ne tiendrez pas compte de l'écriture versifiée, mais vous vous placerez dans la situation d'une jeune fille du XVIIe siècle.

LECTURES DU *BARBIER DE SÉVILLE*

AU TEMPS DE BEAUMARCHAIS

L'auteur se fait lui-même l'écho, dans la *Lettre modérée*, des critiques défavorables dont sa pièce a été l'objet : absence de plan et d'unité, peu de comique ou trop de farce selon les cas, excès de bon mots, immoralité, critique de l'honorable profession de médecin, absence de couleur locale, présence de musique, insuffisance de musique ; il passe tout en revue et se défend avec esprit. Il est vrai qu'il a néanmoins tenu compte des critiques en réduisant sa pièce d'un acte.

L'intrigue, les procédés comiques et le dialogue

On peut citer quelques critiques négatives. Métra remet en cause la force comique de la pièce :

> « Tout le comique prétendu de cette pièce consiste en quelques bons mots de la plus grande trivialité ; elle est remplie de plaisanteries plates, de bouffonneries grivoises et même de pensées très répréhensibles. »

MÉTRA, *Correspondance littéraire secrète du 25 février 1775.*

Bachaumont, dans ses *Mémoires secrets*, ouvrage de 36 volumes consacré à la vie littéraire et mondaine du XVIIIe siècle, note sévèrement, à la date du 23 février :

> « Cette pièce, que l'auteur prolixe a allongée en cinq actes, au lieu de la réduire à trois, n'est, quant à l'intrigue, qu'un tissu mal ourdi de tours usés au théâtre pour attraper les maris ou les tuteurs jaloux. »

BACHAUMONT, *Mémoires secrets pour servir à l'histoire de la République des lettres en France depuis 1762 jusqu'à nos jours*, 1780-1789.

Manque de plan, manque de goût, manque d'art, tel est le jugement du critique, vigoureusement éreinté dans la *Lettre modérée*, du *Journal encyclopédique* :

> « Il sera difficile, sans doute, pour le journaliste, même le plus exercé, de tracer le plan de cette comédie parce qu'elle en a peu, et n'offre en général que des scènes liées presque au hasard, à la manière de ces canevas italiens[1] où l'on ne consulte ni la vraisemblance, ni aucune des unités, ni la morale naturelle. [...] rien n'est lié, rien n'est conduit. »

Si le critique admet que l'on rit, que le public est content (et l'utilisation du « on » le met dans les rieurs sans qu'il l'assume vraiment), il assimile ce rire à celui que soulèvent les farces communes :

> « Malgré tout cela, on rit à cette pièce autant qu'à celle d'Arlequin, valet, juge et prévôt et c'est probablement ce que demandait l'auteur, si célèbre par d'autres écrits[2], dont le mérite brillant ne peut être contesté. »
>
> *Journal encyclopédique*, mai 1775.

Ces critiques mettent en évidence, sans le dire, le fait que Beaumarchais renouvelle la comédie qui était devenue sérieuse à l'époque et se distinguait de la farce, ramenée aux tréteaux de foire et aux divertissements des théâtres privés ; la gaieté qu'il revendique dans la *Lettre modérée*, apparaît comme vulgaire, presque démagogique. Il est curieux de constater qu'on avait aussi en son temps reproché à Molière d'user des moyens de la farce...

Il est un reproche cependant que même des admirateurs de Beaumarchais notent : l'abus des mots d'auteur, des traits gratuits destinés seulement à faire rire, comme si l'auteur ne savait pas résister à sa propre verve et oubliait parfois l'action :

> « [le comique] du dialogue n'est qu'un remplissage de trivialités, de turlupinades, de calembours, de jeux de mots bas et même obscènes[3]. »

---

1. Par « ces canevas italiens » il fait certainement allusion à la commedia dell'arte*.
2. Il s'agit des *Mémoires contre Goëzman* qui avaient fait de Beaumarchais un écrivain et un polémiste célèbre.
3. Bachaumont, *Mémoires secrets*, *op. cit.*

Pourtant, certains approuvent Beaumarchais pour cette même gaieté. La *Correspondance littéraire*, journal lancé par le baron Grimm en 1753 et poursuivi par d'autres à partir de 1773, envoie en Allemagne et ailleurs des comptes rendus des productions de l'esprit en France. À l'époque, toute l'Europe cultivée parle français et tous les yeux sont tournés vers Paris. Le critique parle deux fois du *Barbier* dans un commentaire élogieux :

> « Toute l'intrigue est liée avec adresse, et le dénouement en est ingénieux. La scène d'imbroglio où Bazile semble arriver pour déconcerter tous les projets du comte Almaviva et où l'on intrigue si bien qu'il ne sait plus qui on veut tromper, est une des plus excellentes scènes qu'il y ait au théâtre, et l'idée en est tout à fait neuve. »

Dans le même article, cependant, il émet la même réserve évoquée précédemment sur les dialogues :

> « Le dialogue serait plus facile et plus vrai s'il n'avait pas l'air de courir après le mot ; mais plusieurs de ces mots sont fins et plaisants. »
>
> *Correspondance littéraire*, 11 décembre 1775.

Le Mercure de France, journal de référence de l'époque, approuve, quant à lui, la comédie entière :

> « Cette comédie est un imbroglio comique où il y a beaucoup de facéties, d'allusions plaisantes, de jeux de mots, de *lazzi*, de satires grotesques, de situations singulières et vraiment théâtrales, de caractères originaux, et surtout de gaieté vive et ingénieuse. »
>
> *Le Mercure de France*, 1775.

Personnages et caractères

Les personnages ne trouvent pas grâce aux yeux de certains. Ils sont parfois englobés dans la critique de la construction et on leur reproche de manquer de cohérence. Pour Bachaumont, « les caractères n'ont aucune énergie ». Il ne s'agit pas ici d'entendre énergie au sens de vitalité (ce qu'on ne saurait leur reprocher), mais au sens d'unité, de force agissante qui fait qu'un personnage existe. On pourrait penser qu'au moins Figaro échappe à ce reproche. Mais le critique du *Journal encyclopédique* voit en lui une composition de traits hétérogènes, autant qu'en Bartholo :

> « [...] le tuteur, qui d'abord pénétrait tout, se laisse attraper comme un imbécile ; Figaro ressemble à tout ; rien n'est lié, rien n'est conduit. »

Les mêmes critiques mettent en cause la moralité des personnages : Rosine est particulièrement visée et Beaumarchais en parle (pour défendre son personnage, bien entendu) dans la *Lettre modérée*. Dans le *Journal encyclopédique*, les jeunes amoureux sont ainsi visés, avant Bartholo et Figaro :

> « On trouve à la jeune personne tous les défauts d'une fille mal élevée ; l'amant paraît s'avilir par un des personnages qu'il joue[1]. »

Il faut reconnaître que *Le Sacristain* mettait en scène une héroïne mariée – mal mariée – et trompant son mari avec des mots fort lestes. Et dans la version en cinq actes, Beaumarchais faisait encore dire à Bartholo : « Je me rends parce qu'il est clair qu'elle m'aurait trompé toute sa vie », ce qui ne donne pas une haute idée des vertus de la jeune fille.

Il est vrai que Beaumarchais a mis ses soins à faire de Rosine, malgré ses mensonges et ses ruses, une femme qui se défend et trouve donc là son excuse. Le critique de la *Correspondance littéraire* y a été sensible, puisqu'il loue Rosine autant que son amoureux :

> « Cette pièce est non seulement pleine de gaieté et de verve, mais le rôle de la petite fille est d'une candeur et d'un intérêt charmants. Il y a des nuances de délicatesse et d'honnêteté dans le rôle du Comte et dans celui de Rosine, qui sont vraiment précieuses et que notre parterre est loin de pouvoir sentir et apprécier. »
>
> *Correspondance littéraire*, 11 décembre 1775.

1. Il s'agit du rôle de soldat ivre, indigne d'un grand seigneur.

AUX SIÈCLES SUIVANTS

L'intrigue, le langage, le comique

On retrouve très régulièrement les mêmes appréciations sur l'œuvre. La formulation change, mais les éloges et les critiques tournent autour de la construction et des traits d'esprit, autrement dit du comique de l'œuvre, qui est plus dans son langage que dans les situations proprement dites.

Le Barbier ne cesse pas d'être joué au XIXe siècle. Mais dans le couple *Barbier-Mariage*, c'est ce dernier qui inspire le plus de réflexion à cause de la Révolution et de la vision que l'on se fait de Beaumarchais comme auteur prérévolutionnaire. De ce fait, on a parfois tendance à ramener les pièces aux répliques qui portent et donnent de Figaro l'image d'un révolté, d'un porte-parole des opprimés. Ce qu'on peut aussi bien lui reprocher sur le plan dramaturgique : ainsi, un critique de renom, Francisque Sarcey, note avec quelque sévérité à propos de Figaro vu dans les deux comédies :

« Ce n'est pas un caractère, mais une machine à mots[1]. »

Jules Janin se débarrassait dans une phrase sans nuances de tous les aspects des comédies de Beaumarchais :

« Les longues comédies licencieuses de Beaumarchais font mal à voir, comme le vice quand il est devenu pauvre et vieux[2]. »

Pourtant, au tournant du siècle, le maître de la critique française, Gustave Lanson, fait un bel éloge de Beaumarchais :

« Enfin l'on sortait des ridicules de salon, des fats, des coquettes, du cailletage[3] ! On en sortait par un retour hardi à la vieille farce, à l'éternelle comédie. Un franc comique jaillissait de l'action prestement

1. Cité dans *Le Théâtre*, collectif, Bréal, 1996.
2. *Ibid.*
3. **Cailletage :** bavardage.

menée à travers les situations comiques ou bouffonnes que le sujet contenait, des quiproquos, des travestis, de tous ces bons vieux moyens de faire rire, qui semblaient tout neufs et tout-puissants. Sur tout cela l'auteur, se souvenant de sa course romanesque au-delà des Pyrénées, avait jeté le piquant des costumes espagnols, dont le contraste relevait le ragoût parisien du dialogue. Ce dialogue était la grande nouveauté, la grande surprise de la pièce : il en faisait une fête perpétuelle. »

Gustave LANSON, *Histoire de la littérature française*, 1909.

De fait, c'est bien le langage de Beaumarchais, l'efficacité de l'intrigue portée par un dialogue ébouriffant, qui continuent d'être loués par les commentateurs :

« Le langage de Beaumarchais se plie à tous les tons. Entre le brillant de la conversation mondaine et le tranchant de la parole révolutionnaire, entre le gros pataquès et l'interrogation philosophique, il est principe de plaisir. Son rythme et ses modulations, tout comme l'agilité des personnages et la rapidité de la mise en scène, appellent la musique. Beaumarchais a écrit le livret d'un opéra, *Tarare* ; les chansons jalonnent *Le Barbier* qui a été un opéra-comique et *Le Mariage* ; avant même qu'interviennent Mozart et Rossini, le théâtre de Beaumarchais révèle la dimension musicale de la langue. »

Robert MAUZI, Michel DELON, Sylvain MENANT,
Histoire de la littérature française, tome VI,
« De l'*Encyclopédie* aux *Méditations* », GF-Flammarion, 1998.

Les effets de théâtre dans le théâtre, les interventions de l'auteur, l'ironie* qui parcourt la pièce, greffés sur une intrigue conventionnelle et même dépassée à l'époque, semblent constituer pour beaucoup la véritable richesse de la pièce :

« L'argument du Barbier réitère cette éternelle lutte des *adulescentes* contre les *senes*[1], à l'origine du genre comique. Toutefois, même s'il semble réutiliser de vieilles ficelles, Beaumarchais va bien plus loin que

1. ***Adulescentes*** : « les jeunes gens », ***senes*** : « les vieillards », personnages traditionnels de la comédie latine de Plaute et Térence.

sa propre ambition et pousse sa création : jusqu'à la limite de l'auto-dérision, jusqu'à l'hésitation au bord de l'ironie réflexive ? Où commence la transgression des conventions ? Où s'arrête la lucidité d'auteur ? Autant de questions auxquelles il n'est pas aisé de répondre, car l'œuvre s'inscrit dans une ambivalence entre premier et second degré, comme si elle devenait, en s'écrivant, le pastiche d'elle-même. »

Violaine GÉRAUD, *Beaumarchais, l'aventure d'une écriture*, Champion, 1999.

En revanche, on trouve plus de réserves du côté du monde du théâtre. Jusqu'aux années 1950, on continue à jouer fréquemment *Le Barbier*, mais les grands metteurs en scène ne s'y intéressent pas particulièrement – on cite souvent le jugement sévère de Louis Jouvet sur le théâtre comique de Beaumarchais. S'il admet les qualités de dramaturge de l'auteur, son esprit, il lui refuse la vraie force créatrice. Pour lui, Beaumarchais est un « fort habile dramaturge » :

« Je compris aussi la virtuosité avec laquelle Beaumarchais sait faire surgir, agir, réagir, apparaître et disparaître ses personnages, et l'étonnante, la prestigieuse magie avec laquelle il noue et dénoue les intrigues les plus compliquées. »

Louis JOUVET, *Réflexions sur le comédien*, 1936.

Il est non moins doué pour les « belles tirades ». Mais ce sont justement ces qualités qui font son défaut : se laisser emporter par l'intrigue et le langage, c'est étaler son métier et non véritablement créer. D'où ces jugements catégoriques : « Trop de métier nuit » et : « C'est un des écrivains de théâtre du plus haut rang, ce n'est pas, à mon avis, un poète dramatique. »

Cette distinction entre qualité de dramaturge et caractère d'auteur dramatique, on peut la retrouver sous une autre forme, chez Jean Meyer, metteur en scène du *Barbier* :

« C'est au troisième acte surtout que les comédiens courent le grand danger de jouer les mots plus que la situation. Bartholo et Figaro surtout qui, portés par leur dialectique, risquent de faire oublier au public le but de leur discussion au profit d'un plaisir de l'esprit[1]. »

Cette « tentation de l'esprit », Pierre Larthomas la reproche aussi à Beaumarchais :

> « Souvent brillant, l'auteur dramatique est tenté d'oublier que le dialogue doit paraître improvisé, que ce sont les personnages qui s'expriment et non celui qui les crée. »
>
> Pierre LARTHOMAS, *Le Langage dramatique*, PUF, 1997.

Après le milieu du siècle, la Comédie-Française joue moins *Le Barbier* qui, par ailleurs, ne suscite pas, hors de cette maison, de grande mise en scène. Les metteurs en scène novateurs préfèrent, pour le XVIIIe siècle, relire et réinterpréter Marivaux. Un metteur en scène et acteur de la Comédie-Française qui a mis en scène la pièce, Michel Etcheverry, a écrit une belle préface pour *Le Barbier*, dans laquelle il exprime tout le plaisir qu'on peut éprouver à le jouer :

> « Pourquoi chez les acteurs, cette envie de jouer Almaviva ou Figaro, Bartholo et Rosine, ou même Bazile (chez qui j'ai habité) ? Parce que le plaisir, la gaieté, la merveilleuse santé de Beaumarchais se communiquent à nous, comédiens, nous n'avons plus qu'à la faire partager aux spectateurs. »
>
> Michel ETCHEVERRY, préface du *Barbier de Séville*,
> Le Livre de poche, 1985.

Il loue, en termes de cinéma, Beaumarchais pour ses qualités de « dialoguiste » et pour l'habileté de son intrigue qui tient tout entière au rythme et aux qualités de « monteur » du metteur en scène. Mais il ne renie pas le jugement de Louis Jouvet et n'accorde pas à Beaumarchais le génie dramatique.

---

1. Cité par Gabriel Conesa, *La Trilogie de Beaumarchais*, *op. cit*, p. 150.

Les caractères

On admet souvent que le génie de Beaumarchais n'est pas dans la création de caractères et l'opinion de Jouvet n'est pas loin d'emporter l'adhésion :

> « Lorsqu'on joue un personnage de Molière, on est nourri par lui – on peut incarner un personnage de Beaumarchais sans subir moralement d'augmentation de poids. »
>
> Louis JOUVET, *Réflexions sur le comédien*, *op. cit.*

Il ne s'agit pas pour autant de caricature. René Pomeau note même :

> « Sans être profonde, la psychologie de Beaumarchais atteint la vérité par la finesse de touche. »
>
> René POMEAU, *Beaumarchais ou la bizarre destinée*, PUF, 1987.

Il ne s'agit pas nécessairement de faire grief à Beaumarchais de sacrifier l'exigence « psychologique » ; après tout elle n'est dans le théâtre qu'un moment de son développement. L'essence de l'art dramatique est dans l'action, pas dans les caractères. Aussi les metteurs en scène cités, s'ils accordent plus de poids à un Molière par exemple, ou à un Marivaux pour le XVIIIe siècle, admettent l'efficacité dramatique de Beaumarchais. Comme le dit Gabriel Conesa :

> « Bien que Beaumarchais ne s'y dérobe pas ouvertement – il s'en pique même dans la *Lettre modérée* –, il y a plusieurs raisons de penser que la portée psychologique de son œuvre n'est pas au centre de ses préoccupations.
> [...] Beaumarchais n'a pas voulu poursuivre “un seul caractère vicieux[1]” comme l'avaient fait les classiques ; il avoue y avoir préféré “la critique d'une foule d'abus qui désolent la société”. Ce parti pris concourt à donner le sentiment que ses personnages ont davantage

1. Préface au *Mariage de Figaro*.

de présence scénique que de consistance réelle, car les quelques indications à caractère psychologique que le public pourra glaner çà ou là au cours de la pièce ne suffiront pas à peindre leur intériorité. »

Gabriel CONESA, *La Trilogie de Beaumarchais*, *op. cit.*

Jacques Scherer lie la faiblesse relative de la psychologie au recours fréquent à la péripétie, autrement dit aux retournements de situation :

« Parmi les éléments constitutifs de la péripétie à l'époque classique figure l'exigence d'une modification interne et assez durable pour les personnages affectés par un changement de situation. C'est pourquoi la péripétie peut apporter au théâtre classique, par rapport aux époques antérieures, un enrichissement considérable dans l'analyse des sentiments. Mais, en proliférant, la péripétie était condamnée à perdre cette fonction psychologique. »

Jacques SCHERER, *La Dramaturgie de Beaumarchais*, *op. cit.*

De fait, on peut louer Beaumarchais d'avoir perçu l'instabilité psychique de l'être humain et de s'être dérobé à l'exigence unificatrice du théâtre classique. On peut également penser qu'en jouant perpétuellement des codes théâtraux, en exhibant la théâtralité et l'artifice, Beaumarchais interdit d'oublier la réalité et crée, avec bien de l'avance sur Brecht, un théâtre de la distanciation – ce qui convient tout naturellement à la volonté d'agir sur son temps :

« Le fait le plus frappant à cet égard est la distance que Beaumarchais s'efforce d'établir entre la scène et la salle, de façon à rappeler au spectateur qu'il est au théâtre et qu'il ne doit pas trop adhérer à ce qu'on lui montre. »

Gabriel CONESA, *La Trilogie de Beaumarchais*, *op. cit.*

Dès lors il est tentant de penser, comme certains critiques, que le seul caractère qui s'impose vraiment est celui de l'auteur lui-même, dispersé à travers ses personnages, et tout particulièrement à travers Figaro, mais surtout présent comme maître de jeu, maître des mots. Violaine Géraud peut ainsi écrire :

> « Beaumarchais invente ainsi une écriture comique dans laquelle s'entremêlent et se séparent théâtre et vie en un mouvement fluide, paradoxal et permanent. Mouvement des répliques, de l'intelligence, mouvements des désirs et des corps que ne figent plus ni une nature, ni une destinée. »

Ainsi pouvons-nous

> « imaginer, derrière les comédiens ou à travers eux, un homme toujours mobile, prompt à l'aventure comme à la cocarde verbale, celui que J.-P. de Beaumarchais a fort justement nommé le "Voltigeur des Lumières". »
>
> Violaine GÉRAUD, *Beaumarchais, l'aventure d'une écriture*, *op. cit.*

LIRE, VOIR, ENTENDRE

BIBLIOGRAPHIE

Éditions de l'œuvre

– BEAUMARCHAIS, *Œuvres*, édition de Pierre et Jean Larthomas, Gallimard, coll. « Bibliothèque de la Pléiade », 1988.

– BEAUMARCHAIS, *Théâtre*, édition de Jean-Pierre de Beaumarchais, Classiques Garnier, 1980.

Sur Beaumarchais

– Jean-Pierre de BEAUMARCHAIS, *Beaumarchais, le Voltigeur des Lumières*, Gallimard, coll. « Découvertes », 1996.

– Gabriel CONESA, *La Trilogie de Beaumarchais*, PUF, coll. « Littératures modernes », 1985.

– Bernard DIDIER, *Beaumarchais ou la passion du drame*, PUF, coll. « Écrivains », 1994.

– Violaine GÉRAUD, *Beaumarchais, l'aventure d'une écriture*, Champion, 1999.

– Frédéric GRENDEL, *Beaumarchais*, Flammarion, 1973.

– René POMEAU, *Beaumarchais ou la bizarre destinée*, PUF, coll. « Écrivains », 1987.

– Jacques SCHERER, *La Dramaturgie de Beaumarchais*, Nizet, 1954 (4e réed. 1989).

FILMOGRAPHIE

– *Le Barbier de Séville*, mise en scène de Jean-Luc Boutté à la Comédie-Française, 1990 ; disponible en vidéo.

– Rossini, *Il Barbiere de Sevilla*, par l'orchestre philharmonique de Stuttgart, avec Cecilia Bartoli, Gabriele Ferro, 1988 ; disponible en DVD.

– *Beaumarchais, l'insolent*, film d'Édouard Molinaro, avec Fabrice Lucchini, Manuel Blanc, Sandrine Kiberlain, Jacques Weber, Michel Piccoli, Jean-François Balmer, Florence Thomassin, Michel Serrault, Jean-Claude Brialy, Jean Yanne, 1996 ; disponible en DVD.

– *Le Barbier de Séville*, film de Mike Roeykens, avec Jean-Claude Frisson, Micheline Goethals, Damien Gillard, Daniel Haussens, Thierry Lefevre, 1997 ; disponible en DVD.

DISCOGRAPHIE

– *Le Barbier de Séville*, avec Michel Roux, Dominique Paturel ; enregistrement sonore Bordas.

– *Il Barbiere de Sevilla*, opéra de Rossini, orchestre de l'Académie St Martin-in-the-fields, dirigé par Sir Neville Marriner, Philips.

LES TERMES DE CRITIQUE

Acmè (n. f.) **:** point culminant d'une action, d'une scène, d'un acte.

Aparté : propos prononcé à voix haute par un personnage qui n'est pas seul en scène, sans que l'autre ou les autres soient censés entendre.

Barbon : vieillard ridicule, souvent amoureux ; il se fait duper par les valets et les jeunes gens.

Cabale (vieilli) **:** complot visant, par des cris et des sifflets, à faire tomber un spectacle. S'oppose à la **claque,** formée d'amis ou de protégés de l'auteur (payés parfois), chargés d'applaudir bruyamment pour soutenir la pièce.

Caractère : ensemble des traits physiques, psychologiques, intellectuels parfois, et des comportements correspondants, qui définissent un « type » de personnage de comédie.

Commedia dell'arte : expression italienne désignant un genre comique venu d'Italie, florissant de la Renaissance jusqu'à la fin du XVIIe siècle. Il se caractérise par l'improvisation sur des canevas simples, les comédiens puisant dans des stocks de *lazzi* (plaisanteries bouffonnes, où les spectateurs sont souvent interpellés), de jeux de scènes, de péripéties… et brodant au gré de leur inspiration du moment ; ce qui donne une combinaison plaisante de tradition et de liberté créatrice.

Coup de théâtre : événement imprévu (même si l'auteur a pu le préparer pour ne pas être accusé d'artifice) qui vient modifier profondément la situation. Il peut intervenir à différents moments, mais de préférence à la fin de la pièce, pour résoudre comme par magie les conflits, en débloquant une situation inextricable : le *deus ex machina* est une divinité amenée par une machine théâtrale et qui pacifie tout.

Déclamation : diction propre au théâtre classique, qui repose sur un travail de la voix (amplification, prononciation, modulation). Cet art de la parole entre diction et chant (proche du récitatif dans l'opéra de l'époque) a été remis en cause au XVIIIe siècle au nom d'une esthétique du naturel.

Dénouement : dernier temps de la pièce où tout se résout, où l'intrigue se dénoue et les conflits s'achèvent, pacifiquement ou non. Au sens strict, le dénouement suit la péripétie finale et installe une situation nouvelle, le sort de tous les protagonistes étant fixé. Au sens large, il intègre la péripétie et peut tenir alors sur tout le dernier acte.

Didascalie : indication scénique donnée par l'auteur en n'importe quel endroit de la pièce. On parle de **didascalie interne** quand des indications sont données dans les paroles d'un personnage.

Double énonciation/articulation : caractère propre à l'énonciation théâtrale qui a deux destinataires ; l'un fictif, le personnage ; l'autre réel, les spectateurs. Les « mots d'auteur », dont Beaumarchais fait grand emploi, s'adressent visiblement aux spectateurs.

Dramaturgie : art de la composition d'une pièce de théâtre, obéissant à certaines règles ; conduite de l'action.

Drame bourgeois : nouveau genre théâtral créé au XVIIIe siècle. Il met en scène des gens ordinaires, dans des situations de la vie quotidienne. Entre tragédie et comédie, il veut susciter l'attendrissement par l'identification des spectateurs aux personnages, et mener les spectateurs sur le chemin de la vertu en leur montrant les méfaits du vice et les douceurs du bien.

Emploi : type de rôle consacré par une tradition théâtrale, par exemple celle de la commedia dell'arte ou de la farce.

Exposition : partie initiale de la pièce (comprenant généralement tout le premier acte et parfois son seul début), destinée à fournir les informations nécessaires pour comprendre la situation, ce qui y a conduit et ce qui peut en découler. Elle rappelle le passé, expose le présent et s'ouvre sur l'avenir.

Farce : genre dramatique comique reposant sur des plaisanteries grasses, des gestes et des actions grotesques. Les types y sont fixés, les situations schématiques, les sentiments stéréotypés ; le corps s'y étale largement et la langue se libère.

Imbroglio/imbroille/embrouille : situation très compliquée que l'on a du mal à démêler.

***In medias res* :** littéralement, au milieu de l'action. Expression latine employée pour qualifier des entrées en scène (ou dans une histoire romanesque) en pleine action.

Ingénue : type de jeune fille innocente, soumise à l'autorité de parents ou de tuteurs qui veulent régir sa vie, et particulièrement son mariage, à leur guise.

Intrigue : ensemble des actions et réactions qui, à partir d'une situation initiale, provoquent des obstacles, créent le conflit qui constitue le nœud de la pièce, et s'emploient à le dénouer.

Ironie : tonalité comique jouant sur les implicites du langage. L'ironie consiste à dire autre chose que ce que l'on veut faire comprendre. À l'extrême, le contraire, mais toutes les nuances existent et font que l'ironie est d'un maniement délicat et suppose des lecteurs avertis, puisqu'il n'y a pas de marqueurs typographiques de l'ironie. L'**ironie dramatique** désigne, dans une situation théâtrale, l'écart entre ce que savent et comprennent un ou plusieurs personnages et ce que sait ou comprend le spectateur.

Loges/petites loges (sens vieilli) **:** métonymie pour les occupants des loges (loges grillagées qui permettaient d'assister au spectacle sans être vu), spectateurs aisés des places plus chères et pour ceux des petites loges, spectateurs hypocrites qui ne voulaient pas être vus.

Mélodrame : genre théâtral qui apparaît à la fin du XVIIIe siècle comme une forme d'opéra comique populaire, mélangeant textes et chansons. Pendant la Révolution, il prend une couleur franchement pathétique, voire larmoyante, et moralisatrice. Il reste un genre très populaire pendant toute la première moitié du XIXe siècle. Les personnages et les situations du mélodrame sont très codés (le héros, la jeune fille menacée, le traître...). Le sens étymologique, « pièce avec chant », mélo + drame, a été oublié au profit de « pièce pathétique aux situations et actions stéréotypées, destinée à susciter des émotions fortes ».

Mise en abyme : au sens strict, représentation qui se représente elle-même ; au sens large, représentation dans une œuvre d'art du sujet de cette œuvre. Ici, il s'agit du thème de *La Précaution inutile*, à la fois sous-titre de la pièce et titre de la musique que prétend perdre Rosine au début et que lui fait chanter Lindor en maître de musique.

Monologue : discours qu'un personnage s'adresse à lui-même, quand il est seul en scène. Si quelqu'un d'autre écoute sans intervenir et sans être concerné, on parle de **soliloque**.

Mot d'auteur : réplique ou tirade qui s'intègre mal dans le rôle d'un personnage et qui apparaît comme une intervention de l'auteur derrière le masque de ce personnage. Il s'agit de faire rire, ou de faire la leçon... Beaumarchais en est un des spécialistes sur la scène française.

Nœud : dans le théâtre classique, moment central de l'action, où se nouent les fils de l'intrigue mis en place dans l'exposition et le début de l'action ; le conflit ne peut plus être évité, il éclate.

Opéra-comique (vieilli en ce sens) **:** genre théâtral très en vogue, mêlant chant et dialogues parlés.

Parade : exhibition de danseurs et d'acteurs sur une estrade ou un balcon, dans les foires ou les villes, pour attirer les spectateurs à une représentation théâtrale. Les parades joyeusement grossières et paillardes, jouées dans un langage très populaire, avaient une tradition de liberté de parole et de satire des puissants. Pour les théâtres privés, au XVIIIe siècle, des écrivains de talent comme Beaumarchais écrivent des parades : tout en maintenant la tradition, ils adaptent au goût d'un public plus cultivé les plaisanteries et les jeux de mots et de gestes du peuple.

Parterre (sens vieilli : aujourd'hui les places de parterre sont les plus chères) **:** métonymie pour les spectateurs du parterre où se trouvaient les places les moins chères (les spectateurs étaient debout jusque tard dans le XVIIIe siècle et donc les gens les plus modestes). Le parterre, qui n'avait pas la réputation d'être très cultivé, manifestait vigoureusement son plaisir ou son déplaisir.

Péripétie, péripétie éclair : événement imprévu qui vient retourner une situation ou traverser une action en cours. La « péripétie-éclair », selon une expression de Jacques Scherer, se développe sur quelques répliques seulement, avant d'être annulée par un nouveau retournement.

Protagoniste (terme grec) **:** personnage principal d'une pièce ; il y en a rarement plus d'un. Souvent le titre de la pièce le désigne.

Quiproquo : erreur sur une personne ou une chose ; littéralement « prendre quelqu'un pour quelqu'un d'autre ».

Rhétorique : ensemble des techniques de l'argumentation et de la persuasion.

Rôle : ensemble des répliques et du jeu d'un acteur dans une pièce. Désigne par métonymie le personnage (« un rôle d'ingénue ») parce que les directeurs de troupe et les metteurs en scène cherchent à accorder le mieux possible les talents et caractères de l'acteur à ce qu'il doit jouer. On parle d'un « rôle de composition » quand justement cet accord n'est pas immédiat, et même d'un « rôle à contre-emploi » quand on fait jouer à un acteur un rôle qui semble contraire à sa personnalité. Au sens de « personnage », le rôle renferme les caractéristiques d'un type : les traits du barbon, du valet…

Satire : œuvre ou passage d'une œuvre qui dénonce les travers, les vices, les méfaits d'une personne, d'un groupe de personnes, d'une institution…

Sentence : phrase de portée générale (avec tous les marqueurs de la maxime), énoncée par un personnage pour appuyer son propos ou tirer les leçons d'une situation, d'une action. Elle vient interrompre le dialogue ou le monologue pour en élargir la portée. Elle permet souvent à l'auteur de s'exprimer à travers ses personnages.

Stichomythie : vif échange de répliques entre deux personnages ; au sens étymologique, elle suppose des répliques d'un seul vers à chaque fois. La stichomythie caractérise souvent les affrontements, mais elle peut aussi se rencontrer dans des moments d'entente lyrique.

Tirade : réplique d'une certaine ampleur, où un personnage développe ses sentiments, ses idées... La rhétorique y joue un grand rôle.

Type : personnage de théâtre, (mais aussi dans la littérature en général et au cinéma) qui présente des caractères physiques, psychologiques, moraux, et parfois sociaux, bien marqués, connus du public qui s'attend à les retrouver selon les pièces.

Unités : règles énoncées à l'époque classique et considérées comme les conditions de l'efficacité d'une pièce. Elles sont fondées sur *La Poétique* d'Aristote et précisées par les théoriciens du XVIIe siècle. La règle fondamentale est l'**unité d'action** : une action principale doit unifier toutes les actions, les péripéties, de façon à ce que, dans le temps limité de la représentation, l'attention du spectateur ne se disperse pas et que l'intrigue se développe complètement. En découlent les **unités de temps** – durée de vingt-quatre heures au maximum, et de **lieu** – au sens étroit (une pièce) ou au sens large (quelques endroits d'une une ville ou un quartier, à condition de ne pas multiplier les décors ; une demeure et son jardin ; plusieurs pièces d'une maison, d'un palais...). Ces règles s'assouplissent au XVIIIe siècle avant de voler en éclats à partir de l'époque romantique.

Vaudeville : au XVIIIe siècle, spectacle de musique et de danse en particulier, joué dans les foires comme la parade.

POUR MIEUX EXPLOITER LES QUESTIONNAIRES

Ce tableau fournit la liste des rubriques utilisées dans les questionnaires, avec les renvois aux pages correspondantes, de façon à permettre des **études d'ensemble** sur tel ou tel de ces aspects (par exemple dans le cadre de la lecture suivie).

Rubriques	Pages			
	Acte I	Acte II	Acte III	Acte IV
DRAMATURGIE	71, 81, 86	102, 107 123	144, 150, 155, 157	166, 172, 180
GENRES		93, 122		162, 172 178, 181
MISE EN SCÈNE	75	116, 122	150	
PERSONNAGES	71, 75 81, 86	93, 102, 107, 112, 116, 123	130, 138, 144, 150, 155, 157	162, 166, 172, 178, 180, 183
QUI PARLE ? QUI VOIT ?	75			
REGISTRES ET TONALITÉS	71	102, 112, 116	130, 150, 155, 157	182
SOCIÉTÉ	87			
STRATÉGIES	81	93, 122	138	166
STRUCTURE	75, 87	102, 107, 112, 116	130, 138 144	182
THÈMES	72	93, 107, 112, 122, 124	130, 138, 151, 156, 158	162, 167, 172, 178, 181

TABLE DES MATIÈRES

Le Barbier de Séville en images 2

REGARDS SUR L'ŒUVRE

Chronologie 18
Lire aujourd'hui *Le Barbier de Séville*. 19
Repères. 20
Beaumarchais et *Le Barbier de Séville*. 22

LE BARBIER DE SÉVILLE

Lettre modérée sur la chute et la critique du Barbier de Séville 32
Les personnages. 62
Acte I 64
Acte II 88
Acte III. 125
Acte IV 159

L'UNIVERS DE L'ŒUVRE

Le texte et ses images 186
Quand Beaumarchais écrivait…
Le plaisir du théâtre 189
Une œuvre de son temps ?
La littérature, reflet des Lumières 194
Formes et langages
La comédie selon Beaumarchais :
du rythme, du brio, de l'esprit 206
La structure du *Barbier de Séville* 219
Les thèmes 222
D'autres textes
Valets et barbons : deux figures de comédie 235
Entre farce et comédie de mœurs au XVIIIe siècle 240
Lectures du *Barbier de Séville* 251

ANNEXES

Lire, voir, entendre 262
Les termes de critique 264
Pour mieux exploiter les questionnaires 269

Les photographies de cette édition sont tirées des mises en scène suivantes :
Mise en scène de Jean-Marie Simon pour l'opéra de Rossini, décors de Giovanni Agostinucci, Opéra-Comique de Paris, 1985. – Mise en scène de Jean-Luc Boutté, décors et costumes de Louis Bercut, Comédie-Française, 1990. – Mise en scène d'Alain Bezu, décors et costumes de Mahi, théâtre des Deux-Rives, Rouen, 1991. – Mise en scène de Gaston Vacchia, costumes de Thierry Talagrand, Grand Trianon de Versailles, 1991. – Mise en scène de Dario Fo pour l'opéra de Rossini, décors et costumes de Dario Fo, direction musicale de Marcello Viotti et Jonathan Darlington, Opéra-Garnier, 1992. – Mise en scène de Ruggero Raimondi pour l'opéra de Rossini, direction musicale de Giuliano Carella, décors et costumes de Louis Bercut, Opéra de Nancy, 1992.

COUVERTURE : Gino Quilico (FIGARO) et Louis Quilico (BARTHOLO) dans la mise en scène de l'opéra de Rossini par Dario Fo, Opéra-Garnier, 1992.

CRÉDITS PHOTO :
Couverture : Ph © Ph. Coqueux/Specto/T.– p. 2 : Ph © Ph. Coqueux/Specto/DR/T.– p. 3 : Ph © Enguerand/DR/T.– p. 4-5 : Ph © P. Coqueux/Specto/DR pour Giovanni Agostinucci.– p. 6 haut : Ph © Bernand/DR/T.– p. 6 bas : Ph © Enguerand/DR/T.– p. 7 : Ph © Jeanbor/Archives Larbor/T.– p. 8 : Ph coll. Archives Larbor.– p. 9 : Ph Jeanbor © Archives Larbor.– p. 10 : Ph © Bernand.– p. 11 haut : Ph Jeanbor © Archives Larbor/T.– p. 11 bas : Ph Jeanbor © Archives Larbor.– p. 12 : Ph © C. Masson/Enguerand/DR/T.– p. 13 : Ph © Enguerand/DR/T.– p. 14-15 : Ph © Ph. Coqueux/Specto.– p. 16 : Ph © Ph. Coqueux/Specto/T.– p. 21 : Ph coll Archives Larbor.– p. 30 : Ph Guiley-Lagache © Archives Larbor/T.

Direction éditoriale : Pascale Magni – *Coordination* : Franck Henry – *Édition* : Anne-Sophie Bourg – *Révision des textes* : Luce Camus – *Iconographie* : Christine Varin – *Maquette intérieure* : Josiane Sayaphoum – *Fabrication* : Jean-Philippe Dore – *Compogravure* : PPC.

Imprimé en France par France Quercy – N° de projet : 10098447 – Dépôt légal : juillet 2003